Читайте романы
Татьяны Алюшиной

Татьяна Алюшина

Татьяна Алюшина

Будьте моей семьей

Роман

МОСКВА
2020

УДК 821.161.1-31
ББК 84(2Рос=Рус)6-44
   А59

Художественное оформление серии *С. Власова*

Алюшина, Татьяна Александровна.

А59   Будьте моей семьей : роман / Татьяна Алюшина. — Москва : Эксмо, 2020. — 320 с.

ISBN 978-5-04-106788-5

Артем — состоявшийся в жизни мужчина, сильный и му-
жественный, а семьи до сих пор нет. Он все чаще задумывается
о сыне, но ни одна женщина не кажется ему подходящей на
роль жены. Однажды Артем встречает Арину, красивую моло-
дую маму, умную и независимую. К тому же та занимается интересным делом — шоколадным бизнесом, и сердце его тает. Он
готов усыновить чужого ребенка и делает предложение, только
есть одно важное «но», которое Арина никак не может принять...

УДК 821.161.1-31
ББК 84(2Рос=Рус)6-44

ISBN 978-5-04-106788-5

«Пропало лето», — с ленивой досадой думал Артем, поглядывая через лобовое стекло на плотно затянутое тучами небо. Как сказал недавно один работник его компании, «гнилое лето», пояснив, что его бабушка, жившая в деревне, так говаривала, когда заряжали дожди на неделю, а то и больше.

Какая неделя! Уж потерпели бы как-нибудь неделю-то, а тут вон заливает Москву и всю среднюю полосу страны, почитай, месяц кряду, и холод стоит, и тучи на небе день за днем, депрессняк какой-то сплошной, а не лето. Чуть солнышко появится, одарит радостью и хоть немного потеплеет, так народ толпами на улицы и в парки гулять валит да по дачам стремительно разъезжается в надежде хоть немного расслабиться, погреться, поймать-ухватить тепла редкого. Какой-то выверт природы, ей-богу!

Красногорский снова глянул на небо — не-а, не просветлеет, вон как плотно все затянуто! А обещали потепление, хоть и временное, солнце и несколько дней без дождей.

Ну, положим, потепление есть. А вот солнце нынче не радует — так, выглянет ненадолго, посмотрит, что тут творится, и снова тучами укроется — не нравимся мы ему нынче.

«А как хотелось», — непроизвольно вздохнул Артем.

Он любил их уютный дом и большой участок, любил полениться на даче в полное свое удовольствие, когда выпадала такая возможность.

Приехать жарким денечком и сразу на речку — поплавать до приятной усталости во всем теле, занырнуть до самого дна, до опасного подводного ключа, бившего на глубине, да так, чтобы холодом пробрало до потрохов, а после размашистыми, мощными гребками переплыть речку обратно к своему берегу, выбраться из воды на чуть подрагивающих от усталости ногах и рухнуть животом на горячий песок, подставляя тело палящему солнышку.

Позагорать, прожариваясь, переворачиваясь с живота на спину, разомлев от удовольствия, а когда совсем припечет невмоготу от жарищи, заплыть еще разок, теперь уж размеренно-спокойно. А потом и домой.

А там мама уж и стол накрыла на веранде, чтобы чаевничать, никуда не торопясь, продолжительно-лениво и тихо беседовать, отпуская окончательно из себя всю накопленную усталость, суету и напряженность рабочей недели.

И непременно поваляться после чая в гамаке, устроенном между сосен, условно с книжкой для чтения, по факту же для умиротворенной, ленивой дремы и приятной неги...

Он любил заниматься никогда не переводящимися домашними делами, требующими мужского пригляда и руки — внимательно следил за всеми агрегатами, которые обеспечивали комфортную жизнедеятельность дома, проводил профилактику, менял подлежащие замене части, мог в удовольствие что-то и попилить-приколотить. Обрезать

деревья и копать немногочисленные грядки тоже было его обязанностью, да какой только заботы не требует хозяйство, даже такое отлаженное и неприхотливое, как их дача, на которой они предпочитали все же отдыхать, а никак не огородничать. А ему нравилось — выспаться, утречком сбегать на речку, поплавать, вернуться, не спеша позавтракать и заняться хозяйскими хлопотами. Никуда не торопясь, с расстановкой и толком, в удовольствие, а к вечеру снова на речку. А потом сидеть долгими вечерами на веранде, провожая очередной раскаленный день.

Красота ведь какая, а?

Ну и куда нынче со всеми этими мечтами о расслабухе и ожиданиями знойного лета и любимого отдыха?

На Кипр разве что или в Сочи, например, чтоб им всем весело жилось.

А нету там такой вот красоты и радости дачной. Вот нет, и все!

Он накручивал себя глухим недовольством и мысленным ворчанием, подогреваемым к тому же чувством вины перед мамой за то, что не приезжал больше трех недель. Хотелось оправдаться и отбрехаться, мол, из-за работы, но уж чем-чем, а самообманом Артем Красногорский не страдал с подросткового возраста, да и не позволял себя эдакой ерунды, так что нет, не из-за работы не приезжал, прости матушка. А именно что из-за погоды этой непутевой и настроения какого-то тягучего и мрачного, когда ничего не хочется и не можется, не появлялся он на даче пред любящие матушкины очи.

Она не обижалась, все понимала и прощала, конечно, но вздыхала расстроенно, когда сынок сообщал очередной раз, что не приедет, и жаловался все на ту же погоду, на настроение непонятное и вообще.... А она снова вздыхала, жалела его и... ждала. Конечно, ждала каждые выходные, а как же. Он понимал все ее ожидания и от этого только больше накручивал себя чувством вины, от чего ворчал пуще прежнего, заодно в сердцах поминая недобрым словом еще и образовавшихся постояльцев.

А это так вообще уже за гранью его понимания — постояльцы!

В этом году матушку посетила странная прихоть — сдать часть дома жильцам на лето. И придумала же такое! Откуда что взяла! Вот взбрело же в голову!

— Подожди, Артемочка, — отстаивала она свою мысль, когда сын принялся ее вразумлять, — дом у нас большой, участок огромный, за всем я одна не угляжу, хоть Варя мне и помогает, да и Степан Сергеевич поддерживает. Но, в основном я тут сижу, как сова в дупле, одна-одинешенька. А так сдадим «молодежную половину» хорошим людям, и мне веселей — компания образуется, и людям в радость. Да и денег заработаем.

«Молодежной половиной» они называли три комнаты с примыкающими к ним небольшим кухонным уголком, санузлом и душем, имеющими свой отдельный вход, которые при перестройке и ремонте дома делали с расчетом на то, что там будут жить Артем с женой, как бы условно в своем обособленном крыле, хотя эта часть и была напрямую соединена с «Большим домом» проходной комнатой. Правду сказать, «молодежная половина» и на самом деле большую часть времени стояла закрытой и использовалась, только когда приезжали гости. Артему с мамой вполне хватало «Большого дома», весь второй этаж которого занимал он единолично, тоже с отдельным выходом через малую веранду на задний двор, так что уединенности для него здесь было с избытком.

— Каких денег? — негодовал, заводясь, Красногорский. — Мам, ну ты о чем?

— Деньги лишними не бывают, — настаивала мама и объясняла: — Ну Артемушка, ну подумай сам, ведь сижу тут все лето одна, ты только в выходные появляешься, да и то не каждые, а мне живого человеческого общения не хватает, не в Москву же за ним мотаться. Да и не хочется мне в Москву.

— Да у тебя соседи постоянно тут толкутся, вон тот же Степан Сергеевич, — возразил Артем.

— Это все не то, — отмахивалась Лидия Архиповна. — Приходят, да только мы все дела огородные обсуждаем и поселковые сплетни-новости. А сосед, он хоть и человек интересный, но уж больно занудный и себя одного считает авторитетом по многим вопросам. С ним общаться можно весьма дозированно.

— Так пригласи подруг с детьми и внуками, — предложил Артем.

— Да не хочу я подруг, — отмахивалась Лидия Архиповна. — Ты не понимаешь, Артемушка, тут момент тонкий. Я, конечно, люблю своих подруг, но сам подумай: они все независимые, своенравные, привыкли устраивать жизнь по своему характеру и привычкам, а тут у меня будут вроде как под хозяйкой жить, по моим законам и правилам. Одно дело приехать на несколько дней, когда они гости дорогие, любимые, жданные-желанные — погостили и уехали, другое дело жить месяц-два-три, это уж общежитие какое-то получается. А у них у всех характеры ты сам знаешь какие — не рахат-лукум. Переругаемся, останемся недовольны друг другом, да еще и претензий наживем на годы вперед. Нет уж, увольте, я уже не в том возрасте, чтобы терять друзей из-за житейских дрязг и трений характеров.

— А с постояльцами, значит, предполагается, что ты жить будешь душа в душу, — недовольно ворчал Красногорский, уже понимая всю очевидную бесполезность отговаривать ее и вразумлять.

— Надеюсь, — смеялась мама и успокаивающе гладила его по голове. — Я ведь не абы кого возьму, а по рекомендации людей, которым доверяю. И не просто так это придумала. Меня уже неоднократно друзья спрашивали, не сдам ли я закрытую часть дачи. Вот я и решила этим летом попробовать. К Мише обращусь, он людей проверит по своим картотекам или что там у них есть.

Михаил Захарович — старинный друг их семьи, вернее, близкий друг отца еще с их юных лет, ну а потом уж и его семьи, разумеется, в целом, долгие годы служил в МВД и дослужился до больших чинов, с которых и уволился в запас. Но наработанные связи остались.

Артем больше маму не отговаривал — если ей так хочется и вот прямо припекло, да на здоровье! Может, и на самом деле повеселей ей будет, да и не одна все же, какой-никакой, а пригляд. Есть у них, правда, помощница приходящая, Варвара Николаевна, местная жительница пятидесяти двух годов, но... Варя — она и есть Варя, не до куртуазных общений ей, не приспособлена вести умные беседы. И такая, как бы определить помягче, упертая. Все-то она сама знает, как и что надо устраивать в жизни, в хозяйстве, советов чужих не приемлет, наставлений не переносит. Такой типажик непробиваемый.

— Жизнь надо жить, — говорит она безапелляционным наставническим тоном, — а не разговоры разговаривать о ней непонятно зачем. Вот как заведено правильно, так и надо жить.

А матушке порой как раз-таки хочется и «разговоры поразговаривать» с интересным собеседником. Так что пусть, раз уж пришла в голову такая прихоть — сдать часть дома жильцам, пусть.

Может, и удачной идея окажется. Посмотрим.

Артем в выборы постояльцев не вмешивался, предоставив маме самой этим заниматься, только позвонил и лично спросил у Михаила Захаровича, когда мама определилась с выбором арендаторов, нормальные ли люди, и, получив подтверждение по всем статьям, с уверением, что Артем может совершенно не беспокоиться о матушке, Красногорский тему дачных жильцов отодвинул куда-то на задворки памяти.

Мама рассказывала что-то про поселившихся жильцов, когда они с ней созванивались, мол, женщина, как и она, коренная москвичка, ее ровесница, с внуком, замечательная, интеллигентная, с которой они сразу же расположились друг к другу и буквально через пару дней сдружились, и что-то еще, еще — Артем не запоминал. Главное, маме хорошо, она счастлива и новую подругу заимела — и слава богу.

А тут собрался наконец ехать, и мало того что настроение кислое, так вспомнилось еще с раздражением и о чужих людях в доме. Даже прикинул на мгновение, а не втюхать ли любимой маменьке присутствие жильцов как одну из причин его длительного непосещения родительницы, но как подумал, так и отмел эту мимолетную мысль. Во-первых, она тут же поймет, что он тупо отбояривается, находя себе оправдание, а во-вторых, чего врать-то, не любил он это дело — помни потом, что сбрехал,

11

держи в голове весь этот мусор. Да и зачем? Смысла никакого. Ну не приезжал, хандрил, ну вот едет же.

Кстати, за тягучими мыслями-размышлениями и бурчанием недовольным уже вон и доехал, и не заметил как. Чего уж теперь канючить — ладно, и с дождичком отдохнем, не прокиснем, может, даже и за грибами в лес сходит, и с жильцами как-то уживемся, поворчал он напоследок, останавливая машину у ворот на участок.

Обычно Артем открывал ворота с пульта, сразу же заезжая на дорожку к гаражу, но сегодня повременил, вспомнив, что мама предупреждала, будто кто-то там должен приехать в эти выходные к ее жилице в гости. Вот и решил, прежде чем парковаться, сначала посмотреть, может, кто на автомобиле прикатил и поставил свое транспортное средство за воротами.

С такой мыслью Красногорский и заглушил мотор, достал ключ из замка, распахнул дверцу и выбрался из комфортного охлажденного кондиционером нутра машины во влажное тепло улицы.

И сразу же резко по ушам ударил какой-то дикий, пронзительный кошачий вой, доносившийся откуда-то с их участка, словно кто-то уронил нечто тяжелое прямо на причинное место несчастному животному.

Кошачий вой не прекращался, а как бы даже набирал обороты, и Красногорский поспешил пройти в калитку.

— Какого хрена тут происходит?

На широкой дорожке, ведущей к гаражу, никакой машины не было, зато за одним из кустов бузины, которые окаймляли эту самую дорожку, прятался неизвестный ребенок. Приподнявшись на цыпочки и держась ручонками за ветки, он вытягивал головку, старательно высматривая что-то важное в направлении дома, настолько сосредоточившись на своем занятии, что не замечал ничего вокруг.

Совсем маленький пацаненок. Артем не сильно-то и разбирался в детях и их возрасте, но поскольку у его близких друзей дети имелись, то их возраст Красногорский хоть как-то мог идентифицировать: десять, семь лет и два года.

Этому было явно меньше семи, но больше двух.

И тут Артем сообразил, что любое его обращение к мальчику, громкий звук шагов или резкое движение неизбежно напугают малыша. А если учесть, что тот внезапно увидит здорового незнакомого дядьку рядом....

Такая немного патовая ситуация.

Но, не умея предаваться затяжным сомнениям, предпочитая принимать быстрые решения и действовать, Красногорский с максимальной осторожностью прошел вперед, поддернув брючины, присел на корточки метрах в полутора от ребенка, чтобы и в самом деле не испугать парня, и достаточно громко, чтобы перекрыть дикий кошачий вой, но все же с осторожностью спросил:

— И что там происходит?

Мальчишка все-таки вздрогнул и резко повернулся на голос. Но что странно, не испугался, а как-то насупился, что ли, — строго сведя бровки, с подчеркнуто недоверчивым и настороженным выражением личика, вдруг спросил громким, звонким голосочком:

— Ты кто?

— Артем Борисович, — подчеркнуто ровным доброжелательным тоном представился Красногорский и добавил для большей ясности: — Сын Лидии Архиповны.

13

— А-а-а, — заметно расслабился мальчонка, перестав смотреть с неодобрительным подозрением на незнакомого дядьку, и вдруг сложил ладошки замочком и прижал ручки к груди, словно ожидал, что вот прямо сейчас его начнут за что-то отчитывать и ругать. — Я знаю: ты хозяин. — И спросил с сомнением: — Ты будешь сейчас со всем разбираться?

— С чем разбираться? — уточнил Артем, сдерживаясь, чтобы откровенно не разулыбаться — до того комичным выглядел малыш с этими его сложенными ручками и настороженным видом провинившегося в чем-то человечка.

— Не знаю, — принялся пояснять ребенок. — Бабушка Лида говорит, когда надо что-нибудь сделать: «Вот приедет хозяин — он и разберется». Я пока только узнал, что такое хозяин, мне бабушка Лида показывала портрет, там ты. — И, расцепив ладошки, ткнул пальчиком в сторону Артема, видимо, чтобы тот точно понимал, что речь идет именно о нем. — Ты ее сынок и хозяин. — Подумал и уточнил: — Она так сказала. А про «разбираться» я пока ничего не знаю.

— Понятно, — кивнул Артем и спросил: — Тебя как зовут?

— Матвей Ахтырский, — отрапортовал ребенок, старательно выговаривая свою фамилию по слогам, выделив с нажимом первый слог.

— И от кого ты тут прячешься, Матвей Ахтырский? — поинтересовался Артем.

— Не, не прячусь. — Мальчишка отрицательно покрутил головой, вздохнул с тяжкой безнадежностью и пояснил: — Я немного пережидаю.

— Чего? — боролся с предательски расползающейся улыбкой Красногорский.

— Пока мама остынет и можно уже будет идти, — как нечто очевидное пояснил пацан.

Мальчишка был чудесный. Обаятельный и невероятно забавный — густые пшеничные волосы топорщились упрямыми вихрами на затылке и у висков, на носу и щеках красовались крупные веснушки, а глаза были огромными, редкого темно-синего оттенка. И его круглое личико отображало все его стремительно меняющиеся эмоции, такие непосредственные, чистые, живые.

Было совершенно очевидно, что он еще тот шкодник и явно что-то натворил, и теперь героически прячется в кустах, вернее, как он выразился, «пережидает, пока мама остынет», и что-то подсказывало Красногорскому, что пережидание это было напрямую связано с диким кошачьим воем.

— Та-а-ак, — протянул Артем, — а скажи мне, Матвей, почему кошка так завывает, ты знаешь? — и указал рукой в сторону дома, где так и не прекращался жуткий кошачий вой, режущий слух.

— Знаю, — кивнул мальчонка и объяснил: — Это Маруся кричит, — и добавил как нечто само собой разумеющееся, подкрепив высказывание энергичным жестом, разведя ручки в стороны: — Она так радуется.

— Какая-то мучительная радость у нее получается, — с сомнением заметил Артем, которому снова пришлось сдерживать улыбку, и продолжил: — А чему она *так* радуется, ты знаешь?

— Знаю, — снова кивнул Матвей.

— Может, расскажешь? — предложил Артем

Мальчонка тяжко вздохнул, печально нахмурился и приступил к повествованию:

— Бабушка Лида сказала нам с Вовой, что у Маруськи сегодня день рождения. А на день рождения должен быть праздник. У каждого человека должен быть праздник на день рождения, даже если он кошка!

— Ну-у-у, в общем, с концепцией согласен, — протянул Красноярский, прикладывая определенные усилия, чтобы удержать серьезное выражение лица. — Маруся, как я понимаю, это кошка Лидии Архиповны, а Вова — это внук нашего соседа?

— Да, — подтвердил ребенок. И снова замолчал, видимо, посчитав, что уже все разъяснил.

— И что там дальше с Марусиным днем рождения? — подтолкнул ребенка к дальнейшему рассказу Артем.

Энергично жестикулируя ручками, выражая мимикой всю гамму чувств и эмоций, Матвей Ахтырский принялся рассказывать:

— Когда день рождения — все радуются и дарят подарки и вкусного всякого много, — махал он размашисто ручками, — и музыка, и все играют в разные игры, танцуют и радуются. Но кошки же не танцуют и подарки не берут, им же нечем, у них только лапы есть. Но праздник-то все равно должен быть!

— Ну это-то да. — Артем трясся от еле сдерживаемого смеха. — И вы с Вовкой решили этот праздник Марусе устроить, я правильно понял?

— Правильно, — в очередной раз кивнул ребенок.

— И что вы придумали?

— Маруся не умеет танцевать и в игры играть, зато она любит вкусную еду и бегать. Мы спросили у бабушки Ани, что очень-очень нравится кошкам. Бабуля сказала, что сметану и мышей. Но ведь сметаны у Маруси полно, она ее каждый день ест, ее бабушка Аня тайно балует.

Выражение его рожицы вдруг сделалось назидательным, и он произнес с большим значением:

— А когда вкусность каждый день, это уже не праздник. Да и мышей она ловит.

— Кто? Бабушка Аня? — не удержался от уточнения Артем, прикрывая ладонью улыбку.

— Да нет же! — потряс ладошкой Матвей. — Маруся ловит мышей. Но я не видел, что ловит, — так бабушки говорят.

— Ну хорошо. — Красногорский просто балдел от этого пацана. — Если не сметану и мышей, то что еще ей нравится, вы выяснили?

— Бабушка сказала — валерьянка.

— А ты знаешь, что это такое? — уточнил Артем.

— Это такие капли в бутылочке, их бабушка Лида капает в рюмочку и пьет для крепких нервов.

— И вы их нашли, как я понял? — усмехнулся Артем.

— Да, — кивнул Матвей, на этот раз не остановившись на скупом ответе, все же пояснил: — И налили в блюдце Марусе. Вова сказал: чего мы будем капать, это же совсем мало, когда капаешь, а у нее праздник, а в праздник можно лопать много вкусного, пусть и Маруся лопает. Мы и налили.

— Так, стоп, — остановил его Красногорский. — А где вы нашли капли?

— Я же знаю, откуда их бабушка берет, — как бестолковому, пояснил ему мальчуган. — В буфете! Мы стул подвинули, я залез и достал.

— Там же разных пузырьков с лекарствами много стоит, как ты нашел то, что нужно? — подивился Красногорский

— Прочитал.

— Тебе сколько лет-то? — Артем даже как-то растерялся от столь сильного заявления.

— Четыре года, — гордо заявил мальчишка и, старательно прижимая большой палец к ладошке, растопырил четыре пальчика, подтверждая свой возраст. И повторил: — Четыре. С половиной.

— И ты что — умеешь читать? — совсем обалдел Артем.

— Умею, меня бабушка Аня научила, — и честно признался: — Только по слогам. — Но и похвастаться не забыл: — Я еще английские буквы знаю.

— О как! — уважительно заметил Артем. — И ты прочитал, что написано на пузырьке?

— Да, — гордо кивнул пацан и тут же признался: — Там было не то слово, другое, какого-то «ва-ле-ри-а-ны», но мы решили, что это тоже подойдет.

— Судя по полученному эффекту, подошло, — хохотнул Артем, кивнув в сторону дома, где продолжала орать благим матом кошка Маруська, и уточнил на всякий случай: — И это весь праздник, что вы ей устроили, — напоили валерианой, и все?

— Нет, мы ей еще музыку сделали! — Мальчишка радостно развел ручки в стороны, словно собирался обнять весь мир.

— Как именно сделали?

— У бабушки Лиды есть ма-а-аленькое радио. — Матвей показал размер, близко сведя ладошки.

Точно, есть у Лидии Архиповны такой совсем маленький переносной радиоприемничек на ленте с липучкой. Его надевают на руку, на предплечье, спортсмены — во время бега или тренировки (те, что не любят наушники), а еще дачники, копающиеся на грядках. Она попросила как-то сына купить ей небольшой приемник, чтобы брать с собой, когда занимается садом-огородом, а не включать «бандуру» старую на веранде, чтобы голосила на весь поселок, как она выразилась. Артем нашел в спорттоварах совсем небольшой современный аппарат, удивительно мощный при столь малых габаритах, да и крепление надежное, которое регулировалось застежкой на липучке. Очень удобно.

— И что вы с этим радио сделали? — изо всех сил выдерживая невозмутимый тон, поинтересовался Артем.

— Мы взяли Маруську, надели ей на шею радио, вот так, — он показал, как они закрепили на шее несчастного животного аппарат, — налили в блюдце валерьянки. Она прямо побежала к нему и его так быстро-быстро блям-блям-блям языком, — изобразил он и этот процесс, — а Вовка на пимпочку нажал, и радио как включилось, и Маруська как подпрыгнула, и как закричит! — Мальчонка разошелся, стараясь жестами и мимикой передать происходившее. — Глаза у нее вот такие стали. — Он что было сил выпучил свои необыкновенные темно-синие глазищи, горевшие радостным огнем. — И она так раз — прыгнула и побежала на двор! Она там бегала, бегала и кричала очень громко, — все активней махал он ручками, — а все бегали за ней и тоже кричали, а Вова сказал: ну вот и праздник у Маруси. А потом ее бабушка Аня поймала, а Маруся так, — и он с непередаваемым выражением веснушчатой морлахи весь скрутился, выгнул спину, изображая вырывающуюся из рук кошку, — поцарапала бабушку и — раз — выскочила и побежала опять. И так на дерево бегом раз-раз-раз и заскочила, а оттуда на крышу! И вот сидит там теперь. И кричит.

Мальчонка перевел дыхание, закончив красноречивый рассказ, помолчал и добавил:

— Мама как закричит строго: «Матвей Ахтырский!» — Он вздохнул покаянно. — И мы стали прятаться. Только Вовку уже нашли, — махнул он рукой в сторону дома. — А я тут жду, когда мама остынет.

19

— И когда, ты полагаешь, это произойдет? — перестав сдерживаться, начал тихо посмеиваться Артем.

— Когда перестанет звать вот так: «Матвей Ах-тырский, немедленно выходи! Надо уметь отвечать за свои поступки!» — подражая интонациям мамы, произнес ребенок строгим тоном с особым выражением лица. — И скажет по-другому: «Матвей, выходи, хватит пережидать, я уже остыла!»

— И что тебе грозит в первом варианте?

— Она мне объяснит, в чем я не прав, и надо будет исправить последствия, а еще запретит дневные мультики и дополнительные сладости, — самым серьезным образом сообщил мальчишка.

— А во втором?

— Мультики все равно запретят, — вздохнул парень, всем своим видом выражая глубокую печаль, и добавил совсем уж безнадежно: — И долго будут объяснять. — И доверительно поделился: — А бабушка Лида блинный торт сделала с малиной — вкусный-вкусный. — И, снова сцепив ладошки замочком, страдательно прижал их к груди: — Я попробовал, когда за «ва-ле-ри-а-ны» этим лазил. Он там на буфете стоял. Чуть-чуть, — уверил он Артема, глядя на него своими огромными глазищами, и тяжко вздохнул: — Могут и не дать.

Все! Красногорский не выдержал!

Прикрыв глаза рукой и сотрясаясь всем телом, он хохотал так, что чуть не завалился на бок от изнеможения.

— Ну, что, — вытирая выкатившиеся от смеха слезы, продолжая похохатывать, спросил он у мальчугана, — идем посмотрим, что там со зверушкой, вами замученной, сделалось? Да и сдаваться тебе, брат, я думаю, пора.

— Идем, — согласился с неизбежным решением ребенок и махнул ручкой. — А мама меня уже и не зовет даже, наверное, Марусю с крыши снимает.

— Ох ты господи! — в изнеможении выдохнул Красногорский.

Какая там депрессивная погода! Какое недовольство и ворчание!

Этот пацаненок сделал его день!

Красногорский поднялся с корточек, подхватил мальчугана на руки и двинулся в сторону дома.

По мере приближения Артема с Матвеем на руках к дому кошачье утробное завывание становилось все громче.

Тишайшее создание, до неприличия ленивое даже для представителей ее рода, большую часть времени проводившая в неге и сне, не реагировавшая порой даже на то, что ее берут на руки и куда-то там переносят, кошка Маруська в данный момент, выгнув спину дугой, торчала на коньке крыши — хвост трубой, шерсть дыбом — и орала диким, благим ором. А из радиоприемника, болтавшегося сбоку у нее на шее, лилась песня, в которой Алла Борисовна Пугачева призывала «Арлекино быть смешным для всех», а на припеве «аха-хаха-хаха, хаха-ха» мелодия песни так и вовсе как-то очень удачно ложилась на кошачье соло.

Живенько так получалось, с задоринкой, можно сказать.

Внизу же, под кошкой Маруськой с песенными дуэтами, разворачивалось не менее увлекательное действие. Лидия Архиповна стояла рядом с сидевшей за столом на веранде незнакомой Артему женщиной и, причитая и охая, старательно замазывала той йодом глубокие царапины на руках. Женщина ее успокаивала, посмеивалась и говорила что-то явно веселое и ободряющее.

Метрах в трех от них сосед Степан Сергеевич, пристроив большую раскладную лестницу к крыше дома, проверял ее на предмет устойчивости и ругался с внуком.

— Вот до чего несчастное животное довели, охламоны! Изверги прямо какие-то, а не дети!

— Ни до чего мы ее не доводили, мы ее вообще не водили! — строптиво отвечал ему внучок Вовка.

Тот, по всей видимости, был оперативно наказан водворением в угол, правда, недалеко от эпицентра событий — тут же на веранде, откуда и подавал реплики недовольным тоном напрасно обвиненного человека.

— А то, что животное кричит и надрывается, это как? — возмутился дед, грозно поглядывая на строптивого внучка.

— Она не кричит, она радуется! — пояснял недалеким взрослым истину происходящего с кошкой пацан. — Поет! У нее день рождения!

— Ладно, Степан Сергеевич, — прервала дальнейшие выяснения девушка, стоявшая рядом с соседом. — Потом разберемся, кто поет, а кто орет и почему. Вы лестницу держите.

— Держу, держу, — поспешил уверить сосед, — уж вы не сомневайтесь — не отпущу, все надежно.

Девушка кивнула и поднялась на первые ступеньки.

— От-сставить! — весело приказал Красногорский, подходя к веранде.

От переизбытка эмоций и переживаний, за громкостью Муруськиного концерта в сопровождении известных исполнителей, занятые ликвидацией последствий происшествия, домочадцы и гости с соседом и не заметили прибытие хозяина.

— Артемушка! — необычайно обрадовалась Лидия Архиповна и всплеснула руками, совершенно позабыв про бутылочку с йодом, которую держала. — А мы тут... — и растерянно посмотрела на растекающийся по пальцам йод.

— Да я уже понял, — усмехнулся Красногорский, — веселитесь.

И поставил мальчика Матвея на землю, который тут же ухватил его за руку, не торопясь отходить от Артема.

— Ну, — рассмеялась Лидия Архиповна, — где-то так. У нас вон с Марусенькой беда.

— Да? — картинно поудивлялся Артем, посмеиваясь. — А меня заверили, что у животного праздник души и, очевидно, тела.

— Привет, Артем! — продолжая держать лестницу, прокричал Степан Сергеевич и весело оповестил: — А у нас тут видишь что!

— Матвей Ахтырский! — Девушка спустилась с лестницы, подошла к ребенку, которого держал за руку Красногорский, и строгим тоном обратилась к мальчику, указав пальцем в сторону веранды: — Иди-ка встань рядом с Вовой в угол, раздели с другом предварительное наказание до разбора всех обстоятельств.

И проводила взглядом нарочито нехотя поплевшегося к веранде сына, который всем своим видом изображал покорность судьбе, опустив голову и загребая землю носками еле волочившихся ног.

Да красавец! Артист!

Красногорский не удержался от нового приступа хохота, наблюдая за этой демонстрацией страдания в исполнении Матвея Ахтырского. Даже головой крутанул пару раз от переизбытка чувств.

— Здравствуйте, Артем Борисович, — весело поздоровалась с ним девушка, так же, как он, отчаянно борясь со смехом.

Надо отметить, что ей это удавалось куда как лучше, чем мужчине, видимо, сказывалась долгая тренировка.

— Я Арина, — представилась она, протягивая ладошку для рукопожатия, и пояснила: — Мама этого «вождя краснокожих».

Руку он ее принял и пожал, постепенно переставая смеяться.

Теперь стало понятно, от кого достались мальчику Матвею эти поразительные глубоко насыщенного цвета темно-синие глаза. Кроме того, у мамы Матвея была совершенно очаровательная честная открытая улыбка, симпатичное личико с тонкими чертами, стройная, гибкая фигурка и копна буйных непокорных светло-русых волос, завернутых в большой пучок на затылке, с выбивавшимися из него локонами.

— Вы извините нас за это... — она указала на крышу, где все в той же позе надрывалась Маруська теперь под новую песню группы «Земляне»: — «И снится нам не рокот космодрома...»

Пристрастие к песням советского периода нисколько не удивляло — у Лидии Архиповны радио всегда было настроено на волну «Ретро FM». Судя по всему, сегодня Маруське данный репертуар подходил идеально.

— Кстати, про «зеленую траву», — усмехнулся Артем. — Думаю, пора нам Маруську таки эвакуировать.

— Да я, собственно, и собиралась...

— Так, Арина, на крышу полезу я, а вы, пожалуйста, дозвонитесь в ветлечебницу и разузнайте, чем можно нивелировать действие валерианы на животное и вообще чем помочь, — с ходу принял руководство на себя Красногорский и, распорядившись таким образом, повернулся к веранде: — Мам, дай какое-нибудь полотенце или покрывало, что ли.

— Да вот, мы уж и приготовили! — поспешила Лидия Архиповна, указав на старое, видавшее виды протертое покрывало, висевшее на перилах веранды.

И началась операция по ликвидации последствий дня рождения кошки Маруськи.

От лестницы пришлось отказаться сразу в связи с тем, что она не доставала до высокого конька, да и пользоваться ею в такой ситуации было небезопасно. И Красногорский поднялся наверх через чердак и дальше по специальной деревянной доске с набитыми на нее планками-ступеньками и выбрался на самый конек крыши.

Первый этап задумки прошел, можно сказать, штатно, но стоило Артему накинуть на Маруську покрывало и схватить ее в охапку, как она принялась орать пуще прежнего и вырываться с такой дикой силой, что он чуть не потерял равновесия и не скатился с того конька с Маруськой под мышкой. Но ничего, обошлось — удержался, усидел на месте и без проблем спустился обратно через чердак в дом.

Малолетних шалопаев извлекли из угла, поставили перед взрослыми и подвергли допросу на предмет количества скормленного ими кошке препарата — оказалось, что не так уж и много той валерианы там было, капель в пузырьке оставалось совсем на донышке.

После выяснения дозировки пацаны вернулись к исполнению первичного, как выразилась Арина, наказания, но теперь по разным углам, а женщины, по данной по телефону рекомендации ветеринара, насильственно вливали несчастной кошке очищающий раствор в пасть, пока Степан Сергеевич героически держал спеленатую все в то же покрывало, рвущуюся на свободу животину.

Выдержав учиненное над ней насилие и извергнув всю влитую в нее жидкость, Маруська вдруг неожиданно замолчала и резко заснула, словно выключилась в один момент.

Кошку уложили на ее любимое кошачье место, заботливо укрыв любимым же пледиком, постояли над несчастной и сочувственно поохали. Самовар раскочегарили, стол накрыли, Артему представили Анну Григорьевну — прабабушку веселого парня Матвея и бабушку его мамы Арины, после чего он загнал свою машину в гараж, и наконец все облегченно выдохнули и сели за стол.

Провинившиеся были временно освобождены из угла и допущены до общих посиделок с целью полного выяснения обстоятельств происшествия.

Ну и, конечно, им дали блинный пирог с малиной!

Нет, все понятно — виноваты, да еще как, но лишать этих чертенят такой вкусноты совсем уж как-то бесчеловечно.

Пристрастный опрос виновников закончился практически сразу, не успев толком начаться, дружным гомерическим хохотом взрослых, когда они принялись вспоминать, что происходило.

— Зачем ты им про валериану-то сказала, Аня? — недоумевала Лидия Архиповна, когда Матвей с Вовкой, перебивая друг друга и уплетая, пока взрослые не передумали и не отняли, пирог, принялись объяснять про день рождения, который обязан быть даже у кошек с музыкой, танцами и кошачьей вкусностью.

— Да кто ж знал-то! — всплеснула руками Анна Григорьевна, начиная посмеиваться. — Глаза невинные: что кошечки любят? — изобразила она родного внучка. — Ну я им: бегать, гулять, кошачий корм, говорю, сметанку... А они мне: нет, это обычная еда, а что они сильно-сильно любят? Ну я возьми и скажи про эту злосчастную валериану...

И не выдержав, залилась бурным смехом, еле выговаривая слова и прикрывая глаза.

— ...так их, — она махнула рукой, сотрясаясь всем телом, — как ветром сдуло после моих слов... кто ж знал-то, что они за... ней отправились!

— А я смотрю... — подхватила Лидия Архиповна, заражаясь приступом хохота, — затихарились где-то, нету пацанов... — Ду- ... думаю, не... неспроста это, ду-умаю, надо А...ари-ину позвать. А тут... му-у-у...зыка на всю-ю громкость как вкл-ю-ючится! — Она обессиленно прикрыла ладонью глаза, облокотившись на стол рукой и ухохатываясь.

— А Маруська как заорет! — продолжила рассказ Арина, лучше старших дам справляясь с приступом хохота, лишь утирая слезы, брызнувшие из глаз. — И как выскочит во двор! И давай скакать по-дурному!

— А как она бежала-а... ха-ха-ха, — плакала Анна Григорьевна и принялась показывать: — Задок за-за-аваливается... в разные... сто-ороны, гла-а-аза...

— ...ко-ко... ха-ха-ха... косые... — подхватила Лидия Архиповна и, утирая слезы, показала, как косили глаза у кошки.

— А я слышу, — вступил в общий хор Степан Сергеевич, — кошка орет у соседки, да так ненормально, аж до дури. Я и побежал, а тут такое! Маруська скачет по двору, глаза в кучку, радио у нее на шее болтается, а за ней все ба... — стушевался он и поспешил исправиться: — То есть женщины все втроем бегают на полусогнутых, ловят, значит. — Он посмотрел на изнемогающих от смеха женщин и тоже прыснул. — Та-а-ак... ох, та-а-ак и бе-е-егали вчетвером...

Теперь уж хохотали все, шумно вспоминая события, перебивая и досказывая друг за другом, и Артем, в свою очередь, изнывая новым удушливым приступом хохота, поведал, как нашел Матвея, «пережидающего, пока мама остынет».

А пацаны тем временем, пользуясь моментом, не очень-то понимая, чего, собственно, взрослые так уж тут веселятся, быстренько приговорили свои порции и, заговорщицки переглянувшись, под шумок стянули еще по одному куску с большого блюда.

Справившись с контрабандной добавкой, довольный собой и тем, какое развитие принимают события, совершенно расслабившись, мальчик Матвей звонким голоском, перекрывая смех за столом, поинтересовался:

— Мы пойдем погуляем на улицу?

— Что-о-о? — смеясь, удивленно переспросила Арина.

— Погуляем, — повторил сынок.

— Какое погуляем? — остудила его желания мама. — Вы наказаны. Не знаю, как Вова, а ты еще не отбыл свое наказание за проступок.

— Так все же хорошо? — откровенно недоумевал пацан. — День рождения удался, вы все смеетесь, всем хорошо и весело.

28

— То-то-точно удался, — зашлась новым приступом смеха Лидия Архиповна. — Е-е-ще как удался...

— Вот и бабушка Лида говорит! — обрадовался Матвей и растолковал свое видение реальности: — В углу мы постояли, торт съели, можно и гулять. — И в ожидании поддержки он посмотрел на Артема.

Красногорскому стоило огромных усилий, чтобы не захохотать от души, но полностью совладать со смехом не удавалось даже в благих воспитательных целях, и он, сотрясаясь всем телом, стоически держался, только прикрывал ладонью расплывшийся в улыбке рот, когда ребенок обратил на него вопросительный взор своих синющих глазенок в надежде на восстановление справедливости и поддержку.

— Бабушка Лида говорит с иронией, — пришла на выручку хозяину дома Арина, — то есть в переносном смысле, — поясняла она сыночку. — Давай вместе подумаем и оценим, что произошло.

— Давай, — согласился Матвей.

— Вы напоили животное препаратом, который произвел на нее сильнейшее действие, вызвавшее непредсказуемую реакцию организма... — начала Арина, но ее перебил Вовка.

— Почему это не... — запнулся он на сложном слове, но совладал, как мог: — Несказуемую, — и махнул руками, — очень даже и сказуемую: она радовалась, прыгала, пела и плясала.

— Потому что это не типичное для нее поведение, — терпеливо поясняла Арина. — Помнишь, вы с дедушкой рассказывали, как ты отравился зелеными сливами в прошлом месяце и как тебе было плохо. Тебя шатало, рвало и поднялась температура.

— Помню, — кивнул пацан, но возразил строптиво: — Так я же болел, это другое.

— Нет, это как раз не другое, а то же самое, — растолковывала Арина, — Маруся так ненормально себя вела, потому что тоже отравилась, но только не сливами, а валерианой, что вы ей дали.

— Да? — поразился мальчишка. — А по-моему, она радовалась, скакала и пела.

— Пела-то она пела, Вовка, — вступил в разговор Степан Сергеевич. — Только от того, что ей плохо.

— Но сейчас же все хорошо! — напомнил Матвей. — Маруська накричалась и спит, вы все смеетесь и радуетесь, а мы торт съели.

— Как съели! — охнула Лидия Архиповна. — И точно съели! Аня, ты посмотри! — указала она на опустевшую больше чем наполовину тарелку. — Они под шумок слопали почти весь торт!

Красногорский с Ариной, не сговариваясь, резко отвернулись, справляясь с новой неконтролируемой волной смеха — удержаться было просто невозможно от одного взгляда на две мальчишеские рожицы, которые вмиг приобрели настороженно-виноватое выражение нашкодивших котов.

— Да чего уж, — отмахнулась Анна Григорьевна, посмеиваясь и утирая слезы. — Съели и съели.

— Так им плохо станет от такого количества! — забеспокоилась Лидия Архиповна.

— А мы их промоем марганцовкой, как Марусю, если что, — пообещала Арина, раньше Красногорского справившись с собой.

— Не надо марганцовкой! — перепугался Вовка. — Мы не будем!

— Что вы не будете? — возмущенно взмахнул руками Степан Сергеевич. — Все, что могли, вы уже сделали: кошку опоили, торт слопали.

— Все, хватит! Больше невозможно! — распорядился Красногорский. — Это надо останавливать, иначе нам тут всем плохо от хохота станет. — И посмотрел на пацанов, которые выжидательно уставились на него, безошибочно определив в мужчине главного: — Мальчики, ваша ошибка была в том, что вы не узнали и полностью не изучили информацию. Не расспросили Анну Григорьевну, какие последствия вызывает валериана у кошек и что происходит с животным, когда она выпьет это свое лакомство. А делать что-то, не владея всей информацией, нельзя, это всегда ведет к плачевным результатам. Проще говоря: получится не то, что вы задумали, а все сломается и испортится, навредив окружающим. Это понятно?

Пацаны синхронно кивнули.

— Ну а в чем еще вы были не правы, вам объяснит мама Матвея.

— Нельзя навешивать на животное радиоприемник и любые другие предметы, — подхватила эстафету нравоучений Арина. — Вот представьте, что вам на шею прикрепили бы вот такой приемник, — Она показала размер воображаемого аппарата раза в три больше, чем тот, что они надели на несчастную кошку. — Который невозможно снять и из которого раздается громкая музыка. Вам бы понравилось?

Пацаны посмотрели друг на друга, снова на Арину и дружно покачали головами, соглашаясь с тем, что нет, вряд ли бы им понравился такой дивайс на шее.

— Вот и Марусе не понравилось все, что вы с ней сотворили. Она не соображала, что делает, и не могла себя контролировать, вон даже сильно исцарапала бабушку Аню. — И, выдержав многозначительную паузу, посмотрела на каждого из мальчишек красноречивым взглядом: — Теперь вы поняли, что натворили?

31

— Поняли, — пробурчал Матвей.

— Мы больше не будем, — пообещал Вовка.

— Не будете это, так обязательно будете что-то другое, — продолжила Арина, не купившаяся на показательно покаянный вид детей. — Я не знаю насчет Вовы, с ним его дедушка разберется, а ты, Матвей, лишаешься дневных мультиков. И, разумеется, мороженого, которое планировалось вечером. И с Вовой сегодня вы общаться и играть больше не будете. И оба попросите прощения у бабушки Ани, пострадавшей от вашей затеи. А сейчас Матвей идет в свою комнату, Вова пока возвращается в угол, а взрослые попьют чаю с тем, что осталось после вашего несанкционированного поедания торта.

Артем не мог припомнить, когда он последний раз пребывал в ощущении такой полной душевной расслабленности и какой-то поразительной радости и легкости, которое испытывал сегодня.

Когда дети пошли отбывать наказание, взрослые наконец смогли спокойно попить чаю с закусками и сладостями. Вскорости Степан Сергеевич ушел, прихватив с собой внучка Вовку, и за столом остались хозяева и постояльцы.

Посидели недолго, посмеялись еще совсем немного над происшествием, а больше над историями про неугомонного парня Матвея, которые он успел вытворить один или на пару с новоприобретенным другом Вовкой уже здесь в поселке за короткое время проживания.

— Он не хулиганистый, — уверяла Артема Анна Григорьевна, — ни в коем случае. Знаете, есть дети злые по натуре своей: ударить, обидеть других детишек, сделать что-то исподтишка, нарочно ломать-разрушать доставляет им удовольствие. Или неуправляемые, истеричные. Наш совсем не та-

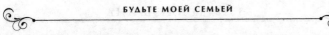

кой. Матюша — исследователь: ему все интересно, все надо испробовать, испытать, придумать что-то, влезть из любопытства куда-то, проверить. И та-ко-о-й энергичный, господи, — усмехнулась она, немного жалуясь. — И очень добрый ребенок.

— И умный, — добавила Лидия Архиповна. — Артемушка, ты не представляешь, какой Матюшенька умный ребенок! Просто поразительно! Он уже достаточно бегло читает по слогам, это в четыре-то годика! И на английском разговаривает, как на родном! Просто чудеса какие-то, да и только! А как он соображает!

— Все-все, — остановила ее Арина, — не надо его захваливать. — И пояснила Артему: — Обычный, нормальный ребенок. Они сейчас все такие, очень раннего, можно сказать, стремительного развития, это современная тенденция. А про английский и чтение, так учеными установлено и доказано, что детский мозг и сознание устроены таким образом, что они способны запоминать, не выучивать, а именно что запоминать большое количество языков совершенно свободно, а чтение легко и непринужденно осваивают в игре, чем бабушка с ним и занимается: играет в буквы-слоги-слова, вот он и читать начал. Но вообще-то да: он у нас очень сообразительный, и ему ужасно интересно, как все устроено. Что есть, то есть. — И вдруг стушевалась, спохватилась: — Да что мы все о Матвее? Извините, вы приехали отдохнуть, расслабиться, с мамой пообщаться, а мы все про Матюшу. Заговорили вас.

— А мне интересно, — остановил поток ее извинений Артем и искренне похвалил: — У вас потрясающий парень.

— Ох, Артемушка, ты не представляешь, как он нас тут веселит, — посверкивая глазами, принялась с энтузиазмом рассказывать Лидия Архиповна. — Что ни день, то какие-то приключения. Вечно он что-нибудь придумает и так рассуждает, объясняет, что мы хохочем целыми днями с этим постреленком. И надо же, друга себе такого же нашел, тот его всего на полгода старше, но руководит в их тандеме Матюшка. Вовка-то не такой умный, как наш, но такой же шустрый и к любой шкоде готовый.

— Ладно, дамы, — поднялся Артем из-за стола. — Пойду я душ приму после покорения крыш и ловли диких животных.

И, несколько театрально откланявшись, ушел в свою часть дома.

«Понятное дело, что мама очарована пацаненком и влюблена в этого ребенка, — думал Красногорский, стоя в душевой под струями воды. — Ей давно хочется внуков, и она всякий раз многозначительно посматривает, когда тем или иным образом заходит речь о детях, вроде как невзначай и ненавязчиво напоминая, что и мне бы пора».

Ему-то давно пора, да только...

До тридцати лет Артем Красногорский вообще не помышлял ни о каких детях, ни о том, что когда-то там, в перспективе, надо будет жениться и заводить семью. Ему прекрасно жилось в своем мире, в статусе холостяка, со своим набирающем обороты бизнесом, и его никоим образом не интересовали какие-то абстрактные тогда для него понятия, как семья и дети.

Он пользовался неизменным успехом у женщин, а чего бы ему и не пользоваться? Молодой, здоровый во всех отношениях мужчина, без вредных привычек, с достаточно сносным мужским характером и без дурака в голове. Высокий, физически крепкий, подтянутый, интересный той особой мужской привлекательностью, которой обладают мужчины, способные на ответственность, на приятие решения, способные действовать, делать и руководить, что нынче принято сплошь и рядом обзывать новомодным словом «харизма».

Вот такой весь распрекрасный, к тому же неплохо зарабатывавший, не миллионы тогда еще, но достаточно для того, чтобы и квартиру отдельную от родителей снимать, и девушек выгуливать по клубам-ресторанам, а в особых случаях и за границу на курорт какой вывезти.

Нарасхват. А как же.

Одним словом, сексуальной мужской реализации у Красногорского было много, порой и с переизбытком даже.

Когда ему исполнился тридцатник, они шумно и весело отметили с друзьями этот юбилей, скинувшись и сняв виллу на озере Комо в Италии. Дороговато немного вышло для него тогдашнего, да еще и с девушкой, но очень круто получилось. Оторвались они тогда знатно — воспоминания на всю жизнь остались.

Артем улыбался, вспоминая тот день рождения, даже головой крутанул, когда всплыли в памяти особо значимые моменты.

Выключил душ, вышел из кабинки, обернул полотенце вокруг талии, другим растер мокрые волосы и, прошлепав мокрыми голыми ступнями по полу, прошел в комнату, где плюхнулся на большой, удобный диван.

М-м-да, погуляли они тогда хорошо.

Последний, пожалуй, такой беззаботный, можно сказать, пацанский их разгул-праздник.

Жена одного из близких друзей Артема была на шестом месяце беременности в тот момент, когда они гуляли в Комо, но, ясное дело, поехала с ними.

Все тогда, помнится, еще подшучивали над будущим папашей и накупили им в подарок кучу детских вещичек для ожидаемого ребенка.

Все весело, на подъеме и в радости. А через три месяца, в положенный срок Вика родила замечательную здоровую девчонку, да только вот с ней самой случилась какая-то беда — осложнения во время родов. И настолько серьезные, что ее из роддома перевезли на «Скорой» в другую больницу, где врачи буквально боролись за ее жизнь.

Трагедия друзей потрясла Артема, как-то очень сильно повлияв на его восприятие жизни. Может, еще и потому, что он поехал вместе с Ильей и мамой Вики забирать новорожденную малышку из роддома. Всех остальных мамочек с детками встречали цветами-шарами, подарками, радостными улыбками и поздравлениями, запечатлевая эпохальное событие на гаджеты и видеокамеры, а им девочку просто вынесла медсестра, передала в руки Ильи, поздравила новоявленного отца достаточно официальным тоном, и все.

Радость, конечно, но в тот момент еще было совершенно не ясно, выживет ли Викуля вообще или... Так что забрали они Настеньку (так заранее, еще до рождения, назвали родители дочку) и ушли без цветов-шаров и радостных поздравлений.

Ребятам тогда помогали все: родственники, коллеги с работы и друзья — нашли кормилицу для малышки и няньку, скинувшись на их оплату (ребята особым достатком не располагали, да и родители жили далеко — помогать не могли).

Вику спасли, но родить детей она больше не сможет.

Накануне ее выписки из больницы, поздно вечером после работы, Артем решил заехать к Илье.

Надо было договориться о завтрашнем дне, когда и как друг планировал забирать Вику.

Илья открыл дверь, держа заливавшуюся криком дочку на руках.

— Проходи, — замученным голосом пригласил он.

— Чего она у тебя так плачет? — поинтересовался Артем.

— Не знаю, — устало вздохнул новоявленный отец. — Вроде ничего не болит, есть-пить не хочет, а плачет и плачет. А я с ней тут один, мама домой уехала ночевать, а нянька давно ушла.

И вдруг неожиданно сунул Красногорскому в руки кричащий кулек.

Артем никогда раньше не держал младенцев в руках, да вообще-то и не подходил к ним близко — опасался. А тут, не успев ничего сообразить — от неожиданности, что ли, он подхватил ребенка и уставился на красное от рыданий личико.

— Ну ты чего? — спросил он вроде как у папаши, но отреагировала на его голос дочка, внезапно резко замолчав.

Малышка смотрела на Красногорского своими глазками-бусинками и не плакала. По крайней мере, пока.

— О как! — подивился родной папенька. — Где же ты раньше был, Горыч, я больше часа с ней маюсь.

А Артем почти завороженно смотрел на малышку, рассматривавшую его в ответ, и что-то происходило в его сознании, менялось. Казалось бы — чужой ребенок, не имеющий к нему никакого отношения, орущий комок, а его так мощно пробрало.

— Из тебя выйдет отличный отец, Горыч, — хлопнул его по плечу, устало посмеиваясь, Илья, —

37

если ты умудряешься в один момент успокоить младенца.

— Я ее не успокаивал, — растерянно возразил Артем, — она как-то сама...

— Сама не сама, а вон смотри — кричать перестала, сейчас так и вообще заснет. — И откровенно подивился: — Офигеть!

Малышка и вправду явно уже кемарила, прикрывая глазки, наверняка просто устав от бесконечной истерики, но в тот момент им двоим это обстоятельство показалось чуть ли не чудом: отцу младенца — от того, что наконец наступила благословенная тишина и закончился этот изматывающий крик ребенка, а Артему... — бог знает от чего, что-то там сдвинулось у него в восприятии мира.

Уложив заснувшую Настеньку в кроватку, мужики сели в кухне чаевничать, и Илья рассказал про вердикт врачей, вынесенный жене, помолчал и неожиданно признался:

— Знаешь, а я ведь мечтал о большой семье. Детей не меньше трех, да и Вика со мной соглашалась. — И вздохнул горестно: — А оно вон как вышло.

Артем тогда ехал от Ильи домой совсем уж поздно, за полночь и размышлял над их разговором и все поражался своей странной реакции на ребенка, тому ужасному испугу и одновременно какой-то восторженности, которые он испытал, когда смотрел в это малюсенькое личико, измученное рыданиями и мокрое от слезок, на эти маленькие сжатые кулачки....

Необычайно странным показалось ему те переживания в тот момент. Да и только. И он постарался до поры до времени об этом забыть.

Вика выздоровела окончательно, Настя росла всем на радость, и у ребят все со временем наладилось.

За делами и заботами Артем и не вспоминал про тот свой странный опыт с ребенком, заснувшим у него на руках.

А через три месяца неожиданно умер его отец, Борис Анатольевич Красногорский.

Артем резко оттолкнулся от спинки дивана и встал.

Не об отце сейчас, не об отце — остановил он поток мыслей. Не надо об этом.

Это тема отдельная... совсем отдельная.

Так о чем он? Ах да — о детях.

Странное дело, но почему-то именно после похорон отца, вспоминая его бесконечно, переосмысливая, обдумывая его неожиданный уход, разбираясь со своим чувством вины и копаясь в себе, в какой-то момент Артем неожиданно понял, что хочет иметь детей.

Даже не так — не то чтобы иметь детей, а быть отцом, так правильней.

Странным образом Красногорский вдруг осознал, что желание и необходимость быть отцом, растить и воспитывать детей, устраивать жизнь для них, для семьи, а не для себя одного, есть и является одной из важнейших составляющих его мужской сути. Эта потребность, по всей видимости, передалась ему от отца.

Тогда, в те первые дни-месяцы после смерти Бориса Анатольевича, пребывая в растерянности, неверии и нежелании мириться с таким его уходом, Артем бесконечно обращался к нему, мысленно разговаривал с ним и вспоминал самые яркие, самые важные моменты их жизни.

Отец был для Артема, наверное, самым главным человеком в жизни. При всей его сыновьей любви к матери Борис Анатольевич все же оставался первым для него — величиной постоянной и незыблемой, стеной и опорой, защитником и мудрым наставником, и другом, может, в силу того, что Артем был поздним и единственным его ребенком, но скорее все же потому, что обладал человеческой мудростью и огромными знаниями.

Не суть важно. Важен результат.

Артем вспоминал, как они с Игореней, его ближайшим закадычным другом, с самого детского сада вступили в дворовую футбольную команду. Были они мальчишками крепкими и рослыми не по своим годам, к тому же упертыми и настояли-таки, чтобы их приняли, оказавшись самыми младшими в команде, а вот с самой игрой у них до обидного не заладилось, и тренер сказал, что, скорее всего, их отчислят. Размазывая слезы кулаком, Артем пожаловался отцу, и тот увез обоих мальчишек на дачу к бабушке и целый месяц каждые выходные на поселковом поле тренировал их с вечера пятницы по воскресенье. Во время же рабочей недели ребята повторяли и повторяли его упражнения до изнеможения.

Зато в сентябре они триумфально вернулись в команду и на первом же матче оба забили свои голы в ворота более сильного соперника. Вот так!

И как отец учил его плавать, когда они всей семьей отдыхали на море, и плыл рядом, когда Артем первый раз решился забраться на глубину, и сажал его себе на спину, когда тот уставал, и доставлял сынка, держащегося за его шею, к берегу. Они отдыхали и начинали новый заплыв, и так день за днем, до тех пор, пока Артем не почувствовал себя как рыба в воде.

И как мастерил с ним поделки, как спокойно, толково и доходчиво объяснял многие вещи, явления жизни и природы. Как учил сына молчать на рыбалке, слушая тишину вокруг и самого себя, как учил продуманно собирать рюкзак в поход, не упуская каждую мелочь, способную в трудную минуту спасти жизнь, и растолковывал, для чего и как могут пригодиться предметы. Вспоминал и сами необыкновенные походы с туристической группой или с друзьями родителей или вчетвером — отец, мама и Артем с Игорем.

А еще — как отец объяснял ему такой тонкий и щекотливый момент, как его резко и неожиданно пробудившуюся подростковую гиперсексуальность, и как правильно к ней относиться и уживаться с ней, не смущаясь реакций своего тела. После чего Артем почти слово в слово передавал эти наставления другу Игорехе.

И как неожиданно вернувшиеся с дачи мама с папой застали четырнадцатилетнего сынка с девушкой в самый что ни на есть откровенный момент и как отец увел обалдевшую маму на кухню, посоветовав сыну:

— Не пугайся и не суетись. Спокойно одевайтесь, проводи девушку, и поговорим.

И сказал тогда ему, когда они остались один на один, очень строгим тоном:

— Артем, теперь секс — это часть твоей жизни, и только от тебя зависит, каким он будет и как ты будешь его воспринимать. Это прекрасная сторона жизни взрослых людей, но запомни навсегда: никогда не занимайся сексом по пьяни! — И повторил жестко: — Никогда. Удовольствия не получишь никакого, зато обязательно огребешь кучу проблем. И второе: пока не поймешь, что готов в полной мере отвечать за девушку, всегда используй презерватив. — И снова повторил с нажимом: — Всегда!

И несколько лет подряд лично напоминал сыну, чтобы, выходя из дома, тот проверил наличие у себя презервативов, не уставая повторять, — случаи бывают разные. А еще учил его правильному отношению к женскому полу, к выбору партнерши, к проявлению уважения и умению ухаживать. И все это ненавязчиво, без менторства и назидания — чаще всего весело, с юмором и шуткой, иногда что-то вскользь, вроде бы впроброс скажет, но такое значимое, что запомнится на всю жизнь...

И, переживая, мучаясь потерей отца, Артем все вспоминал о нем, об их общении, их дружбе и однажды подумал: а сможет ли он стать таким же отцом своему ребенку? Не только сыну, но дочке? Есть ли в нем такая мудрость отцовская?

И словно почувствовал в какой-то момент абсолютную внутреннюю готовность к отцовству и желание стать отцом, прямо реальное, настоящее желание стать для кого-то таким же главным, важным и необходимым человеком, каким был для него отец.

Он бы не смог объяснить правильно, логично словами то, что тогда открыл в себе, это было ближе к области чувств, интуиции, ощущений, нечто неосознанное. Но в какой-то момент Артем настолько четко и ясно понял, почувствовал в себе эту потребность в отцовстве, что как-то переосмыслил свои отношения с женщинами и начал присматриваться к партнершам через призму этого своего нового понимания своей личности. Более того, теперь он и знакомился с девушками с расчетом на серьезные отношения, а не просто для замечательного и необременительного секса. Хотя... разное бывало, да и есть, чего уж там лукавить.

А когда у самого близкого друга, у родного человека Игорехи Брагина родился сынок, с которым

Артем тетешкался, как с родным, тогда потребность в отцовстве укрепилась в Красногорском окончательно и навсегда.

Но... полюбить так, чтобы хотеть жениться на девушке, — вот не случалось, и все, хотя странно — и девушки попадались сплошь умницы-красавицы, и с головой дружили, и семью хотели, и замуж рвались, а он что-то никак не влюблялся до серьезного чувства.

Ну вот не получалось! Нет, хватало и первых горячих влюбленных страстных недель-месяцев, когда и ярко, и жарко, и думаешь о ней постоянно, но голову при этом он не терял и представить очередную пассию постоянной спутницей жизни не получалось.

А когда получилось с Лией... Ну с Лией — это особая история. Хоть и с супружеством, но без детей и такая... Впрочем, и эта история закончилась, и, наверное, хорошо, что без детей.

Не то чтобы Артем прямо вот жил и только думал и мечтал, как бы найти подходящую девушку и наделать с ней детишек... Нет, разумеется, это желание было как бы подспудным, некой составляющей его мужской сущности.

Понятное дело, что при встрече с интересной женщиной он не принимался размышлять на предмет: «А не сделать ли с ней ребенка?» — а совершенно по-мужски оценивал барышню и свою сексуальную и человеческую реакцию на нее. А про отцовство — это так, где-то далеко на заднем плане, как бы пунктирно, тихим рефреном.

Но этот мальчишка Матвей!

Артем поймал себя на том, что, представляя себе пацаненка, вспоминая их беседу у куста бузины, постоянно улыбается, и еще звучит в нем странная мысль: «Вот такого бы пацана мне!»

Вот так. И всплыли из глубин сознания все его отцовские инстинкты и желание иметь семью, детей...

— Ладно! — одернул себя Красногорский и подивился: эка его занесло-то, а? Все же устал всерьез и не заметил, как перегрузился, накопив эту усталость. Забот по бизнесу и на самом деле выдалось в этот месяц как-то чересчур, справился, конечно, но неизбежный упадок моральных и физических сил схлопотал, вот и вспоминается всякое потаенное.

— И на самом деле ладно! — подбодрил он себя и постарался подальше отодвинуть воспоминания.

Надо было идти выручать замечательного парня Матвея из заточения в комнате. Нечего ему там сидеть — лета, почитай, и так нет, холод и сплошные дожди, если не считать последних трех дней, и так наверняка вынужденно насиделся в доме, а надо пользоваться моментом, чтобы побегать-погулять на воздухе.

Только как-то потактичней это провернуть, чтобы не задеть авторитет его замечательной мамы.

— Арина, — обратился Красногорский к девушке, обнаружив всех дам в кустах у забора за сбором урожая черной смородины, — а не выпустить ли нам Матвея из заточения под предлогом прогулки по поселку?

— Да уж давно пора! — согласилась девушка, выбираясь из-за куста. — Я и сама хотела его выпустить. Сорок минут более чем достаточно, он уже и поиграл, и почитал. Пока погода есть — надо гулять, тем более через час у него дневной сон.

— Вот и отлично, — обрадовался Артем. — Тогда неплохо было бы погулять по поселку.

— Отлично, — поддержала инициативу девушка.

Они прошли в комнату ребенка и застали того за вдумчивым и методичным раскурочиванием пластмассового грузовика.

— Матюша, — строгим тоном обратилась к нему мама. — Мы договорились с Артемом Борисовичем, что если ты обдумал совершенные тобой ошибки и осознал последствия своих поступков, то ты можешь пойти с нами погулять по поселку.

Мгновенно потеряв всякий интерес к наполовину разобранному грузовику, мальчишка вскочил, подбежал к маме и, сделав самое торжественное выражение лица из, видимо, всех возможных в его исполнении, приложил ладошку к груди и клятвенно заверил:

— Я осознал!

Ну без вариантов! Видеть это представление и не рассмеяться было выше человеческих сил, и Артем сразу же затрясся от смеха, обессиленно прикрыв глаза ладонью. Мама Арина держалась куда более стойко, чем мужчина, ограничившись задорной улыбкой.

— Ну тогда идем гулять, — предложила она.

— Идем гулять! — радостно заорал пацан, подпрыгнув от счастья на месте и ухватил Красногорского за ладонь.

Прогулочным, неспешным шагом они шли по улицам поселка, а неуемный энергичный Матвей то убегал вперед, то возвращался к ним поделиться своими суперважными мыслями и задать не менее важные вопросы.

Вышли к футбольному полю в конце поселка, с двумя воротами по краям, сколоченными из разнокалиберных досок, на котором поселковые мальчишки лениво, без азарта катали мяч друг другу. В нескольких метрах за полем начинался молодой сосновый лесок, к которому они и направились. И у нескольких ближайших елок Артем заметил пару белок, которые, не обращая внимания на громкие перекрикивания пацанов, гоняющих мяч, и на подходивших людей, ковырялись с шишками, все ж таки не забывая настороженно поглядывать по сторонам.

— В этом году много белок, — кивком указав на шустрых зверьков, заметил Красногорский.

— О да! — рассмеялась Арина, со значением покачав головой. — Белок мы уже ловили.

— Видимо, весело было, — не удержался от ответной улыбки Артем.

— Как обычно, — улыбнулась девушка.

— Расскажите.

— Ну у нас все начинается с Матвея и заканчивается им же, — интригующе рассмеялась она.

Арина, в сопровождении Матвея и его верного друга Вовки, отправилась в поселковый магазин, такое откровенное, замечательное, натуральное «Сельпо», в котором одновременно продавалось все — и продукты, и бытовая химия, и садовый инвентарь, и много чего еще интересного и разнообразного.

Мальчишек она с собой брала не просто так, а в воспитательных целях, поскольку они всегда помогали ей нести покупки домой, ну и чтобы дети побегали по дороге к магазину.

Арина расплатилась, они с мальчиками вышли на порог, а в это же время на площади перед зданием разворачивалось неординарное событие.

Поселковый, потомственный в пятом колене, алкоголик Васильич отплясывал дикий танец, выделывая невообразимые крендели руками-ногами, и орал разбитную песню с непонятными, невразумительными словами, а в перерывах между пением принимался громко разговаривать с невидимым оппонентом, рассказывая тому, как хороша жизнь, и обещая надавать по мордасам за то, что тот пытается его утащить к чертям.

— Все, «белку» словил Васильич, — констатировала у них за спиной продавщица Галина, вышедшая на шум из магазина узнать, что тут происходит.

Арина поспешила увести мальчишек подальше, чтобы они не видели пьяного и не слушали витиеватой матерщины, и не присутствовали при том, когда начнут скручивать Васильича поселковый участковый и добровольцы.

По-хорошему, будучи матерью столь любознательного и энергичного чада, Арина могла бы и догадаться, ну хотя бы предположить, что столь яркое и неординарное событие не останется незамеченным ее сыночком, или хотя бы насторожиться тем фактом, что ни один из мальчишек не ринулся выспрашивать ее про Васильича и его поведение. Но время от времени Арине все же необходимо хоть ненадолго расслабляться от вечной готовности, постоянной настороженности и ожидания большого или малого «барабума!»

— Мальчишки при мне происшествие не обсуждали и, когда мы вернулись домой, побежали играть во дворе, — продолжила рассказ Арина, сдерживая смех. — Но, оставшись одни, посовещавшись, решили, что они вообще-то и так не грустят, некогда: все дела, дела, и им вполне себе весело здесь живется. Но уж *так* весело, как было Васильичу, — нет, до этого им далеко, а сильно хотелось бы.

— Та-а-ак... — протянул Красногорский, ожидая веселое продолжение

— Понятное дело, что Матвей разработал и предложил план: поймать белку, как Васильич, и тогда уж им точно станет весело-превесело, сплошной праздник. Добрый сынок даже планировал дать белку и маме с бабушками, и деду Вовки, чтобы уж весело было всем. Придумано — сделано, — посмеиваясь, рассказывала Арина, наблюдая за тем, как сынок бегает за белками, которые отчего-то не спешили удирать на деревья, а с удовольствием вступали с ним в игру в догонялки.

— Они залезли на чердак нашего дома, нашли там какую-то коробку, вывалив все ее содержимое, там же, весьма удачно, обнаружили старую веревку, свезло прямо-таки, проделали дырку в одной стороне коробки, привязали к ней веревку. И отправились на участок Степана Сергеевича. Внучок Вовка стащил у дедушки пакетик с его любимыми очищенными подсолнечными семечками для наживки. Дело в том, что Степан Сергеевич подкармливал парочку белок, которые жили у него на участке, в самом дальнем углу на старой ели, рябине и калине. Наши охотнички... Ведь додумались же! Это Матвей в каком-то мультике видел и запомнил. Так вот, наши охотнички устроили ловушку: поставили коробку с открытой крышкой на ребро, насыпали под нее щедро семечек и, спрятавшись за кустами, принялись ждать. Белки оказались дальновидней Маруськи, с деревьев спускаться не спешили, за угощением не шастали и ловиться никак не хотели. Мальчишкам быстро надоело ждать, тем более тут как нельзя вовремя вспомнилось про оладушки с крыжовником, что жарила бабушка Аня, и, посовещавшись очередной раз, они решили, что белка и сама поймается, когда придет за семечками, а уж они ее потом...

— Вроде все безобидно, — заметил Артем и спросил: — Поймали?

— Не совсем, — усмехнулась девушка. — Степан Сергеевич, работавший в саду, заприметил что-то непонятное под деревьями, пришел проверить и обнаружил неизвестную коробку. Мало того, ловушка из коробки таки сработала, и в коробке явно кто-то копошился. Сергеич тихонечко опустился на колени, прислушался: точно шебуршит! И вроде даже сопит. Он осторожненько взялся за коробку и начал медленно ее поднимать, чтобы посмотреть, «кто в теремочке живет», но в этот самый момент, как нельзя вовремя и «удачно», появились наши юные натуралисты и начинающие охотники, объевшиеся оладий. Любимый внучок, увидев деда, как заорет: «Дедушка, лови белку!» От неожиданности Сергеич резко рванул коробку, но, привязанная за веревку к дереву, она дернулась и отлетела по инерции в другую сторону, а он, по закону той же инерции, не удержал равновесие и плюхнулся животом аккурат на двух ежей, безнаказанно жравших его семечки. При этом надо отметить, что из-за жары был он в одних шортах, то есть с голым торсом.

— Ежи погибли? — засмеялся Артем.

— Отнюдь. Живехоньки. Там почва под деревьями бугристая и подушка из хвои, как подстилка мягкая. Только для кого как. Во-первых, ежи успели свернуться от испуга, а во-вторых, Сергеич лежит, раскинув руки, а ежи, дабы избежать мученической смерти от удушья, принялись прямо под ним продираться на свободу. Когда дедушка встал...

Все... Артем сложился пополам от смеха, а хохочущая до слез Арина смогла-таки продолжить рассказ:

— И когда дети увидели его исполосованные царапинами грудь и живот с парочкой застрявших в коже ежовых иголок, они, не сговариваясь, рванули с низкого старта к нам на участок и спрятались за кустами малины. А дальше все как обычно: Степана Сергеевича обработали йодом, иголки извлекли, детей нашли и выслушали их версию произошедшего с последующим наказанием.

— Обошлось хоть? — распрямился Артем, утирая слезы.

— Ну не совсем, — успокаиваясь, смеялась Арина. — Уколы от возможных инфекций Сергеич все же получил в профилактических целях. А Лидия Архиповна вспомнила эпохальное «Дедушка, лови белку!» подозревая, что таки свою «белку» он словил, когда начал несколько заговариваться после порции уколов, что пришлось ей капли сердечные принимать. К тому же объяснять детям, какую именно «белку» словил Васильич, никто из нас как-то не рискнул, поэтому остается шанс, что они когда-нибудь еще разок вспомнят о веселящих белках и что тогда придумают — большой вопрос.

— Вы чего смеетесь? — спросил их подбежавший Матвей.

— Белок ловим, — ответила ему мать, после чего они с Артемом зашлись новым приступом смеха.

Всю обратную дорогу в Москву с лица Красногорского не сходила улыбка, хотя за эти два дня он нахохотался столько, сколько не смеялся, пожалуй, за всю свою жизнь, да так, что аж мышцы лица и живота побаливали.

— Вы хоть за ним записываете, снимаете? — спрашивал он у женщин после очередного «выступления» мальчика Матвея.

— Да что ж нам теперь, всю его жизнь записывать и снимать? — недоумевала Лидия Архиповна. — Он постоянно такие перлы выдает — хоть стой, хоть падай.

М-да, мальчик Матвей оказался каким-то уникальным ребенком с повышенной степенью любопытства, неуемной энергией и буйной фантазии.

Артем то хмыкал, вспоминая особо комичные моменты общения с резвым мальчишкой, то восхищенно крутил головой, так и доехал до столицы, не заметив времени в дороге и погрузившись в красочные воспоминания.

Из окна своей комнаты Арина наблюдала, как он уезжает.

Было совсем раннее утро понедельника, только-только начало светать. Еще накануне вечером Артем попрощался со всеми домочадцами, объяснив, что уедет очень рано и никому незачем его провожать.

Она согласилась, душевно попрощалась с ним и... и не спала практически всю ночь, невольно прислушиваясь к любому звуку за окном, лишь поэтому и смогла услышать, как чуть скрипнула дверь внизу, легонько охнули половицы на веранде, донесся еле различимый шепот...

Торопливо выскользнув из кровати, Арина подошла к окну и смотрела, как Артем Красногорский, появившись из-под козырька над верандой, прошагал по каменной дорожке к гаражу и исчез внутри. Через какое-то время очень тихо, на малом ходу, из распахнувшейся створки гаражных ворот выкатилась машина.

Он вышел, махнул прощально невидимой отсюда Лидии Архиповне, которая, можно не сомневаться, вышла проводить сыночка. Снова сел за руль, и, когда открылись главные ворота, машина медленно и тихо выехала за участок. Негромкий шум удаляющегося мотора постепенно растаял в прозрачной прохладе предрассветного утра.

Арина постояла еще немного, задумавшись, у окна и вернулась в кровать, точно зная, что уже не заснет.

Какой уж теперь сон, когда мысли заняты одним предметом — хозяином большого, уютного дома в замечательном загородном поселке?

Она все еще жила теми поразительными ощущениями, которые она испытала, когда увидела его первый раз.

Она услышала громкий, веселый, но твердый мужской голос, отдавший приказ тоном, которому трудно было не подчиниться:

— От-сставить!

И посмотрела на идущего с Матвеем Артема — она его сразу узнала. Трудно было бы не узнать, поскольку у Лидии Архиповны царил некий культ умершего десять лет назад мужа и сына, и их портреты, от любительских черно-белых фотографий до постановочных в багете, сделанных фотографом, были развешаны по всему дому.

При такой явной любви и любовании матери Арина подозревала, что сыночек хозяйки дачи, скорее всего, мужчина капризный, с большим апломбом, амбициями и элементами нарциссизма.

Но когда она его увидела....

Что-то случилось с ней необыкновенное, что-то перевернулось внутри, и стало так тепло, свободно и радостно, и вдруг кто-то в ее голове отчетливо произнес: «Вот идет моя Судьба!»

Она даже головой потрясла, сбрасывая непонятный морок и пытаясь избавиться от захвативших ее странных мыслей-чувств, но не получилось. Она погружалась в них все эти два дня, наслаждаясь общением с этим интересным мужчиной, оказавшимся совершенно не таким, каким она его себе нарисовала в воображении, — да, с амбициями, но теми самыми, здоровыми, которые толкают к развитию и достижениям; командир, лидер, безусловно, но человек вдумчивый, не кичливый, с замечательным чувством юмора. Закрытый, но не угрюмый, а вполне себе общительный. Самолюбования нет и в помине, зато имелась у него вполне объективная оценка себя, своего социального и мужского статуса, своих способностей и возможностей, это как и полагается у мужчин такого типажа и таких свойств характера.

Ну понятное дело, что он знал себе цену, ну а как же! Вы бы не знали?

Высокий, крупный, подтянутый, темно-русые густые волосы, немного кривоватый нос, определенно перебитый когда-то и придававший его облику легкий пиратский флер и загадочность, янтарно-зеленые глаза, какие бывают у некоторых, очень редких котов, упрямый, волевой подбородок — да, мама помоги, и только!

Привлекательный той истинной мужской привлекательностью, которой обладают решительные мужчины, наделенные некой внутренней свободой, одним из признаков лидера — спокойной уверенностью в себе и умением брать на себя ответственность.

Да за таких мужиков женщины...

Забывая, однако же, присмотреться к их характеру, который частенько бывает, мягко говоря, непростым, а чаще тяжелым, видимо, компенсируя все великолепие их личностей.

Каков характер Артема Красногорского, Арина пока до конца не поняла, поскольку общались они в рамках принятых условностей малознакомых людей, отягощенных еще и тем, что он хозяин жилья, которое она арендует, пусть и временно.

Но то, что Матвей сразу же и безоговорочно покорил сердце сурового господина Красногорского, было настолько очевидным, что всем бросалось в глаза. Впрочем, он этого и не скрывал. И все эти почти двое суток проводил в основном с малышом, его другом и мамой.

Слава богу, эти дни обошлось без дождей и было достаточно тепло, хоть солнышко своим присутствием особо и не баловало. Вот они и наверстывали летний-то отдых.

Гуляли по всему поселку, ходили на речку, правда, кроме героического Артема Борисовича, никто плавать и даже окунаться в холодную не по сезону воду не рискнул. В воскресенье Красногорский возил Арину и Матвея с верным другом Вовкой в дальний поселок на рыбную ферму, где они смотрели на карпов в пруду и даже «половили» рыбку, в основном мешая Артему, который спокойно объяснял мальчишкам, как и что надо делать.

Но рыбу домой к ужину они таки добыли — одного большого карпа выловил Артем, а трех других просто купил у рыбаков.

Не забывал Артем Борисович и про дела хозяйские — налаживал нагревательный котел, что-то там настраивал-ремонтировал в сложном оборудовании, обеспечивавшем жизнедеятельность дома, окапывал деревья по указанию Лидии Архиповны, и везде и всегда за ним неизменным хвостиком следовали пацаны, завороженно наблюдая за хозяином, а то и сами что-то делая под его руководством.

А Арина все эти дни находилась в глубокой растерянности, наблюдая за этой внезапной и сильной привязанностью сына к малознакомому, по сути, чужому мужчине и переживая свои непростые чувства.

Ладно, пусть все идет как идет, посмотрим, что получится, решила она.

Арина уехала в Москву через несколько часов после хозяина дома — у нее тоже работа, и хоть любимая и радостная, но трудная, кропотливая и порой тяжелая.

Всю неделю она пребывала в странном, несколько рассеянном состоянии, понятное дело, вспоминая-думая об Артеме Красногорском, что, как ни удивительно, только способствовало ее творческому процессу — и все-то ей удавалось замечательно и чудесно, и клиентов прибавилось, и заказов, и все она и ее помощники успевали и заработали в эту неделю очень хорошо.

Это было здорово, очень здорово, но все же на первом месте в ее мыслях был господин Красногорский.

И когда она поздно вечером ехала на электричке в поселок, душа ее трепетала!

Арина ждала новой встречи, думала-передумывала, как это произойдет, парила, и побаивалась этой самой новой встречи, и все гадала, понравилась ли она ему. А насколько понравилась? Вроде как он ее особым мужским вниманием не выделял, обращаясь в основном как с мамой Матвея, и все время на «вы» — держал дистанцию. Так понравилась или нет, она что-то не поняла?

Так и думала всю дорогу и ужасно расстроилась, когда выяснилось, что его нет, а она надеялась...

Он приехал в субботу утром, о чем оповестил всю округу громким радостным воплем ее сынок:

— Дядя Арте-ем приехал!!! — звенел от непередаваемого счастья его голосок.

Арина подошла к окну и увидела, как из остановившейся на дорожке перед гаражом машины вышел Красногорский и подхватил на руки подбежавшего к нему Матвея. И под развеселый, совершенно счастливый смех мальчишки подкинул того вверх, легко поймав, и еще раз, и еще, и поставил на землю.

Ну во-о-от, трепыхнулось сердце Арины, вот он и приехал.

И привез кучу вкусностей как для взрослых, так и для ребятни, и подарки, и даже большой набор детских инструментов. И невозможно передать, какой восторг испытывал и излучал ее ребенок. Таким счастливым и восторженным своего сынка Арина еще ни разу не видела.

Но между Красногорским и Ариной ничего особо не изменилось в общении — все так же дистанционно-уважительное «вы» и все те же чинные прогулки по поселку и окрестностям, только в резиновых сапогах и дождевиках, поскольку дождь зарядил на все выходные. Долгий, нудный, безрадостный, но мальчишкам было весело — они шлепали и скакали по лужам, брызгались, извозились в речном песке по маковки, строя песочные крепости, бегали по мокрой траве и чего только не вытворяли.

А вечером были настольные игры, в которых задействовали всех — и взрослых, в том числе соседа, и детей — громко, шумно, азартно, с криками и гомерическим хохотом.

А совсем поздним вечером, скорее даже ночью....

Заснул, затих дом, Матвей уж третий сон видел, бабушки по своим комнатам спят, по крайней мере свет обе давно потушили, а Арина никак не могла заснуть, переполненная впечатлениями и неспокойными мыслями, разумеется, все о предмете ее переживаний. Она вышла на веранду, закуталась аж в два пледа, устроилась на большом, удобном плетеном кресле с ногами и смотрела в темноту и слушала шорох бесконечного дождя.

Там ее и обнаружил Красногорский, которому тоже отчего-то не спалось.

— Составлю компанию? — тихим голосом спросил он.

— Только утеплитесь, — посоветовала Арина, — холодно и пробирает до костей, я уж и куртку поддела.

— Уже, — продемонстрировал он и куртку, и пледы, прихваченные с собой.

Они сидели какое-то время молча, смотрели в темноту и слушали звуки ночи. И странным образом их не тяготило и не напрягало это их затянувшееся молчание, оказавшись удивительно гармоничным. А потом совсем тихо Артем заговорил, вспомнив историю из его детства, связанную с дождем, что произошла на старой даче у его бабушки.

Они тихо, на грани шепота разговаривали, рассказывая друг другу какие-то милые, ненавязчивые истории и делясь впечатлениями.

И разошлись где-то через час по своим комнатам.

В воскресенье был шашлык и гости у Красногорских — приехали его лучший друг Игорь с женой и двумя детьми — мальчиками семи лет и двух. Повезло друзьям, что детки у них по возрасту не подходят Матвею с Вовкой, а то те бы их быстренько к какой-нибудь очередной своей афере пристроили — и родители бы сильно подивились способностям своих чад.

Арина с Матвеем собиралась было уйти к Степану Сергеевичу на участок, чтобы не мешать людям отдыхать, но Артем попросил ее остаться и присоединиться к компании. Очень хорошо посидели —

душевно, интересно и вкусно. Игорь замечательно играл на гитаре, и они еще более замечательно пели с женой дуэтом, у обоих оказались прекрасные голоса. И вообще пара чудесная, Арине ребята очень понравились.

Но не обошлось, что неудивительно, без происшествий. А что, могло быть как-то иначе?

Артем открыл бутылку красного сухого вина, перелил его в декантер, открыл несколько бутылок с газированной и негазированной минеральной водой, перелил в один кувшин сок для детей, во второй компот, но, осмотревшись и не найдя поднос, пошел за ним в беседку, где и происходило застолье, и, что называется, «зацепился» с кем-то разговором.

Именно в этот момент за какой-то своей важной надобностью в пустую кухню явились Матвей с Вовкой. Ну разве может дух исследователя дремать!

Вот Матвей и решил попробовать, что это там такое красное в странной бутылке. Взял ложку в буфете, зачерпнул и попробовал — фу-у-у! Кисло и невкусно пахнет. То, что это вино, он определил по запаху — уже успел понюхать сегодня несколько раз в бокале у взрослых, но что оно такое невкусное — узнал, только сняв пробу. И тут же решил, что это же не дело совсем, что оно такое фу-у-у, надо срочно сделать так, чтобы взрослым было вкусно-вкусно, аж как кока-кола или лимонад. Верный друг Вовка, которому была предъявлена для дегустации ложка вина, с другом согласился безоговорочно — фу-у-у требуется срочно исправлять.

И из самых благих побуждений, не мучаясь долгими размышлениями, они добавили в декантер немного, сколько вошло до края, газированной минеральной воды.

И продегустировали получившийся коктейль.

Не понравилось. Не сладко. Посовещались и решили, что надо добавить варенья, тогда уж точно сладко будет. А как? В бутылке-то места уже нет. Какие проблемы, в наших умных головах найдется решение любой проблемы — есть же кастрюли! Вылили содержимое декантера в кастрюлю, подумали и добавили еще газировки и плюхнули щедро аж полбанки свежесваренного смородинового варенья, переболтали — попробовали. Не-а, не сладко. Вывалили остатки варенья (хорошо хоть, маленькую банку взяли, пол-литровую и уже початую), переболтали, попробовали! В четвертый раз!

О, самое то, что надо! Хорошо получилось!

Решили для верности попробовать еще разок, то есть пятый, и, стоя на стульях, склонившись над кастрюлей, зачерпнули каждый своей столовой ложкой ее содержимое, и именно этот момент процесса вдумчивой дегустации и застал вернувшийся в кухню Артем.

За недолгое время знакомства, уже несколько привыкнув с осторожностью относиться ко всему, что эти двое пацанят вытворяют, особенно когда остаются без пригляда взрослых, Красногорский мигом подошел к пацанам и попробовал сам, что они там дегустируют. И откровенно офигел, почувствовав присутствие алкоголя и сообразив, что, собственно, за смесь находится в кастрюле. Вокруг новоявленных «виноделов» тут же закрутилась суета — пацанов заставили выпить огромное количество воды и принять активированный уголь, и все пристрастно приглядывались, не окосели ли детки и как себя чувствуют.

А когда промытые изнутри и недовольные пацаны объясняли взрослым цель своего эксперимента, не привыкшие к таким представлениям гости ухохатывались до икоты и горячих слез, заваливаясь на бок на диване, перед которым и проходил допрос виновников переполоха.

В общем, все прошло прекрасно, можно сказать, почти штатно.

Ни одно животное в эти выходные не пострадало, что вполне можно считать большим достижением.

А поздним вечером воскресенья, прощаясь с домашними перед сном, Артем неожиданно предложил:

— Арина, мы можем поехать вместе, если вам удобно будет встать так рано.

Ну какие у нее были варианты? Вдвоем в машине до Москвы?

Без детей, бабушек, без дел и суеты? Вот так просто вдвоем?

Конечно, да! Можно и еще раз — да-да!

Всю дорогу они разговаривали, делились своими мыслями по тому или иному вопросу, обсуждали какие-то актуальные происшествия, признавались в пристрастиях в литературе, в фильмах и театральных постановках, обсуждали наиболее знаковые и нашумевшие.

И как же до обидного быстро закончилась та дорога! Так бы ехать и ехать! Но вот она, Москва!

Красногорский довез Арину до подъезда ее дома, а она, расстроенная так неожиданно быстро закончившимся общением, пригласила его на кофе.

— Поверьте, я готовлю исключительный кофе. К тому же могу быстро завтрак организовать, тем более у нас есть свежий деревенский творог.

Артем не заставил себя уговаривать, вспомнив о том, что сегодня ему предстоит трудный день, несколько важных встреч, и позавтракать бы не мешало, а кофе так и вовсе как нельзя более кстати, и согласился сразу, причем с немалым энтузиазмом.

Кофе Красногорский выпил аж две чашки, восхитившись его вкусом — и в самом деле великолепно! И позавтракал творогом со сметаной, щедро сдобренным сверху вареньем, с каким-то невероятно вкусным печеньем вприкуску.

И, поблагодарив от души, быстро уехал.

Так у них и повелось — Арина приезжала вечером в пятницу на электричке, Красногорский утром в субботу, а в понедельник спозаранку они оба уезжали на его машине.

Ну и как-то сама собой образовалась у них традиция поздним вечером, ближе к ночи, когда все домашние ложились спать, выходить на веранду, долго сидеть молча, а потом тихо разговаривать, в общем, ни о чем, обсуждая какие-то мелочи, на проверку всегда оказывающиеся важными.

Понятное дело, что, имея возможность общаться не на бегу, долго, спокойно и с удовольствием беседуя, они неизбежно начали рассказывать друг другу что-то из своих жизней, не всю биографию, разумеется, и не подробности личных переживаний и сложных жизненных этапов, а пока еще сохраняя душевную дистанцию, но все же уже о себе, а не только на отвлеченные общие темы.

И, разумеется, а как могло быть иначе, когда люди все больше и больше узнают друг друга и симпатизируют друг другу, наступил тот момент, прозвучал первый вопрос о гораздо более личном и непростом.

И задал его Красногорский, когда они возвращались в Москву, утром очередного понедельника:

— Арин, я хотел спросить, но, если это нетактично или болезненная тема, то извините. И все же: где отец Матвея? Он вам как-то помогает?

А она растерялась.

Неужели не готова была к таким вопросам или не ожидала, что они рано или поздно возникнут при достаточно частом и более-менее доверительном общении?

Бог знает.

Только меньше всего говорить про отца Матвея Арине хотелось именно с Артемом Красногорским. Меньше всего.

Она задумалась, отвернулась, смотрела в боковое окно на пролетающий за окном пейзаж, пытаясь сообразить, что ответить, да и нужно ли отвечать.

— Простите, это, наверное, болезненный вопрос, — извинился Артем.

— Да нет, — снова повернувшись к нему, ответила Арина. — Это давно уже не болезненный вопрос, но... — Она так и не смогла подобрать легкую, изящную формулировку, чтобы скатиться с непростой темы. — Мы расстались до рождения Матвея, и этот человек никаким образом не присутствует в нашей жизни.

Больше в тот день сложных тем они не касались.

Красногорский уже традиционно выпил две чашки кофе, съел с удовольствием завтрак, приготовленный из деревенских продуктов, за которыми они вчера, в воскресенье, специально ездили вместе с мальчишками в дальнее село, и, поблагодарив, быстро уехал.

А Арина, стоя у окна и наблюдая, как выезжает со двора его автомобиль, задумалась...

Как рассказать про отца Матюши мужчине, в которого она влюблена?

Влюблена, как же! Она прекрасно понимала, что обманывается, лукавит сама с собой, давая чувствам, которые испытывала к этому мужчине, именно такое определение, подразумевающее хоть и сильную симпатию и увлеченность, но все же не глубокие, истинные чувства.

А с ней, судя по всему, дело обстояло как раз настолько тяжело.

Как объяснить мужчине, который так много стал значить в твоей жизни, те свои прошлые поступки, переживания и чувства?

Тогда придется объяснять, почему она была такой, какой была на тот момент, а это значит, рассказать всю свою жизнь.

А вот готова ли она ему рассказывать? Вопрос-с-с...

Родители Арины Аркадий Ахтырский и Жанна Воротина поженились по банальному такому, бытовому, что называется, залету.

Аркаша Ахтырский был классическим красавчиком восьмидесятых годов, от которого с ума сходили женщины разных возрастов, впадая в страстную, порой сродни просто-таки какому-то сектантскому благоговению и умопомрачению, привязанность.

Высокий, метр девяносто, широкоплечий, великолепно сложенный, с брутальной внешностью, чем-то похожий на французского известного актера, с губительно эротичной улыбкой чувственных губ, с удивительного оттенка глазами, мужественное лицо, волевой подбородок, копна светлых, непокорных волос и просто-таки бьющая во все стороны сексуальность и энергия.

Он легко и без усилий учился в МГУ на инженера, играл на гитаре и пел великолепным насыщенным баритоном лирические, пробирающие до дрожи и слез, песни, был первым во всех делах и начинаниях — в походе, на сплаве по горной реке, подъеме на вершину в альпинистской связке, участвовал в кавээновских постановках, побеждал в спортивных соревнованиях.

Везде лучший, везде блестящий — все секс-символы того времени, как советские, так и зарубежные, жалко отдыхают и мнутся в сторонке.

Он любил женщин и, по всей видимости, умел настолько виртуозно заниматься сексом, что с женщинами делалось что-то невообразимое.

А они его не просто обожали, они готовы были на любое безумство ради этого мужчины, с ума сходили, предлагали все, чем владели, и все, что могли делать для него и ради него.

Кстати, именно таким образом, то есть щедростью и связями нескольких дам, сходивших по Аркадию с ума, уже к четвертому курсу университета мальчик из далекой северной глубинки обзавелся однокомнатной квартирой и московской пропиской, что в те времена было сродни, пожалуй, полету на Луну, мало того: по распределению он остался работать в Москве. Что в совокупности почти недостижимо!

Жизнь Аркадия была настолько насыщенной, яркой, интересной и страстной во всех ее проявлениях, что он спал часа по три в сутки, не успевая охватить все области своих интересов.

Так бы он и продолжал наслаждаться свободой, но повстречал препятствие на жизненном пути в лице совершенно очаровательной девчушки Жанночки Воротиной, умудрившейся «залететь» от него самым банальным образом.

При всей своей великолепной жизни бонвивана, мужчины, походя разбивавшего женские сердца и расставававшегося с ними легко и без сожаления, человека, без смущения принимавшего протекции и подарки влюбленных в него женщин, порой откровенно их используя, Аркадий не был лишен определенных моральных принципов.

В число которых входило, как ни странно, железное правило, установленное им для себя: не бросать своих детей.

И, что еще более странно, к двадцати девяти годам его более чем активной мужской жизни еще ни одна дама не родила от него ребенка. Нет, ему довольно часто предъявляли факт своей беременности, но при более тщательном расследовании выяснялось, что это всего лишь отчаянные попытки женщин привязать его к себе и не более того.

Все дело в том, что Аркадий всегда очень четко помнил о контрацепции и следил за этим неукоснительно. И только пару раз у него настолько снесло крышу от неистового желания, что он про все на свете забыл, в том числе и о предохранении, отдаваясь безумной страсти.

И кто бы мог подумать, что так распалить этого бывалого и все видавшего мужчину сможет девчонка на десять лет его моложе, миниатюрная, стройненькая, как куколка, потрясающе симпатичная Жанночка, оказавшаяся в постели абсолютно под стать ему — страстной и безбашенной до потери памяти.

Аркадий не сомневался ни на мгновение и знал, что она беременна от него, и сразу же предложил пожениться, чтобы ребенок родился в полной семье, но откровенно предупредил родителей Жанны, делая официальное предложение:

— Не могу обещать верности вашей дочери, я по натуре своей ходок, и вряд ли меня изменит женитьба. Но ребенка не брошу, даже если мы не сможем жить вместе.

Ну хоть так, решили старшие Воротины, зная за дочкой такую же непостоянную и темпераментную натуру — и в кого только уродилась?

Как ни удивительно, но прожили молодые вместе больше трех лет, но какие это были годы! Начало девяностых! А это, считай, и судьба, и приговор.

Вот так — тут новая жизнь пришла в мир, родился ребенок, а страна катится в пропасть девяностых годов. Впрочем, ничего нового и удивительного, особенно для России. Нет ни одной семьи в нашей стране, по которой бы катком не прокатились все уничтожавшие девяностые. Разумеется, не обошло и Аркадия с Жанной.

Когда Арине было три года, родители развелись. И, что странно, не из-за отца и его непостоянной, влюбчиво-загульной натуры, а из-за того, что влюбилась страстно, до самозабвения мама.

Все эти три года Жанна с Аркадием более-менее уживались и даже неплохо жили — любили друг друга, какой-то, прямо скажем, своеобразной любовью, но все же любили, к тому же их связывало сильное сексуальное влечение и удовлетворение, которое они доставляли друг другу. А это важно для любой пары. Может, еще и потому они продержались столь долго, что мало бывали вместе — работали оба очень много, и не в самых безопасных сферах. А где в те годы в стране было безопасно? Всяко не в городе Москве.

Им вроде бы было хорошо вместе, оба изредка погуливали на сторону, но в рамках условного приличия и соблюдая видимость тайны.

А тут — ать, и любовь большая прихватила Жанночку, когда не ждали. Да еще как!

Развелись. И Аркадий, сдав свою квартиру в аренду банку, отправился куда-то по стране или даже за ее пределы за своим счастьем и сытой жизнью.

С тех пор Арина его не видела и в общем-то про него ничего конкретного не знала, кроме... кроме того, что все эти годы он присылал для нее деньги. Из разных городов, районов и областей, порой из других стран, но каждый месяц, без перебоев, регулярно отец переводил деньги для дочери. И это была вовсе не позорная сумма жалких, вымученных алиментов, а вполне себе приличная, позволявшая, при определенной разумной экономии, спокойно прожить на нее семье из двух человек, не бедствуя и копейки не считая.

И, что еще более удивительно, продолжает присылать до сих пор.

В свое время эти деньги буквально спасли Арину и Анну Григорьевну — ну не совсем уж от смерти голодной, но все же очень, очень помогли, без них бы было совсем тяжко и беспросветно, и еще неизвестно, как бы они справились и выстояли.

Несколько раз в году Аркадий связывался с Анной Григорьевной, интересовался их жизнью вообще и здоровьем дочки и скупо сообщал, где и как живет. Вот и все, что они знали про него. Основное — жив. Жив, раз деньги регулярно присылает, и работает, и, видимо, удачно работает, раз шлет уважительную сумму, а не копеечку стылую.

А мама... Мама стала гражданской женой того самого мужчины, из-за которого ушла от Аркадия. Только имелся один нюанс — мужик тот был натуральным бандитом, одним из руководителей известной ОПГ, то есть организованной преступной группировки. Вот такой «марлезон». Со всеми вытекающими из этого факта «прелестями».

Маленькой Арине повезло необычайно, что мама оставила ее с бабушкой-дедушкой, не взяв с собой в новую семью, которую намеревалась строить, мало принимая в расчет профессиональную деятельность своего избранника.

Строить не получилось, а получилась сплошная неприглядная история с трупами и стрельбой. Но начиналось все хорошо и богато.

Чету Воротиных-старших и Арину вместе с ними осчастливили несколькими поездками на курорты Египта и Турции, в одно из их отсутствий в квартире, за время последней поездки в Египет, сделали шикарный, богатый ремонт и заставили новой мебелью. Все новое — даже постельное белье и посуда.

«Версаль!» — тяжко вздыхала Анна Григорьевна, не радуясь таким обновлениям и переменам и печалясь по утраченным любимым хозяйским мелочам.

Но ничего, обвыклись, обжились.

К тому же возражать новому, пусть не официальному, но все же зятю, поостереглись — хоть он и был не совсем типичным представителем криминальной среды и непредсказуемыми вспышками агрессии вроде бы не страдал, и вообще казался человеком интеллигентным, но характер имел крутой.

Жанна прожила с ним два года, до самой его безвременной кончины от недружественного огня конкурентов. Она быстро сообразила, чем лично ей грозит скоропостижная смерть любимого, и, как только ей сообщили по телефону о его расстреле, собрала все драгоценности, деньги, какие могла взять, и в тот же день, буквально через три часа, удачно успела улететь из страны.

А родители и дочь остались. И была большая доля вероятности того, что могут попасть под раздачу в криминальных разборках, в которых, как правило, никого не щадили.

От страшной участи старших Воротиных и маленькую Аришку спасло три факта. Первое: о тех деньгах, что прихватила с собой Жанна, не знал никто из группировки ее мужа, а весь имеющийся и известный им так называемый «общак» они экспроприировали из сейфа в доме, без сожаления оставленном на разграбление Жанной. Второе: весь остальной капитал, бизнес, а также вся недвижимость банды были оформлены и записаны на ее членов, и Жанна, и ее родные никакого отношения к этим активам не имели. Ну и третье, и, пожалуй, самое важное — не до них было в тот момент лихим людям, приходилось отбиваться от третьей группировки, решившей поделить сферы влияния по-своему.

М-м-да, как говорится, «не ту страну назвали Гондурасом».

Так в пять лет Арина лишилась и мамы, уехавшей в дальние страны и больше не появлявшейся в ее жизни. Связь с родителями Жанна первое время поддерживала постоянную, а потом у нее закрутилась заграничная жизнь, череда романов, замужеств и разводов, она сделалась гражданкой сразу нескольких стран, обросла там недвижимостью и тремя новыми детьми. Про родителей и оставленную в России дочь вспоминала в день их рождения и в Новый год, поздравляла по телефону. Иногда, в тяжелые жизненные моменты или сильно перебрав алкоголя, звонила Анне Григорьевне поплакать, пожаловаться. В такие моменты все порывалась поговорить с дочерью и растолковать той, как правильно надо жить, но бабушка никогда не звала Арину к телефону.

И еще общалась с родными по вопросам официальным, оформляя все через нанятых адвокатов — разрешения на опекунство дочери, передачу прав на свою долю в недвижимости ей же.

И на этом все. Ни слез, ни попыток приехать, ни «доченька, люблю тебя, скучаю». Так вот — вжик, и отрезала.

Денег, не в пример отцу, не присылала. Иногда, еще в первые годы эмиграции, несколько раз присылала посылки с вещами для дочери и родителей. Правду надо сказать: с хорошими, дорогими вещами.

Ну а лет через пять перестала делать и это.

Понятно, что Арина ужасно обижалась на родителей, обвиняла их и чувствовала себя брошенной и ненужной, хоть и была обласкана бабушкой с дедом и любима, но все же они не мама и папа. А она постоянно ждала, не признаваясь бабушке с дедом в своей детской мечте, — ждала, что родители приедут к ней и станут целовать-обнимать и плакать, раскаиваться, что так долго не видели дочку, и скажут, как сильно ее любят. И больше никогда не расстанутся с ней. Даже сны видела, красочные, полные солнца и счастья, про возвращение мамы и папы.

Так и жила все свое детство с этой потаенной мечтой и обидой...

А те непростые годы, на которые выпало ее детство, были настолько трудными для Воротиных, что они, сплотившись, старались просто выжить, сохранив достоинство, и не поддаться тяжелым обстоятельствам, подойдя вплотную к состоянию честной бедности.

Поначалу вроде бы ничего, справлялись — Анна Григорьевна со слезами, но все же ушла с поста директора районной библиотеки и, вспомнив про свое великолепное знание английского, стала репетиторствовать, тем более в середине девяностых на это был повышенный спрос, просто бум какой-то.

А дед Кирилл Львович все не сдавался и с поста ведущего инженера на проданом-перепроданом и загибающемся производстве не уходил. Нервничал ужасно от несправедливости, бился вместе с директором в инстанции, пытаясь достучаться и вразумить деятелей разного уровня, что нельзя губить и терять такой завод. Деятелям было пофиг на активного гражданина и директора завода, свою мзду они уже получили, а дед не выдержал.

В девяносто восьмом он умер от разрыва сердца в вагоне метро, возвращаясь с работы, — сидел, привалившись к поручням, словно заснул, и его обнаружили только на конечной станции.

Остались Арина с Анной Григорьевной одни-одинешеньки.

Тогда очень помогли деньги, что присылал отец. Прямо очень.

Бабушка отдала внучку по знакомству и великому блату в одну из самых сильных школ с английским языком и упором на точные науки.

Аришка замечательно училась, предметы давались ей легко, без особых усилий, наверное, в отца пошла способностями, хотя и беглая мать к наукам имела весьма высокие склонности, одним словом, ребенку хватило наследственности, чтобы прекрасно учиться без особых усилий.

А проявлять усердие Арина ринулась в других сферах — старалась принимать участие во всех возможных олимпиадах, каких-то общественных мероприятиях, занималась спортом и упорно добивалась наивысших достижений в нем, и все только с одной целью — радовать бабушку, оберегая ее таким образом от лишних волнений за внучку.

Как известно из практической психологии, равнодушие наносит самый большой вред человеку, которого игнорируют, а уж ребенку — совершенно сокрушительный, разрушительный вред.

Арина никогда не говорила о родителях, даже с бабушкой и дедушкой, и с подругами близкими не обсуждала эту тему, и уж тем более с посторонними людьми, но лет до двенадцати, наверное, она все лелеяла ту свою детскую последнюю надежду на их возвращение, а потом, в один день буквально, поняла, что они больше никогда не приедут и она им и на самом деле не нужна, и стала жить и расти с ощущением такого их жестокого предательства.

И смерть деда переживала очень тяжело, Арине казалось, что он их с бабушкой тоже бросил и предал, как и родители раньше. Ну почему, почему, по-детски обижалась она на него ужасно, он так болел за этот свой дурацкий завод, что у него не выдержало сердце? Нужно было заботиться о них с бабушкой. Разве ж это не предательство — отдать свою жизнь за завод, оставив их совсем одних?

И когда они остались с бабушкой вдвоем, в Арине поселился какой-то постоянный, жуткий страх потерять еще и бабулю. Она панически боялась, что та заболеет чем-нибудь ужасным, или погибнет во время какого-нибудь теракта, которые то и дело случались в Москве, или ее собьет машина, или она умрет, как дед, — раз, и все! И, не отдавая себе отчета, подсознательно все время старалась всячески, насколько могла, оградить Анну Григорьевну от любых потрясений и переживаний.

Отсюда и ее стремление быть самой лучшей во всех сферах жизни, чтобы бабуля только радовалась за внучку и была спокойна, не нервничала ни одной минутки. И за домашние хозяйские дела бралась с энтузиазмом.

Но, как известно из той же психологии, любое подавление чувств и мыслей рано или поздно прорывается, как созревший нарыв, особенно у подростков, а еще более разрушительно и болезненно — у подростка, боящегося потерять единственного родного человека.

Вообще-то слава богу, что такой срыв случился с Ариной в четырнадцать лет. Было бы гораздо страшней и разрушительней для ее психики, да и жизни в целом, если бы она так и оставила все эти мысли, страхи и переживания в себе.

И совсем уж неудивительно, что триггером, послужившим поводом к срыву, явился звонок мамы.

Поздно, где-то в час ночи, разбивая благостную тишину, неожиданно громко принялся долго и настойчиво звонить особым междугородним звонком их старенький красный телефонный аппарат. Арина и Анна Григорьевна, привыкшие ложиться и вставать рано, чтобы успеть переделать кучу дел утром до школы, давно уж спали и обе испуганно подскочили. Бабушка ринулась к телефону, пребольно ударившись спросонок пальцами ноги о стул.

Арина, выскочившая за бабушкой в коридор, где на тумбочке в прихожей стоял телефон, ничего еще не понимая, услышала, как бабуля громко переспросила:

— Жанна, это ты, что ли?

И замолчала надолго, слушая, что ей отвечают на том конце соединения. Бабушка слушала, молчала, хмурилась, а Аринка стояла перед ней и мелко дрожала от холода и от начинавшей потряхивать ее неконтролируемой нарастающей какой-то лютой, дикой злости, обиды и негодования.

— Жанна, — громким, ровным голосом произнесла бабуля, — тебе надо успокоиться и поспать. Когда проснешься, тогда и позвонишь мне и все расскажешь.

— Перестань с ней разговаривать! — потребовала Аринка.

И вдруг кинулась вперед, нажала на рычажок отбоя и, выхватив у бабушки из руки трубку, буквально швырнула ее на аппарат. Выкрикнула истерично:

— Зачем ты с ней разговариваешь?! Она же пьяная звонила, да?! Просто так она же не звонит, зачем? Мы же ей не нужны, не интересны! У нее своя веселая жизнь! Нас нет в этой ее жизни! Нет, понимаешь! Только когда ей уж совсем поговорить не с кем и она пьяная в дупель, тогда можно и слезы с соплями развести, вспомнив про дочь и мать, и позвонить, пожаловаться на свою жизнь! На свою! — трясла она рукой. — Наша с тобой жизнь ее не интересует!

— Идем, — подхватив внучку под локоть, торопливо увлекла ее за собой в кухню Анна Григорьевна.

Усадила на стул, но Арина тут же вскочила с него, не в состоянии успокоиться, и уже не было никакой возможности остановить выплеск всей накатившейся в ней за годы боли и обиды, страха и обвинений и ее несло в истеричном крике.

— Зачем ты с ней вообще разговариваешь?! Она же предательница!

— Она моя дочь, — спокойно произнесла Анна Григорьевна и протянула внучке рюмочку с успокоительными каплями, которые оперативно успела налить.

— Не надо мне ничего! — крикнула девочка, резко отталкивая ее руку.

Анна Григорьевна не стала настаивать и отставила рюмочку на столешницу, сохраняя спокойствие.

— Ну и что, что дочь! — со злой обидой кричала Арина. — Она не только меня бросила, но и тебя!

— Да, но это не отменяет того факта, что она моя дочь и я ее люблю. Такую, какая она есть, — терпеливо поясняла бабушка.

— А я не люблю! Не люблю! — Внезапно, в одно мгновение Ариша вдруг залилась слезами, словно какой-то краник сорвало у нее где-то там внутри, выпуская наружу потоки слез. — И отца не люблю! Они мне чужие люди! Я их даже не помню! — И, захлебываясь слезами, вывалила все свои застарелые обиды, всю накопившуюся горечь обманутого ожидания любви маленькой девочки: — Я так ждала, все время ждала, что они одумаются, хотя бы мама, и вернутся и скажут, что любят меня, что я им нужна! А они! Я им такая не нужна! Я для них какая-то не такая! Плохая, ненужная! Некачественная какая-то! У матери другие любимые дети есть, у отца, наверное, тоже, а я для них плохая, не подхожу!

— Детка, деточка, моя. — Анна Григорьевна поспешно подошла к внучке и обняла ее, сопротивляющуюся, обиженную. — Ну, что ты, девочка. — Она прижала к себе Арину и успокаивающе гладила ее по спине. — Что ты, маленькая моя. Ты замечательная, прекрасная и любимая девочка. И они оставили тебя не потому, что ты плохая, а потому что они такие. Понимаешь? Тогда они оба были двумя молодыми, подверженными повышенным сексуальным влечениям людьми, эгоистичными и думавшими только о своих прихотях и желаниях. И были

занаты только своими персонами и своими устрем-
лениями и мечтами, эмоциями и чувствами. Какой
бы ребенок ни оказался на твоем месте, даже два
ребенка, думаю, все закончилось бы точно так же:
родители твои развелись бы в любом случае, и оба
отправились искать счастливой и радостной жизни
в разные стороны.

Она немного отстранила Аришу от себя, всмотрелась в ее заплаканное лицо, вытерла текущие по
нему самые горькие в мире детские слезы и продолжила объяснять, заглядывая ей в глаза:

— Не в тебе дело, а в них. В них, понимаешь.
Они оставили тебя не потому, что ты какая-то, как
ты сказала, некачественная, а потому что они были
глупыми. Понимаешь, детка, их соединила одинаково сильная страстность, но они не любили друг
друга, и когда первое горячее сексуальное притяжение остыло и пошло на убыль, ничто не могло уже
удержать их рядом.

— И пусть живут себе, как хотят, и нечего к нам
соваться! — все еще не могла остановиться Ариша,
но пик бурной истерики уже прошел, постепенно
остывая.

— И все же они твои родители, и не самые пло-
хие, хочу тебе заметить, — тем же спокойным, ровным голосом объясняла ей бабушка. — По крайней
мере, мать твоя не запойная пьяница, а так, иногда
переберет лишку, так и ей, видимо, не очень уж
сладко живется в той загранице. И отец тебя не забыл, а помнит и заботится. Как может и как умеет,
так и заботится.

— Не нужна мне такая его забота! — бушевала
Арина, продолжая заливаться слезами.

— Нужна, да еще как, — возразила ей бабушка, — мы бы без него пропали, голодали бы

и нищенствовали. На одни мои репетиторские заработки, как бы они ни были хороши, не протянули бы точно.

Арина дернулась всем телом, резко покрутив головой, отвергая и ее аргументы, и отцовскую помощь, и вообще все на свете.

— Детка, — уговаривала ее Анна Григорьевна своим проникновенным, негромким голосом, снова прижав к себе и поглаживая по голове, — все не так уж и плохо, как тебе кажется. Могло быть гораздо хуже. Трагичнее. Вон у твоих ровесников: у соседского Вити отец пьет и бьет их с матерью смертным боем, а во втором подъезде у Оксаны с братом пьют оба родителя, и жизнь этих детей — страшный ад. У подруги твоей отец был бандитом, и его застрелили, а мать одна бьется и подрабатывает продажной любовью. Может, если бы твои родители не расстались, то тут бы такие страсти кипели с ревностью, драками, изменами, женами-детьми, может, и тоже пить бы пристрастились, кто знает, вся страна тогда от безысходности, нищеты, неопределенности, неустроенности жизни пила по-черному. А так считай, что нам повезло. — Она чуть отклонилась, заглянув в лицо внученьке, стерла ладонью слезы с ее щек, объясняя: — Они ведь оба натуры темпераментные, а в каких формах этот их темперамент проявился бы при той непростой жизни, что была в стране, — бог знает. — И усмехнулась. — Ты и не догадываешься, насколько ты на них похожа.

— Я?.. — оторопела Арина и ринулась возражать. — Нет уж! Меня на страсти-мордасти, так чтобы прямо все забыть, голову потерять, родителей и ребенка бросить, вот уж точно никогда не потянет! — и заявила с горячей убежденностью: — Я вообще не могу быть яблочком от этих яблонь! Может, меня в роддоме подменили и у меня какие-то другие родители, которые меня бы не бросили!

— Вот уж это вряд ли, — усмехнулась Анна Григорьевна. — У тебя совершенно отцовские необыкновенные глаза. Погибель, а не глаза, из-за них-то, в числе прочих его достоинств, женщины и влюблялись в Аркадия до потери сознания. А еще у тебя отцовская роскошная шевелюра.

— Дикая какая-то, — пробурчала, но уже без надрыва Арина, возражая уже по инерции, без прежней эмоциональности и накала.

— Великолепная, — поправила ее бабушка. — И пылкости и сильных чувств в твоей натуре более чем хватает.

— У меня крышу от шальной влюбленности и желания секса не сносит! — Арина никак не соглашалась быть похожей на родителей.

— О-о-о, — многозначительно вздохнула Анна Григорьевна, — не спешила бы ты с такими заявлениями. Вот когда влюбишься, тогда и посмотрим, что там с твоей пылкой натурой. Совладаешь ты с ней, не теряя голову, или понесет тебя во все тяжкие.

— Не понесет! — уверила-таки со всей той самой пылкостью своей натуры Арина.

— Посмотрим, — улыбалась бабушка. — Ты вот сейчас всю свою огненную страсть в учебу, в спорт и дела общественные вкладываешь, я даже побаиваюсь за тебя, не перестаралась бы ты, не загнала бы себя до истощения.

— Я просто хочу, чтобы ты была за меня спокойна и не нервничала, не переживала, что у меня может что-то не получиться, — призналась Арина.

— Да я прекрасно знаю, что у тебя получится все, за что бы ты ни взялась! — поразилась Анна

Григорьевна, только сейчас поняв, зачем девочке нужны были все эти победы и достижения, и переспросила для верности: — Так это ты из-за меня, что ли, так стараешься и перегружаешься ужасно?

— Ну-у-у, — протянула Арина.

Анна Григорьевна снова погладила ее по голове, поцеловала и пообещала строгим, торжественным тоном:

— Ты за меня не бойся, Ариночка, я умирать не собираюсь. Я крепкая, у меня замечательное здоровье. — И повторила: — Не бойся и даже не думай и в голову не смей брать, что я могу оставить тебя одну. — И усмехнулась, все же смахнув предательскую слезинку, — не просто ей дался этот спокойный, выдержанный тон. — И прекращай так уж стараться с этими своими общественными и спортивными достижениями. Бог бы с ними.

— Бог, — кивнула, соглашаясь, Арина и снова расплакалась.

Теперь уж очищающими слезами облегчения.

Они просидели в кухне и проговорили полночи о самом важном, о самом главном — Арина признавалась в своих детских мечтах и ожиданиях, лелеемых годами (о том, что вернутся домой блудные родители), о страхах и мыслях, накопившихся в ней до критической массы. Анна Григорьевна внимательно слушала, успокаивала, объясняла что-то очень важное, но больше давала выговориться внучке, освободиться от тяжести.

Бабушка всерьез подумывала отправить Арину на сеансы к психологу, но обошлось как-то и без него, сами справились. Ариша после той бурной ночной истерики чувствовала какую-то небывалую легкость в душе, словно освободилась от тяжкого, давившего годами груза. Хотя почему словно? Освободилась, и просветлело что-то внутри, даже дышать стало легче.

Родителей, может, и не простила, так и не приняв до конца то, что они ее бросили, но как-то это перестало быть болячкой душевной — просто факт в ее биографии. Хорошо ли, плохо ли, но у нее вот так.

Ну а что касается пылкого темперамента ее натуры, так убедиться в его наличии девочке представилась возможность уже в шестнадцать лет, когда, первый раз в жизни, Аринка влюбилась до одури в старшеклассника из выпускного класса.

Вот где они с бабушкой попереживали!

Понятно, что каждая переживала свое. Анна Григорьевна, видя, как ухнула внученька с головой в первую, безрассудную любовь, больше всего боялась, что девчонка сломает себе жизнь — бросит напрочь учебу и все свои былые достижения.

Какие там достижения! Забыты, как детский лепет и тяжкий бред! Хорошо хоть, учиться не перестала, и то лишь по той причине, что парень собирался поступать в серьезный вуз и учиться ему приходилось без пропусков и прогулов. Пришлось и Арине сидеть на уроках и делать домашку, когда предмет ее страстной любви занимался тем же, а не целоваться по парковым скамеечкам, забыв обо всем на свете, как хотелось обоим.

Разумеется, Анна Григорьевна отдавала себе отчет, что никакими запретами, запорами и иными принудительными мерами она внучку не остановит и не удержит ни от секса, ни от глупостей, ни от возможной беременности, и сделала только то, что могла в сложившейся ситуации. Подгадала время и место таким образом, чтобы перехватить парня и поговорить с возлюбленным внучки наедине.

— Петенька, — уговаривала она его, — я все понимаю: у вас страсть и гормоны бушуют. Я, конечно же, просила бы вас воздержаться от интимной близости с моей внучкой, но отдаю себе отчет, что вряд ли смогу остановить вас обоих, даже если вы поклянетесь мне этого не делать.

— Тогда что вы хотите, Анна Григорьевна? — недовольно, но все же с уважением спросил мальчик.

— Я хотела просить, Петр, во-первых, не соблазнять ее, не настаивать и не уговаривать, подталкивая к этому шагу, а дать Арине возможность самой решать, хочет ли она и готова ли к этому. А во-вторых, умоляю вас, Петр, если все же вы оба ринетесь в близость, предохраняться. Вы старше, пусть всего на год, вы мужчина, вы обязаны в такой ситуации позаботиться о девочке. Всегда соблюдайте осторожность и предохраняйтесь.

Внял ли мальчик мольбам женщины и услышал ли ее вообще, осталось тайной. Ясный перец: у детей любовь, в голове туман, и, разумеется, они считают себя совершенно взрослыми и не собираются отказываться от секса. И сие эпохальное событие произошло.

И неоднократно.

Но странность заключалась в другом. Как только «осуществилась их любовь», парнишку-то снесло с катушек напрочь и всерьез, и он забыл и про учебу, и про поступление в крутой вуз, и про родителей, возлагавших на его поступление столько надежд. Его занимал только один вопрос — где и как можно уединиться и заняться любовью с подругой. И несмотря на то что он дал бабушке возлюбленной «мужское слово», мальчонку-то накрывало настолько, что про контрацептивы он благополучно забывал несколько раз.

А вот Арина — наоборот.

Она помнила и про учебу, которую не задвинула и не бросила, и про нежелательную беременность, все так же где-то в глубине сознания пугаясь до ступора, что бабушка может не перенести сильного потрясения и с ней сделается что-то плохое.

Вот такую диковинную предохранительную функцию сыграли с Аринкой ее страхи. Чудны дела твои, наша психика!

«Любовь» прошла быстро, где-то за полгода.

Мальчик поступил в свой вуз, Арина с бабушкой уехали на каникулы в Крым, к морю, и страсти как-то сами собой улеглись и поостыли до полной потери интереса Арины к предмету некогда бурной любви. Не в пример этому самому предмету, который еще несколько месяцев поджидал Арину после школы или у дома, искал встреч и все рвался выяснить отношения и вернуть их близость.

А она — нет. Все — страсти улеглись. Арина с неким тайным восхищением и восторгом, но все же немного стыдясь и смущаясь той себя необузданной, недоумевала, что это она вытворяла такое, и вспоминая, как именно вытворяла, смущалась еще пуще.

Но и тут Анна Григорьевна смогла найти правильные мудрые слова, чтобы открытие своей сексуальности и ее бурных проявлений не превратились для ребенка в проблему.

И на этот раз обошлось без психологов. Справились.

Школа подходила к концу, и во весь рост вставал естественный вопрос — что делать дальше? Понятное дело, поступать, но вот куда?

Определенно у Арины имелись прекрасные способности к точным наукам, но и к гуманитарным тоже. Она одинаково хорошо могла реализоваться и в той, и в другой области, вся закавыка состояла лишь в том, что девочка совершенно не знала, к чему испытывает тягу.

Не понимала и не представляла даже близко, чем бы хотела заниматься в жизни и кем стать.

Однозначно не медиком, и не космонавтом, и не ветеринаром. Не моделью, не музыкантом и не артисткой, как ни удивительно при ее-то внешности и данных.

А кем? Уже и выпускные экзамены на подходе, а Арина все в размышлениях.

Махнули с бабулей рукой на этот выбор и решили, что если и получать образование, не имея стремлений к конкретной профессии, то уж непременно достойное, и поступила Ариша в Вышку, то есть в Высшую школу экономики, — учиться на экономиста и маркетолога.

Ну вот так, а там посмотрим, куда жизнь приведет да вывезет, никогда не поздно получить еще какое-нибудь образование, если понадобится.

Так и порешили.

Поступила, кто бы сомневался, и училась замечательно и ненапряжно.

За время учебы пережила парочку бурных романов, но уже без жгучих страстей и отключения головы — так, влегкую, хорошо, бодряще, в удовольствие, но не более.

Закончив учебу, в двадцать один год Арина Ахтырская сразу же устроилась на работу по своей специальности экономиста в одну известную крупную корпорацию, занимавшуюся производством и поставками оборудования для нефтедобывающих и нефтеперерабатывающих компаний.

Везуха совершенно фантастическая!

А повезло вот каким образом: компания имела и государственное долевое участие, и, в рамках какой-то там правительственной программы, принимала к себе на работу талантливых выпускников ведущих вузов страны. Что-то вроде продвижения молодых, одаренных кадров.

Выбирали из самых лучших, в числе которых оказалась и Арина.

Оставим за рамками, что большая часть этих молодых и талантливых, не пройдя испытательный срок в полгода, в результате увольнялась из компаний, принимавших участие в этой программе, освободив место, может, и менее талантливым, но «своим» или имевшим опыт работы в данной области.

Арина осталась и через полгода, и через год.

А вот как раз через год.... Она встретила мужчину всей своей жизни!

Виктор Краст владел фирмой в нефтяной отрасли и давно и весьма успешно для обеих сторон сотрудничал с корпорацией, в которой работала девушка.

Арина Ахтырская состояла в группе экономистов, через которую проходили договора с его компанией, и должна была присутствовать на совещании у руководства, готовая при необходимости озвучить сделанную их экспертной группой оценку готовящейся сделки.

Виктор с Ариной встретились в приемной, перед дверью в переговорную комнату и... Собственно, и все.

Взрыв! Как только они встретились взглядами, словно вольтова дуга пробежала между ними!

Арина не помнила совершенно, как прошло то совещание, говорят, хорошо, и она даже умудрилась толково и грамотно ответить на все вопросы, что ей задавали, и то лишь потому, что сам Виктор, извинившись, вышел из переговорной, а в его отсутствие она хоть что-то начала соображать.

Вернувшись на свое рабочее место, девушка не могла ни о чем думать, даже говорить не могла и ничего не замечала вокруг, умирая от одной-единственной мысли — что делать? Как и где ей теперь его искать? А даже если найдет, то что дальше? Предложить — берите меня, я навеки ваша? Да хоть и предложить!

Но искать и придумывать, что делать, не пришлось — когда она выпорхнула из проходной, какая-то шикарная машина представительского класса мигнула фарами, и, распахнув заднюю дверцу, из нее вышел Виктор и направился к Арине.

А она, замерев, смотрела на него как зачарованная.

— Мне показалось, — произнес мужчина немного охрипшим голосом, — что, если вы испытываете хотя бы половину того, что испытываю я к вам, то не откажетесь поужинать со мной, Арина?

В эту же ночь она осталась у него в гостиничном номере.

Никаких иных вариантов развития событий они не рассматривали, да и быть не могло иначе.

Виктору было сорок три года, он был старше Арины на двадцать один год, но это было только плюсом, поскольку он стал для девушки в одном лице и страстным любовником, и защитником-наставником, и отцом — такими ролями она подсознательно наделила его, сразу же героизировав его образ.

Да и трудно было бы на ее месте не восхищаться таким мужчиной: Виктор — это человек-праздник, человек-фейерверк! Крышу у нашей девушки снесло крепко, и вот где проявилась та самая страстная пылкость ее натуры.

Первые месяца три Арина вообще не задумывалась ни о чем и ни на что вокруг не обращала внимания, вся отдавшись только своей великолепной любви, — она и соображала-то не очень хорошо в то время.

Правда, надо отдать должное, работу Арина умудрялась все-таки делать, как и прежде, качественно, без ошибок и манкирования обязанностями, срабатывал какой-то внутренний механизм, отвечавший за профессионализм, врожденное чувство ответственности и неумение делать что-то плохо.

Чему, кстати, в немалой степени способствовал еще и тот факт, что Виктор постоянно находился в разъездах, и в работе Арина помимо прочего спасалась от бесконечного ожидания любимого. Оно и понятно, поскольку основная деятельность господина Краста проходила в Сибири, за полярным кругом, а офисы его фирмы находились в нескольких городах, куда он бесконечно летал.

Но когда он возвращался в Москву!

Боже мой, каких только сюрпризов он не устраивал для нее!

На выходные улетали в Париж, например, или в Мадрид — вот так, на счет раз, спонтанно, прямо после работы. Он встречал ее на своей шикарной машине с водителем за рулем и вез сразу в аэропорт. Без вещей, даже без пресловутой зубной щетки!

И целовались до одури на самой верхотуре Эйфелевой башни, и самые известные рестораны для них, и гранд-номер в отеле «Европа» с шикарным ужином, и прогулка на катере по Сене! Или гуляли по старинным улочкам Мадрида и, спрятавшись от редких прохожих в какой-то подворотне старого города, занимались стоя быстрым, умопомрачительным сексом, а потом хохотали от бесшабашности и пили шампанское с замерзшей клубникой в Парке дель Ретиро! А следующим утром уже плыли на гондоле по каналам Венеции с бокалом ледяного «Дом Периньона» в руке и целовались, подставляя щеку холодным брызгам.

Или Венская опера, всего на один день, с великолепной «Травиатой», на которую Арина шла в изысканнейшем наряде от известного кутюрье, в соболиной накидке и с умопомрачительной прической!

А в Москве и говорить нечего — круговорот какого-то бесконечного праздника!

Он появлялся, как волшебник из сказочного портала — всегда без предупреждения, всегда неожиданно, — вроде же только разговаривали по телефону: он в Нижневартовске, она в Москве, и вдруг вот он, здесь! И они уже куда-то спешат: на какие-то представления, на шумные вечеринки известных людей, на театральные премьеры и фуршеты, а то вдруг ехали на ферму к его другу в Подмосковье, и спали там в амбаре на сеновале, и занимались любовью до рассвета, посмеиваясь от того, как ей колет попку сено.

Но была и другая сторона этой праздничной феерии, называвшейся жизнью банальной, каждодневной, бытовой, в которой Виктор буквально через пару недель после знакомства с девушкой представился Анне Григорьевне и официально попросил руки ее внучки, в чем ему было деликатно отказано.

— Я не решаю за Арину, как ей жить и за кого выходить замуж, — строго ответила Виктору бабушка, — она достаточно взрослая, чтобы самой отвечать за свою жизнь.

— Но вы, как я понял, не одобряете наш брак? — уточнил Виктор.

Анна Григорьевна проигнорировала его вопрос и продолжала:

— А еще она достаточно взрослая, чтобы совершать ошибки.

— Значит, не одобряете, — понимающе кивнул мужчина.

— Поживем — увидим, — ответила Анна Григорьевна. — Но, на мой взгляд, вы слишком торопитесь с этим важным решением.

— Мы любим друг друга, — доверительно сообщил Виктор. — И я очень хочу, чтобы Аришенька стала моей женой.

Предложение было сделано, кольцо с бриллиантом вручено в самой романтической атмосфере — в пентхаусе шикарной гостиницы, под звуки нанятого струнного квартета, за великолепно накрытым столом со свечами. И Арина приняла это предложение, согласившись стать женой господина Виктора Краста.

А через три месяца с той знаковой, перевернувшей ее жизнь встречи Виктор привез девушку на Сретенку, в один из шикарных элитных домов.

— Мы идем к кому-то в гости? — улыбалась Арина, глядя на мужчину восторженно сверкающими глазами.

— Нет, это сюрприз, — держал он интригу.

Виктор провел ее в подъезд через стеклянные двери, мимо охранника, который, выйдя из-за большой полукруглой стойки в холле, уважительно поздоровался с ними, в шикарнейший лифт, на котором они поднялись на четвертый этаж. И с торжественным видом подвел девушку к одной из дверей:

— Проходи.

Замирая от ожидания чуда, Арина вошла в просторную прихожую и медленно двинулась в обход — роскошная квартира встретила ее поблескиванием позолоты на мраморе, хрусталем люстр, шикарной обивкой столь же шикарной мебели и каким-то чудесным цветочным запахом.

— Вот теперь это наше с тобой гнездышко, — пояснил Виктор, который шел за ней следом.

— В каком смысле наше? Ты снял ее для нас? — замерла от восторга Арина.

— Нет, малышка, я ее купил со всей обстановкой и квадратными метрами. Теперь мы будем здесь жить. А то что мы все по гостиницам болтаемся. — Он притянул к себе девушку, поцеловал многообещающим, страстным поцелуем и предложил: — Ну что, иди, осваивай территорию и принимай хозяйство.

Хозяйство оказалось каким-то пугающе огромным, по меркам Арины: пять жилых комнат, большая гостиная, два санузла и две ванные комнаты, кухня-столовая, прихожая, как площадь, и широкие коридоры.

На следующий день Арина перевезла в квартиру свои вещи. И потратила все свои душевные силы, уговаривая Анну Григорьевну переехать в новую квартиру вместе с ней, но та отказалась наотрез:

— Не выдумывай ты лишние хлопоты, Ариша! Я прекрасно чувствую себя в своем доме, и это глупость несуразная, зачем же мы мешать друг другу будем?

— Да как мы можем мешать друг другу? — негодовала внучка. — Там потеряться можно, в той квартире! У тебя будет своя отдельная просторная комната, ба!

— Ну, Ариша, неужели ты не понимаешь простых вещей? — улыбалась своей мудрой улыбкой бабушка. — Я не намерена на старости лет чувствовать себя приживалкой в чужом доме, пусть он хоть дворец расчудесный. А вам, переживающим сейчас этап первой самой горячей сексуальной увлеченности друг другом, присутствие кого-то в доме совершенно ни к чему.

Арина все напирала, а когда поняла, что бабушку не убедить никакими аргументами, принялась просить прощения за то, что переезжает от нее, и клялась-божилась, что будет звонить каждый день, и навещать каждые выходные, и брать с собой во все поездки, и что-то еще, еще... пока Анна Григорьевна не остановила поток ее слез и обещаний:

— Детка, главное, чтобы ты была счастлива, — и гладила по голове стоявшую на коленях перед креслом, в котором она сидела, внучку. Потом сказала с особой интонацией: — Помни, что бы ни случилось, — я всегда с тобой. Всегда. Крепко держи это знание при себе.

— Ба, ты о чем? — дивилась Арина.

— Ни о чем, — отмахнулась Анна Григорьевна. — Просто помни об этом.

Год совместной жизни пролетел, как один день.

Наверное, потому, что Виктор большую часть времени находился в разъездах по делам бизнеса, покидая Арину на недели, а то и месяцы, а каждое его возвращение неизменно становилось бесконечным праздником, чередой каких-то необыкновенных придумок, с морем цветов, подарков, сюрпризов.

Размашистость, широта и щедрость жестов вообще была присуща Виктору, и какая-то прямо потребность в непрекращающемся празднике, в бесконечной череде ярких событий, сильных эмоций и впечатлений.

Последнее время Арина все чаще ловила себя на том, что устала от нескончаемого драйва и праздничного шума-веселья. Она испытывала потребность в душевной близости, неспешных объятиях и тихой доверительной беседе. Ей не хватало простого человеческого общения, искренних разговоров, да даже молчания вдвоем. И она все чаще пыталась уговорить Виктора никуда не нестись, не лететь, а посидеть дома, провести неспешный вечер вдвоем. Она приготовит что-нибудь вкусное, или они закажут доставку из ресторана, будут лениться, обниматься-целоваться, беседовать, валяться в постельке, но он смеялся эдакой ее тяге к «оседлости» и объяснял:

— Ты пойми, я неделями мотаюсь по тайге и тундре, мошкара, холод, мерзлоты, вахтовики суровые, мужичий быт, матерня, бесконечные перелеты, непростые переговоры, совещания, контракты. И когда возвращаюсь к тебе, мне хочется чего-то яркого, красивого, чтобы ты смеялась и смотрела на меня восторженно и удивленно своими потрясающими глазами. Так что никаких домашних посиделок! Насидимся в старости! А сейчас подъем, подъем, собирайся....

Она соглашалась с его доводами, хотя бы потому, что отлично понимала специфику его бизнеса.

И они снова куда-то неслись, летели, врывались в круговорот шумных праздников, масштабных культурных событий, в водоворот людей.

И незаметно пролетели следующие полгода, и Арина с Виктором шикарно отметили знаковую дату — два года со дня их знакомства, твердо решив, что пора уже заняться свадьбой, которая постоянно откладывалась по той же причине — вечная занятость Краста, его неожиданные отъезды, многочисленные переговоры и перелеты.

И, проведя прекрасные выходные на шикарном курорте у лазурного моря, уже в понедельник они ехали на работу по холодной дождливой Москве в машине Виктора, которую вел водитель, всегда работавший с Виктором Крастом, когда тот находился в столице. Маршрут был достаточно привычный — сначала отвозили Арину в ее офис, а потом Виктору нужно было ехать в министерство.

Не любивший ездить сзади, Виктор, как обычно, сидел на переднем сиденье и, развернувшись боком, разговаривал с Ариной, сидевшей на заднем сиденье. До здания ее офиса оставалось где-то с километр, когда, вылетев на встречную полосу, в них врезался огромный черный джип.

Основной удар пришелся на левую сторону, на место водителя, который сильно пострадал, не помогли даже сработавшие подушки безопасности.

Но и Арине с Виктором досталось не слабо, вернее в основном ему, Арина же на какое-то время потеряла сознание и пришла в себя от ужасно обеспокоенного голоса Краста, громко звавшего ее.

— Арина! Арина!

— Да, да, — слабо отозвалась девушка и открыла глаза.

И ничего не поняла в первый момент, потому что не могла сфокусировать взгляд, а когда раздвоенная картинка соединилась в одну целую, она увидела врачей. Ее обложили каким-то белыми подушками, кто-то громко матерился, а другой голос кричал что-то неразборчивое.

— Арина! — снова услышала она знакомый голос.

Сознание полностью вернулось к ней, когда она увидела озабоченное, злое лицо Виктора, залитое кровью.

— Ты ранен? — почему-то пришлось напрягать голос, и все равно получилось как-то сипло.

— Ты как? — проигнорировав ее вопрос, требовательно спросил он.

— Не знаю, — призналась Арина.

— Пошевели руками-ногами и прислушайся, где и что болит, — велел Виктор.

В общем-то Арине с Виктором повезло по нескольким причинам. Ну во-первых, потому что они ехали в машине такого класса, где система безопасности сделана по высшему разряду. А во-вторых, потому, что сразу две машины «Скорой помощи» и патрульная машина инспекторов ГИБДД прибыли на место происшествия очень быстро, буквально минут через десять-пятнадцать.

Арину с Виктором осмотрели, водителя сразу же увезли на одной из «Скорых», Виктора уложили на каталку из второй машины, Арину хотели поместить в только что подъехавшую третью «Скорую», но она отказалась, настояв, что поедет в одной машине с господином Крастом.

Медики махнули рукой, и Арину, прижимавшую к себе сразу два портфеля, свой и Виктора, отвезли в Склифосовского.

Там их сразу же отправили на первичный осмотр по разным смотровым, и для Арины начались не самые приятные несколько часов. Ее раздели, отмыли от крови, взяли кучу анализов, свозили на УЗИ, на другие обследования, задавая множество вопросов, после чего отвезли в отдельную палату и строго-настрого приказали лежать, пока доктора не поставят диагноз.

Арина тысячу двести раз спросила, что с Виктором Олеговичем и водителем и каково их состояние, и несколько раз получила ответ, что жизни господина Краста ничего не угрожает, а водитель находится на операции.

Позвонив на работу и сообщив об аварии, она провалилась в сон.

Проснулась от того, что кто-то тихонько потряс ее за плечо, открыла глаза и увидела сидевшего на стуле рядом с койкой принимавшего ее при первичном осмотре доктора.

— Ну, что, Арина Аркадьевна, — улыбнулся он, — у меня для вас хорошие новости. Считайте, что отделались чудом и легким испугом. Значит, что мы имеем: хлыстовая травма шеи, но легкой степени тяжести (как же без нее при таких авариях), ушиб левого локтевого сустава, это не столько страшно, сколько неприятно и неудобно, придется в повязке руку подержать с недельку. Небольшой ушиб обоих коленных суставов, переломов и трещин нет, но ходить будет больно какое-то время, только вот ходить вам пока не рекомендуется. Царапины, неглубокие локальные порезы на лице и руках, ушиб лица от подушки безопасности, нос легко травмирован, но перегородочку мы подлечим, не критично, без перелома обошлось. Ну что еще? Шок, сдавливание грудной клетки, но это мелочи. — И заулыбался пуще прежнего, радуясь чему-то: — Но самое главное — ребенок не пострадал.

— Какой ребенок? — удивилась Арина.

— Ваш, — в свою очередь удивился вопросу доктор, перестав улыбаться, быстро пролистал бумаги, которые принес с собой, просмотрел в них что-то и удовлетворенно заявил: — Ну вот, все правильно: беременность шесть недель.

— Я что, беременна? — ошарашенно переспросила девушка.

— А вы не знали? — подивился в свою очередь доктор и, снова заулыбавшись, подтвердил: — Все точно, беременность шесть недель. — И уверил: — Можете совершенно не волноваться, с беременностью все в полном порядке, и ребенок в порядке.

— Так, — растерянно произнесла Арина и спросила: — И что теперь?

— Сейчас вас переведут в стационар травматологического отделения, где вы будете лежать и восстанавливаться. Полежите пару-тройку дней, мы вас понаблюдаем, проведем еще кое-какие обследования, подлечим немного: покой, холод в область шеи, физиопроцедуры, укрепляющие препараты. И, скорее всего, отпустим домой, на амбулаторное лечение. Впрочем, там вам все объяснит ваш лечащий врач.

— А что с Виктором Олеговичем? — в тысячу двести первый раз спросила Арина.

— С ним история посложней, травмы более тяжелые, но угрозы жизни нет. Впрочем, его ведет другой специалист.

— А можно мне к нему?

— Вам вообще-то ходить не рекомендуется, — не запретил, а как бы напомнил доктор.

— Мне очень надо, — умоляюще сложив ладошки, попросила Арина.

— Ладно, — отчего-то снизошел доктор, — сейчас распоряжусь. Медсестра наложит вам шейный воротник, и можете ненадолго, очень осторожно и потихоньку пройти. Она вас проводит.

Медсестра, сменившая доктора, закрепив этот самый шейный воротник на Арине, помогла встать и выйти из палаты. Арина не преминула прихватить с собой портфель Виктора.

— Куда вы идти-то собрались? — неодобрительно спросила медсестра.

И только тут Арина сообразила, что не знает, в какой именно палате лежит Виктор.

— К другому пострадавшему, которого привезли вместе со мной. В какой он палате, не знаете?

— Не знаю. Идем, на пост вас проведу, там спросите.

Арина представилась, спросила про господина Краста, сообщив, что они вместе попали в аварию.

— А кто вы ему? — подозрительно спросила дежурная медсестра.

— Я работаю с ним, — осторожно ответила Арина.

— Восьмая палата, — сообщила медсестра и предупредила: — Только у него там жена.

— Какая жена? — нахмурилась, не понимая, о ком идет речь, Арина.

— Ну как какая? — удивилась, в свою очередь, женщина и на всякий случай заглянула в книгу регистрации. — Ну вот, — удовлетворенно повторила она, ткнув пальцем в записи: — Законная жена, зарегистрированная в браке, Элла Краст, — и, захлопнув тетрадь, объяснила: — Все, как положено. По инструкции, мы сразу же сообщили его семье в Питере, что Виктор Олегович попал в аварию. И жена прилетела первым же рейсом, вот уж полчаса у него в палате сидит.

— А дети? — находясь в какой-то прострации, отчего-то спросила Арина.

— Дети? — недоуменно переспросила медсестра. — Дети нет, не прилетели. Зачем им летать-то? Старшей дочери пятнадцать, среднему десять, по-моему, а младшенькому и вовсе полгодика. Какая от них помощь сейчас? А пациенту не общение надо, а уход.

— Спасибо, — поблагодарила Арина, у которой вдруг резко и сильно заболела голова. — Я только навещу, — не то оправдываясь, не то предупреждая возможные вопросы, сказала она и спросила ту медсестричку, что привела ее к посту: — Поможете дойти?

— Идемте, — неодобрительно сказала женщина, осуждающе покачав головой. — Вам покой нужен и постельный режим. А вы тут расходились по коридорам.

— Я быстро, — пообещала Арина, — только посмотрю, как он там, и отдам документы.

Значит, трое детей? Младшему полгода. И жена. Законная. Зарегистрированная.

Все как положено.

Виктор рассказывал Арине, что был женат, но давно развелся с женой, не сложилась у них совместная жизнь. Есть двое детей, но уже большие. У них с отцом прекрасные отношения, но видятся, к сожалению, редко — дети учатся в Европе.

Голова разболелась еще пуще.

Поддерживаемая медсестрой, чувствуя накатывающую волнами слабость и дурноту, и усиливающуюся головную боль, Арина кое-как дошкандыбала до нужной палаты.

У специальной реанимационной койки, на которой лежал Виктор Краст, подключенный к каким-то аппаратам, на стуле сидела женщина в одноразовом медицинском халате-пелерине, красивая той красотой, с которой не рождаются, а долгими годами доводят до изысканного совершенства, шлифуя и ограняя всеми возможными способами и процедурами. Женщина, излучавшая уверенность и устойчивую привычку к богатой жизни, которую транслировало в мир все ее существо. У нее была некая невидимая аура, которую могут излучать только люди, на самом деле долгие годы живущие в богатстве.

Виктор находился в сознании и, увидев Арину, вошедшую в палату, в сопровождении сестрички, посмотрел ей прямо в глаза напряженным взглядом и поспешил заговорить, опережая девушку.

— Элла, — произнес он чуть охрипшим голосом, — это Арина, я тебе говорил, она экономист, представитель наших поставщиков, мы вместе ехали в министерство, — и спросил Арину дружески-озабоченным тоном: — Как вы, Арина, не сильно пострадали?

— Приятного мало, получила некоторые повреждения, но обошлось без переломов, — заставила себя улыбнуться Арина, но не удержалась, посмотрела ему в глаза особым взглядом, добавив: — Но пострадала.

Виктор Краст никогда бы не стал бизнесменом такого уровня, если бы не умел выдерживать взгляды любой эмоциональной и смысловой насыщенности: от убийственной ненависти до больного обожания. Поэтому он не отвел глаза и от Арины.

— А как вы, Виктор Олегович? — искренне поинтересовалась та. — Врач сказал, у вас тяжелые травмы, но опасности для жизни нет.

— Сейчас Виктора Олеговича готовят к операции, — ответила за Краста его жена, улыбнувшись Арине нейтральной светской улыбкой, не значившей ровным счетом ничего, и великодушно пояснила: — В основном пострадала правая сторона, есть переломы, сильные ушибы, сотрясение мозга. Травмы действительно тяжелые.

— Я, собственно, пришла узнать, как вы, Виктор Олегович, и вот, — Арина протянула руку за портфелем к медсестре, продолжавшей поддерживать ее под локоток, — принесла ваш портфель с документами. Я их из машины забрала, наверняка там что-то важное.

— Вот это вы молодец! — похвалил Краст, искренне порадовавшись (значит, и на самом деле есть в этом портфельчике что-то очень важное). — Я уж волноваться начал, Эллу даже к гаишникам хотел отправить.

Арина передала портфель госпоже Краст в руки, выдавила из себя еще одну вымученную улыбку и скомканно попрощалась:

— Выздоравливайте, Виктор Олегович. Успешной вам операции, и до свидания.

— И вы выздоравливайте, Ариночка, — сердечно напутствовал он ее отечески-дружественным тоном малознакомого человека.

Обратный путь в свою палату Арина запомнила с трудом, голова кружилась и болела, накатывала тошнота, да и все тело разболелось как-то сразу в один момент, а перед глазами все расплылось от навернувшихся, невыплаканных слез.

Медсестричка буквально дотащила девушку последние метры до койки, уложила, отчитывая нерадивую пациентку, пообещала нажаловаться врачу и ушла.

Арина уставилась невидящим взглядом в потолок и... не разрешила себе плакать.

Нашарила рукой на тумбочке у кровати смартфон и набрала бабушкин номер.

— Ба... — прохрипела она, — я попала в аварию...

— Где ты, детка? — ровным голосом спросила Анна Григорьевна, и Арина мысленным взором увидела, как сразу же собралась бабуля, как распрямила плечи, готовясь встречать очередной жизненный удар, и улыбнулась.

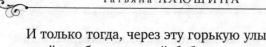

И только тогда, через эту горькую улыбку любви к своей необыкновенной бабушке, которая сейчас примчится спасать, выручать, прикрывать свою внученьку от всех бед и напастей, прорвались ее горькие слезы.

— Я в Склифосовского, — улыбалась, заливаясь слезами, Арина. — Жива, ничего не переломано, — и зажмурилась, уговаривая себя не пугать бабулю, не жаловаться... — Ба... — и произнесла тоном обиженного ребенка, — мне так плохо. Так плохо.

— Я уже еду, детка, держись! — подбодрила ее своим особым голосом бабушка, как умела только она.

Только она.

— Совсем немного продержись, я сейчас приеду.

— Я держусь, бабуль, держусь, — сквозь слезы пообещала внучка.

К тому моменту, когда перепуганная Анна Григорьевна примчалась в больницу, Арину уже перевели в отделение травматологии, в отдельную вип-палату. Кто оплатил эту дорогущую шикарную палату — ее начальство или сам господин Краст проявил внимание и заботу такого рода, Арине было безразлично.

Уединенность — это единственное, что ей сейчас требовалось больше, чем медицинский уход.

— Ариша, детка, — Анна Григорьевна влетела в палату стремительной, энергичной походкой, — я уже пообщалась с твоим лечащим врачом и все разузнала.

Бабушка поставила на тумбочку пакеты с гостинцами, наклонилась к внучке, у которой тут же потекли слезы, поцеловала ее в лоб, погладила по голове, поцеловала еще раз и села на стоявший у койки стул, взяв в руку ладошку Арины.

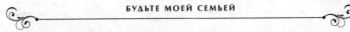

— Все, Аришенька, включая и новость о твоей беременности, — добавила Анна Григорьевна.

— Бабушка, — плакала Арина, — у него жена.

— Ну, — качнула головой Анна Григорьевна, сразу же поняв, о ком и о чем идет речь. — Этого можно было ожидать, все же не мальчик, уже сорок лет.

— Нет, ты не поняла, — объясняла Арина. — У него настоящая, законная жена, а не бывшая. И дети. Трое. Старшей пятнадцать, среднему десять, а младшему... — она прикрыла глаза, справляясь с подступающей истерикой, — младшему полгода, ба. Полгода, понимаешь!

— М-да, — вздохнула бабуля, — нечто подобное я и ожидала.

— Как? Почему? — поразилась Арина.

— По многим причинам и неким, скажем так, типичным маркерам поведения Виктора Олеговича, — спокойно объяснила Анна Григорьевна.

— Но почему ты мне ничего не сказала, не предупредила? — задохнулась от удивления Арина.

— А ты бы меня услышала? — грустно усмехнулась бабушка. — Поверила бы в мои подозрения и выводы?

— Я не знаю, — подумав, честно ответила Арина. — Но ведь это такое страшное, такое... подлое предательство и обман! Если бы я знала, что он женат, у него настоящая семья и дети...

— То что? — остановила ее вопросом бабуля. — Отказалась бы от встреч с ним? Не пошла бы на интимную близость? Не стала бы жить вместе?

— Нет... — посмотрев потрясенным взглядом на бабушку, прошептала Арина, — не отказалась.

— Вот в том-то и дело, Аришенька, — нежно погладила ее по лицу бабуля. — Вас обоих захватил приступ страстного притяжения друг к другу, преодолеть который вы оба не смогли бы, хоть земля провались. И Виктор Олегович, будучи старше и опытней, хоть и продолжал испытывать к тебе страсть и неодолимое желание, но достаточно быстро совладал с собой и пришел к состоянию управляемого и контролируемого безрассудства, направив его в приемлемые и удобные ему рамки. Ты же, по молодости и горячности своей, вся была в чувствах, в страстях, находясь под влиянием его несомненно сильной и невероятно притягательной мужской личности. Ничего удивительного.

— Но зачем он меня обманывал? — недоумевала Арина. — Вот ты сказала, а я сейчас поняла, что тогда, когда я его встретила, меня не остановило бы никакое знание о его семье, о его жене и детях, и я бы все равно была бы с ним, куда бы он меня ни позвал, — и возмутилась, взмахнув руками от захлестнувших ее эмоций: — Но зачем, зачем было это предложение выйти замуж, эти рассуждения о нашей долгой совместной жизни, это обручение, эта квартира, наконец?! Зачем, бабуль? Я бы не стала с ним съезжаться и жить, и не рассчитывала ни на что, а просто спала бы с ним, когда он приезжал. Он же это понимал, ба! Он же знает, что я никогда не уведу мужчину из семьи, никогда! Я же рассказывала ему, как меня бросили родители, как мама выбрала другого мужика вместо меня, что я всегда на стороне жен, которых обманывают мужья!

— Думаю, потому и врал, что прекрасно понимал тебя и твой характер. Подозреваю, что Виктор Олегович не лишен некоторого романтизма и самолюбования, и в случае с тобой ему не нравилась роль изменяющего мужа, богатого любовника молодой девчонки, к которой он на самом деле испытывал сильные чувства, ему не хотелось, чтобы ты воспринимала его только так. Ему импонировала роль твоего героя, в чем-то заменившего тебе отца, человека, на которого ты смотришь с обожанием, которым восхищаешься и за которым готова идти на все. И все же, думаю, для него ты была больше, чем просто страсть к молодой, красивой девочке, иначе он не зашел бы так далеко, делая предложение.

— И как мне теперь жить со всем этим, ба? — Сев на кровати, схватив двумя руками бабулю за руку, Ариша глядела на нее больными глазами, из которых все катились и катились слезы. — Это же такое предательство, такое предательство... Почему меня все предают, ба? Почему? Все, кто мне важен, кого я люблю, сначала родители, потом дед так неправильно, так обидно умер за какой-то завод, а теперь вот и Виктор. Я что, какая-то ущербная, ба?

— Так, стоп! — строгим, недовольным тоном остановила ее стенания Анна Григорьевна и возмутилась: — Это что за ерунда такая, а? Полная хрень, как вы нынче говорите! Ну-ка успокойся, тебе нельзя волноваться. И послушай меня. — Она положила вторую ладонь поверх их сцепленных ладоней, тряхнула руки и заговорила четким, убежденным тоном: — Во-первых, тему родителей ты давно закрыла и давно поняла, что никто тебя не предавал, а предавали они исключительно самих себя, изгадив собственную жизнь. С этими комплексами ты справилась еще в подростковом возрасте, тем более их только благодарить надо, что ты осталась со мной, а не с матерью, сменившей уже и не упомнить скольких мужей. С дедом вроде бы тоже разобрались, и ты простила все свои детские обиды. Сейчас ты впадаешь в комплекс жертвы, припоминая все свои обиды, все тяжелые жизненные ситуации, в которых тебя, якобы бедненькую, ужасно обижали, и только пуще накручиваешь себя и жалеешь. Остановись, Ариша. Быть жертвой — это тоже привычка. Вот не имела ее — и нечего приобретать, замучаешься отделываться потом. — И наставительно отчитала: — Надо в любой ситуации вести себя с достоинством, как бы тяжело ни было.

— Но ведь больно, бабушка, — жаловалась Арина. — Это так обидно, так нечестно, так...

— Да, я понимаю. — Высвободив одну руку из сплетения их ладоней, бабушка погладила Арину по голове. — Только если ты перестанешь держаться за эту боль, обиду и жалость к себе и проанализируешь все спокойно, холодным разумом, то поймешь, что во всей этой ситуации полно плюсов, и это сплошь положительный для тебя исход.

— Это как? — поразилась Арина, нервно хохотнув, и вытерла слезы неосознанным, каким-то по-детски беззащитным жестом.

— А давай посмотрим, только если ты способна нормально думать и перестанешь рыдать и примерять к себе роль жертвы, — предложила Анна Григорьевна.

— Перестану, давай, — согласилась Арина.

— Вот смотри, — начала перечислять Анна Григорьевна, — для начала ответь мне честно: если убрать всю эту шикарную жизнь и заоблачные возможности и оставить за рамками вопрос сексуального удовольствия, которое вы доставляли друг другу, то в сухом остатке ты можешь с абсолютной уверенностью утверждать, что по-настоящему любишь Виктора Олеговича? Или это только страсть и восхищение маленькой девочки перед всемогущим, великолепным мужчиной?

— Ну-у-у, — протянула Арина, задумавшись, и неожиданно призналась: — Если честно, последнее время меня все больше стал напрягать этот нескончаемый праздник, вечный карнавал и веселье. Мы же никогда с ним не сидели просто так дома, не вели душевные тихие разговоры, не делились чем-то глубоко личным. Да, секс с ним... — она вдруг замолчала, озадаченная неожиданной мыслью, — а ты знаешь, ба, — вдруг еще откровенней призналась Арина, — секс был, конечно, хорош, но, если честно, бывало у меня и получше. А вот страсть — это да, страсть была офигительная, она все затмевала, и из-за нее близость с ним казалась мне фантастической какой-то.

— Вот, вот, — тихо рассмеялась Анна Григорьевна, — последнее время я стала замечать в тебе перемену, ты начала уставать от такой жизни, да и пылкость твоих чувств поостыла. Так любишь или нет?

— Нет, бабуль, — отрицательно покачала головой Арина, — пожалуй, что нет.

— Вот, — многозначительно подняла палец бабушка, — то есть трагедия обманутой любви не случилась, и чуть позже вы все равно бы расстались. Понимаешь, детка, страсть — она всегда разрушает, всегда, без исключений, а созидает только любовь. Хорошо, что ваша с Виктором страсть не успела разрушить ничьих судеб и не наделала беды. И ты вышла из этих отношений, ничего не разрушив в самой себе и своей жизни, а только приобретя. Смотри, как много тебе дал этот мужчина...

— Все, что он мне дарил, я оставлю ему, ты же знаешь, бабуль, — безапелляционно заявила Арина.

— А я не о барахле с побрякушками говорю, — отмахнулась Анна Григорьевна, — я говорю о том опыте, который ты получила из этих отношений. Благодаря этому мужчине ты стала великолепной женщиной, которая приобрела к своей красоте еще и знания, опыт и изысканность. Я говорю о том, что благодаря ему ты посмотрела мир и побывала в разных странах на вип-уровне, что редко кому удается. У вас были красивые отношения, он старался удивлять и радовать тебя, и за это тоже стоит быть благодарной, и даже за то, что он обманывал тебя. Потому что ты никогда не чувствовала себя с ним вторым номером после жены, всегда находясь в статусе первой и любимой, а это важно. И самое главное, самая большая и великая драгоценность, которую он преподнес тебе, — это ребенок, которого ты ждешь.

— Я пока не успела об этом подумать, — непроизвольно прижав руку к животу, растерянно призналась Арина

— А я вот сразу об этом подумала, — все улыбалась ей бабуля. — Ты представляешь, какой замечательный малыш у тебя родится от такого умного, сильного духом, здорового во всех отношениях, интересного и привлекательного мужчины.

— Я не скажу ему о ребенке, ба, — сообщила Арина.

— И не надо, — поддержала ее в этом решении бабушка. — Этот этап его и твоей жизни закончен, и каждый должен идти дальше своим путем.

— И ты не станешь меня убеждать, что отец обязан знать о ребенке и все такое, что он сможет ему многое дать? — подивилась Арина.

— Нет, не стану. Отчего-то мне кажется, что лучше Виктору Олеговичу о нем не знать. И незачем нашего ребенка подвергать ненависти со стороны его жены и детей. Эти жены богатых мужей

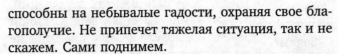

способны на небывалые гадости, охраняя свое благополучие. Не припечет тяжелая ситуация, так и не скажем. Сами поднимем.

— Спасибо тебе, бабуля, — прошептала Арина, собираясь снова заплакать.

— Ну-ну, — поспешила остановить новые слезы Арина Григорьевна, — вот плакать завязывай, это вредно для ребенка. И вообще начинай в первую очередь заботиться о нем. А то удумала тут драмы разводить.

— Не буду драмы разводить, — усмехнулась Арина.

А Анна Григорьевна, придвинувшись к ней поближе, сказала проникновенным голосом:

— У вас был ослепительный, великолепный и необычайно красивый роман. Но запомни, детка, на всю жизнь: пошлость убивает красоту, а появление жены и детей, наличие которых скрывалось, — это уже совершеннейшая пошлость. Отпусти, прости, сохрани в душе благодарность этому человеку и красоту того, что у вас с ним было, и давай жить дальше. У нас новый этап в жизни. Замечательный этап. — Она выпрямилась и весело подмигнула внучке: — Может, вся эта твоя страсть-мордасть несусветная только и нужна была для того, чтобы ты родила этого малыша. Кто знает, у Господа свои резоны.

Никто не знает, вот уж точно.

Через три дня Арину отпустили домой, предписав еще неделю соблюдать постельный режим и продолжить амбулаторное лечение.

Она знала, что Виктору провели удачную операцию, наложили несколько гипсов, и он лежит в такой же вип-палате, но в другом отделении больницы. Она его не видела, несколько раз он звонил и присылал сообщения, но Арина не ответила ни на звонок, ни на СМС.

Зачем?

Она чувствовала странное состояние какого-то внутреннего освобождения, что ли, некой появившейся легкости, свободы, сродни тому, что пережила и испытала после того своего памятного психологического срыва в четырнадцать лет, после звонка мамы. И хоть и жалела о потере столь ярких чувств, эмоций, страстей, но уже как-то так... отстраненно, со светлой грустью, как дождливой осенью грустим мы по ушедшему звонкому счастливому лету, тихонько вздыхая, вспоминая, как же здорово было в нем.

Прямо из больницы они с Анной Григорьевной отправились на Сретенку.

В нахлынувшей вдруг печали Арина медленно обошла шикарную квартиру, свидетельницу ее страстной влюбленности и праздника жизни с Виктором.

Она никогда не чувствовала эту квартиру своей, а себя в ней — чем-то органичным. Они не совпадали никак — врожденная утонченность вкуса Арины и крикливая, вычурная роскошь этого жилища. И если все это не имело значения и даже подчеркивало своей броской, кичливой роскошью их страсть, когда Виктор находился здесь вместе с ней, то, оставаясь одна, Арина словно чувствовала, как эта квартира не принимает ее, отторгает.

Так что и жалеть не о чем, выдохнула Арина.

Она разложила по ювелирным коробочкам все драгоценности, подаренные Виктором, и убрала их в сейф, которым пользовались они оба.

С помощью бабули сложила в чемодан все свое нижнее белье, пижамки и пеньюары, резонно рассудив, что все равно вряд ли кто-то, кроме нее, будет им пользоваться, наряды, которые покупала сама, некоторые вещи, что приобретал для нее Виктор, невысокой стоимости, но из разряда любимых, которые часто носила. Оставила висеть гордым рядом в шкафу в специальных чехлах шубы, соболиную накидку и все шикарные дорогие наряды известных домов, и авторские платья. Не тронув, оставила стоять в гардеробе на своих местах эксклюзивные сумки и обувь, взяв только каждодневную, которую носила постоянно.

Вот и все. Нет, еще кое-какие милые вещицы, не имеющие большой цены, но памятные и связанные с лучшими моментами и воспоминаниями, все фотографии в рамках, на которых она была запечатлена одна или с Виктором. Мало ли, вдруг жена сюда нагрянет. И если Краст еще как-то сможет отговориться от женских вещей, придумает какую-нибудь правдивую версию, то фотографии — это уже конкретный попадос.

Вот теперь точно все.

Виктор больше не звонил и не писал СМС, не настаивал на встрече, но Арина прекрасно понимала, что все равно не удастся избежать разговора — не тот это мужчина, который позволит просто так игнорировать себя кому бы то ни было.

И, разумеется, этот разговор состоялся.

Через пару месяцев после ее выписки из больницы Виктор пришел к ним домой без всякого предупреждения.

— Привет, — открыв ему дверь, доброжелательно поздоровалась Арина.

— Здравствуй, — произнес он немного уставшим голосом.

— Проходи, — пригласила его Арина.

— Я хочу пригласить тебя в ресторан. Нам надо поговорить в спокойной обстановке.

— Более спокойной обстановки ты вряд ли где-то найдешь, — уверила его Арина, — бабушка у своего ученика, и нам никто не помешает общаться. А я угощу тебя чаем того самого сорта, который ты любишь, и своим фирменным пирогом.

— Почему я никогда не пробовал? — поинтересовался Краст, переступая порог.

— Ты не хотел домашности, — объяснила Арина, чуть пожав плечами.

— Спасибо, что подыграла мне тогда в палате, — произнес Виктор, когда Арина поставила перед ним чашку с чаем и тарелку с щедрым куском еще теплого пирога.

— Пожалуйста, — без какого-либо подтекста ответила она.

— Сильно переживала? — спросил Виктор.

Взял десертную ложку, ловко отломил от пирога кусочек, отправил в рот и запил глотком чая.

— Ум-м-м, слушай, это очень вкусно. Зря ты мне его не делала.

— Наверное, зря, — согласилась Арина и ответила на его предыдущий вопрос: — Да, сильно переживала. Плакала, чувствовала себя обманутой и преданной. Было больно.

Помолчали. Он ел пирог с откровенным, подчеркнутым удовольствием, еще и мычал показательно, и запивал его чаем, а она смотрела на это.

И оба понимали, что они так прощаются, скорее всего, навсегда.

— Я могу что-то сделать для тебя? — спросил Виктор, отодвигая пустую тарелку.

— Да, — кивнула Арина. — Объясни, только честно и искренне, зачем ты меня обманул. Ты же

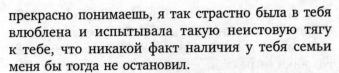

прекрасно понимаешь, я так страстно была в тебя влюблена и испытывала такую неистовую тягу к тебе, что никакой факт наличия у тебя семьи меня бы тогда не остановил.

И он объяснил. Повторив чуть ли не слово в слово все, что говорила Арине бабушка в больнице — про свое желание быть для нее чем-то особенным и гораздо большим, чем богатым любовником для молоденькой красивой девушки. Что с ним делалось что-то необъяснимое, когда она смотрела на него своими невероятными темно-синими глазищами, распахнутыми почти от детского неподдельного восторга. Что он как на наркотик подсел на эти ощущения и хотел постоянно удивлять, восхищать ее, чтобы видеть в ее глазах любовь и влюбленное восхищение им самим, и удивление от сюрпризов и подарков.

А еще, в потоке откровенности, рассказал, что квартиру на Сретенке на самом деле он не покупал, она принадлежит его другу, который живет в Америке и который предложил ему пользоваться ей столько, сколько ему понадобится. И о том, что все эти два года, пока он был с Ариной, он отказался от иных своих любовных связей и, можно сказать, был ей верен, если не считать жены.

— Я привез тебе все твои вещи и драгоценности, — закончив что-то вроде исповеди, сообщил Виктор. — Ты зря их оставила. Красивый, конечно, жест, я оценил, честно. Но зря.

— У-у, — покачала она головой, — я не возьму.

— Не глупи, — устало махнул он рукой, — я дарил их тебе от чистого сердца, с любовью. Мне нравилось делать тебе подарки.

— Нет.

— Если ты помнишь, там авторские вещи, сделанные специально для тебя, в том числе обувь и наряды, — рассердился Краст ее упертому отказу и привел еще один аргумент: — Ты живешь небогато, могут настать такие времена, когда эти драгоценности реально смогут тебя выручить и подстраховать.

— Я не возьму, Виктор, — повторила Арина с нажимом.

— Да что за блажь! Честная бедность — это, конечно, благородно, но унизительно и глупо, Арина.

— Разве ты не понимаешь? — спросила она, чуть улыбнувшись. — Если я приму твои подарки, то получится, что ты мне заплатил. Это успокоит твою совесть. Ты человек, привыкший за все платить в этой жизни, особенно за удовольствия. Но это опошлит и обесценит все, что *у меня* было с тобой, — подчеркнув интонацией *«у меня»*, сказала она. — Со временем я стану для тебя просто приятным воспоминанием об одной прекрасной любовнице в череде меняющихся в твоей жизни женщин, которой ты заплатил, не более того. Каким бы красивым, щедрым и достойным такого великолепного мужчины, как ты, ни казался этот твой жест. А я буду жить, зная, что со мной расплатились, и понимая точную цену, назначенную за мою любовь. Нет, — повторила она, — у нас был великолепный, прекрасный, страстный роман, и я достойна иметь красивые воспоминания о нем, не обесцененные оплатой.

Он поднялся со стула, шагнул к ней, рывком поднял ее на ноги и поцеловал, долгим, горько-сладким прощальным поцелуем, со вкусом и запахом персикового пирога и пряного чая.

Так же резко прервал этот поцелуй, заглянул близко-близко ей в глаза и произнес с теплой, нежной горечью, почти шепотом:

— Дурочка. Маленькая и от того глупая пока еще, наивная дурочка.

Коротко поцеловал еще раз в губы и ушел, больше ничего не сказав.

В тот день, когда Арина впервые после больницы вышла на работу, ее вызвало к себе высокое начальство, что было странным, поскольку руководство такого уровня с рядовыми работниками, к числу которых относилась и Арина, лично не общаются.

А тут вот пригласили.

И, представ перед светлы очи руководства, Арина прокручивала в голове возможные варианты столь необычного внимания к ее персоне.

А господин Ковалев, оторвавшись от изучения документов, поднял голову и сообщил:

— Госпожа Ахтырская, вас переводят в дочерний офис корпорации с повышением на должность начальника экономического отдела.

И посмотрел ей прямо в глаза.

— Спасибо, — улыбнувшись, поблагодарила Арина

Ковалев помолчал, рассматривая девушку, и произнес:

— Вы очень умная девушка. Я рад, что у нас работают такие кадры.

— Спасибо, — еще раз поблагодарила Арина за похвалу.

Они прекрасно поняли друг друга. Дальновидное начальство убрало из Центрального офиса бывшую любовницу одного из самых ценных партнеров и клиентов корпорации, исключив таким образом саму возможность их неожиданной встречи, которая могла бы расстроить столь дорогого, в прямом смысле, господина Краста.

Все правильно.

Арина лишь порадовалась, что, во-первых, не пришлось самой идти на поклон и просить о переводе, и второе, что неожиданно приятно: ей значительно подняли зарплату, да и добираться до нового места работы было гораздо удобней и ближе, чем до центрального офиса.

В день рождения Арины ранним утром кто-то позвонил в дверь их квартиры и представился курьером.

Открыла Анна Григорьевна и даже виду не подала, что удивлена, как будто для нее это рядовое событие и к ним чуть ли не каждый день — надоели прямо — приходят курьеры с лицом матерого спецназовца в дорогущем костюме, за спиной у которого стоят еще два молодца со столь же специфичной внешностью, на поверку оказавшиеся его охраной.

Курьер сообщил, что доставил посылку для госпожи Арины Ахтырской, и после тщательной сверки личности Арины Аркадьевны с фотографией в паспорте и записи всех паспортных данных ей очень торжественно вручили небольшую кожаную сумочку с логотипом известного ювелирного дома, из которой, закрыв дверь за курьером, Арина извлекла квадратный футляр с оттиском эмблемы того же ювелирного дома на крышке, а раскрыв коробку...

На бархатной подушке лежал сверкающий комплект — сережки, кольцо и ожерелье из белого золота, бриллиантов и сапфиров редкого темно-синего оттенка, так напоминавшего удивительный цвет глаз одной девушки. Кроме того, в футляре было письмо в фирменном конверте вместе с паспортом на камни и названием изделия.

— Скупым может быть только примитивный человек, — заметила Анна Григорьевна. — Виктор

Олегович определенно никогда не был ни тем, ни другим.

И тактично вышла из комнаты, оставив внучку читать послание в одиночестве.

«С днем рождения тебя, малышка. Прими этот подарок, сделанный от чистого сердца. Ты достойна не только красивых воспоминаний о нашей любви, но и вещи, напоминающей о нас.

Виктор»

А через три дня после этого письма с подарком Арина родила замечательного, здорового, прекрасного сыночка.

Когда Матвею исполнился годик, встал вопрос о необходимости возвращаться на работу.

Декретные она получила весьма солидные, да еще и большую премию за один важный проект, который рассчитывал и готовил ее отдел. Но за год все накопления потратились самым естественным образом — когда в доме младенец, финансы в нем не задерживаются. И они жили на бабушкину невеликую пенсию, ее сократившееся до одного ученика репетиторство, плюс детское пособие, что получала Арина как мать-одиночка, плюс...

Снова, вот уже второй раз, папины ежемесячные переводы, которые он так и продолжал присылать регулярно, просто необычайно выручили их и даже, можно сказать, спасли.

Но денег все равно не хватало, тем более что Арина настояла, чтобы Анна Григорьевна совсем отказалась от занятий с учениками — у бабули просто не хватало уже ни сил, ни энергии, ни здоровья, чтобы помогать с энергичным, непоседливым и не возрасту развитым правнуком, и еще занятия вести. Вот и получалось, что выходить Арине на работу надо обязательно, потому как нужна няня, да и помощница по хозяйству не мешала бы, или человек, который совместил бы обе эти обязанности, но это совсем другие деньги.

Крутили-рядили, считали да прикидывали они с бабушкой, и получалось, что никак по-другому не выходит. А Арине ужасно не хотелось оставлять Матюшу, он еще такой маленький, ну хотя бы лет до трех с ним досидеть.

Но... Уже начала мысленно настраиваться на возвращение, готовить себя морально, уговаривать...

Да помог случай.

Что ответить Артему на вопрос про отца Матвея, думала Арина, вернувшись вечером с работы уставшая до изнеможения, переодевшись, умывшись, налив себе чаю и рухнув на диван, закинув гудевшие от долгих часов топтания и стояния на месте ноги на подушку, брошенную на журнальный столик.

Сегодня готовили большой, интересный заказ. Делали его всем коллективом с удовольствием, с энтузиазмом, применив первый раз новые технологии. Получилось классно! Просто шикардос!

Арине очень понравилось, и, как бывало, когда получалось что-то по-настоящему замечательное, она испытывала необычайное чувство морального удовлетворения, душевного подъема, удовольствия и радости.

Но весь этот день, погрузившись в творческий процесс, Арина все так и крутила и крутила в голове мысли-воспоминания, думала про Красногорского и его непростой вопрос.

Что сказать? Что взрослый, богатый мужчина использовал ее, молоденькую дурочку, и обманул?

По сути-то, обманул и использовал, но...

Что от страсти и любви она потеряла голову и не владела собой?

Владела она собой, скажем прямо, плохо, голову потеряла от страсти, но...

Одно Арина знала и понимала определенно — нельзя рассказывать мужчине, к которому испытываешь глубокие чувства и которого определенно интересуешь как женщина, о том, что когда-то переживала страстные, сильные и красивые отношения с другим мужчиной.

Вот чувствует она, что нельзя.

А ведь что-то говорить и объяснять ему об отце Матвея придется.

Она же видит, как тянется к Артему сын, как вьется возле него и радуется каждой минутке общения, но Арина так же отчетливо видит и замечает, как привязался и как относится к мальчику и сам Артем.

Охо-хо... Ладно, она еще подумает, а лучше всего посоветуется с бабулей! А сейчас спать, спать, тяжелый денек выдался, всю душу из нее вымотал.

Красногорскому все последующие рабочие дни прямо навязчиво и неотступно не давали покоя мысли о том, почему Арина так откровенно ушла от ответа на вопрос об отце Матвея, да еще и совершенно очевидно растерялась.

Что там у нее такое могло быть с этим мужчиной, что она даже как-то закрылась, стоило ему задать свой вопрос.

И вот он крутил себе в голове различные варианты и предположения от самых простых до навороченных и все думал: а не досталось ли Матюшке каких-нибудь неприятностей от того отца неведомого? Арина вроде бы говорила, что они расстались до рождения мальчика, но она могла сказать так от неожиданности или от той же самой растерянности.

Посмотрев на часы, Артем усмехнулся, сообразив, что настолько торопится получить ответы на мучавшие его вопросы, что даже выехал в субботу из дома раньше обычного.

Притушив эмоции, он начал мысленно расставлять вопросы, не дающие ему покоя, по порядку и ставить задачи.

Во-первых, надо срочно переходить с Ариной на более близкое и более откровенное общение, а во-вторых, перестать циклиться именно на этих вопросах, помимо них Красногорского интересовала сама Арина, ее жизнь в целом. Например, от мамы он знал, что у нее нет родителей и воспитывала ее Анна Григорьевна. И ему было очень интересно почему.

Что за трагедия произошла в ее жизни?

И кем она работает, что легко может позволить себе снять дачу на три месяца не в самом дешевом поселке и выходить на работу в любое время? Она как-то вскользь упоминала, что сама себе начальник и что у нее «вкусная» работа, а он отчего-то не развил тогда эту тему.

А сейчас Артем понимал, что ему на самом деле интересно узнать про девушку как можно больше — все ее трудности, сложности, радости и победы, все этапы жизни, ее планы и устремления. Это оказалось важным, очень важным для него.

Вообще-то, надо признать, ему было очень легко и радостно общаться с ней, они чувствовали настроение и какие-то тонкие, необъяснимые настройки друг на друга, и Артем несколько раз ловил себя на мысли, что хотел бы рассказать ей о себе, поделиться своими мыслями и даже какими-то идеями. Каждый раз, дивясь такому желанию, он одергивал себя при разговорах с ней, чтобы не начать вспоминать что-то уж очень личное.

Красногорский знал за собой такую черту характера — излишнюю закрытость. Нет, он, конечно, мужик не угрюмый и мрачный, напротив, вполне общителен, доброжелателен и в меру открыт, но личные переживания, мысли, прошлое как-то ограждает от чужого любопытства и придерживает информацию о себе, не распространяясь. Есть такой момент. Но его никогда не грузила данная особенность, наоборот, вполне устраивала и частенько помогала в жизни.

А с этой девушкой Артему отчего-то постоянно хотелось расслабиться, поговорить, рассказать о себе что-то закрытое для других и даже порисоваться немного, похвастаться, особенно когда она вскидывала вдруг на него свои поразительные темно-синие глаза, хотелось говорить и говорить, поражая ее снова и снова.

Ладно, все это лирика. Обманывать себя он не собирался — девушка была ему интересна как личность, как человек и невероятно сильно привлекала сексуально. Прямо вот очень привлекала. Прямо...

Хотел он ее с самого первого их знакомства. Очень мощно хотел. Чего уж тут скрывать, есть такой момент.

А поздним вечером, в их ставшие уже традиционными посиделки на веранде, когда угомонялся и засыпал весь дом и у соседей гасли окна, Артем предложил:

— Арина, а давай уже на «ты». Мне кажется, что давно пора.

— Давай, — легко согласилась девушка, — мне не кажется, а я уверена, что давно пора.

— Я тут подумал и вспомнил, что не знаю, кем ты работаешь и где? — с интересом спросил Красногорский. — Ты вообще кто по специальности?

— Я экономист, — ответила Арина, — закончила Вышку.

— О как, — уважительно протянул Артем, — серьезное заведение. Что, нравилась экономика или просто так, ради престижа поступала?

Арина рассказала о своем выборе вуза, как не могла определиться с профессией, не чувствуя призвания ни к чему и желания-стремления в чем-то реализоваться.

Рассказала весело, с тонкой, изящной иронией. Легко посмеялись.

Помолчали, глядя в ночь.

— А знаешь, — заговорил Артем, — мы с тобой в этом вопросе чем-то похожи. Я тоже не знал, куда поступать и чем мне хотелось бы заниматься в жизни и куда себя приложить. Не чувствовал никакого призвания в себе, — и усмехнулся с иронией. — Только я пошел дальше тебя и вообще отказался поступать после школы.

Лидия Архиповна находилась в глубоком шоке от столь сильного решения сыночка.

— Артемушка, ты что? — обескураженно вразумляла его мама. — У тебя пятибалльный аттестат, спортивные достижения, выигранные олимпиады! У тебя голова работает, как компьютер, тебе прямая дорога в вуз!

— В какой? — спокойно спрашивал встревоженную маму сынок.

— В технический, разумеется! — убежденно заявляла мама.

— По какой специальности? — уточнял сын.

— Да по любой! — взмахивала она в сердцах руками.

— Вот и я о том же, мам, — возражал Артем. — По любой специальности не хочу, хочу по конкретной, а по какой — не знаю. Вот за год определюсь, тогда и поступлю.

— Какой год! — негодовала Лидия Архиповна. — Тебя же в армию загребут! В стране Чечня! Я же с ума сойду! — и принималась плакать.

Маму он жалел ужасно, но стоял на своем — поступать не буду, пока не пойму, чего хочу.

Тогда отец, останавливая все эти дебаты, вынес свой вердикт:

— Это твой первый, важный и самый серьезный мужской выбор, сын. — И предупредил: — Делая его, ты должен понимать, что берешь на себя всю меру ответственности за его последствия. Даже если сто раз пожалеешь потом, что так настаивал на этом своем решении.

— Я понимаю, пап, — уверил Артем.

Он еще тогда крепко поспорил с Игореней, доказывая тому свою правоту, а друг отговаривал и вразумлял:

— Да какая армия... твою дивизию! — возмущался Брагин. — С твоей башкой и «ать-два от меня и до того дуба»? Какие сапоги? Ты охренел, Горыч, реально! Зашлют под пули, и пропал профессор.

— Да фигня все, прорвемся, — беспечно отмахивался Артем.

Так и проспорили до самого призыва Красногорского в ряды Российской армии.

Мама, не уговорив сыночка, не смогла все же оставить такое дело на самотек, нашла какие-то связи, знакомства-через-знакомства, вышла на начальника районной призывной комиссии и уговорила, а может, и заплатила, сие до сих пор остается личной тайной Лидии Архиповны, чтобы не отправлять единственное неразумное чадо на Кавказ.

Да, видимо, так усиленно уговаривала и достала вояк, что заслали Красногорского... как бы это сказать-то мягко и цензурно? — далеко... Аж за полярный круг. Но не просто тебе за полярный круг, а в закрытую, засекреченную часть ПВО, то бишь войск противовоздушной обороны, обслуживающую шахты с ракетно-ядерными зарядами стратегических ракет.

И вот так у нас сложилась действительность — стоит их часть, и на несколько сотен километров вокруг только тайга и тишина-а-а, мать ее. И никакого человеческого жилья. И спецснабжение раз в месяц, если доедет.

А на дворе девяносто седьмой год и в стране полный развал... а они служат!

— Я пожалел не сто раз, как предполагал отец. А по сто раз каждый день, — тихо засмеялся Артем. — До того, как попасть в часть, была сначала учебка. И, помнится, ползу я себе на пузе до условного противника, по раскисшей глине (несколько дней подряд дожди затяжные шли, а как перестали, так нас на полигон и загнали). Так вот, ползу я с автоматиком в руке, весь в грязище, в дерьме коровьем, в сапогах хлюпает, рожа в грязи, во рту, в носу, везде грязь, промок до белья и матерю себя последними словами. Ну не чудак ли я с другой буквы, а? Весь в дерьме ползаю тут, как последний... а Игореня там сейчас за парточкой сидит себе в институте, девчонок красивых снимает да пивко потягивает. И какого хрена меня перемкнуло в ту армию пойти? Ну не дурак ли я после этого, а?

Арина посмеялась тихонько и спросила:

— А как вообще служилось там, в этой шахте?

— Не в шахте, — поправил ее Артем, — в гарнизоне. Да в общем-то неплохо служилось.

Начнем с того, что хорошие мозги всегда и везде в цене, и Артем нес службу на офицерской должности, с соответствующими дежурными сменами, дающими больше личного свободного времени, и с соответствующим пайком. Разве что выслугу лет и зарплату не получал офицерскую.

Фигово было то, что в армии в тот момент творился полный бардак, но в то же время именно поэтому их служба проходила весело и более расслабленно, что ли.

Сколько раз старшие офицеры с досадой повторяли, что при Советском Союзе здесь такая дисциплина и муштра стояла, что чихали и пукали с разрешения начальства, не то что бы кто-то мог волынить и манкировать своими должностными обязанностями, это вообще с ума соскочить — такое представить. А сейчас...

Ну а что не поволынить? Проверяющие почти не наезжали, а фига им наезжать, когда зарплат нет, за высокие кресла в столице драка, от которой далеко лучше не отходить, а то и пролететь можешь, главкомы меняются один за одним. Хорошо хоть, при всем бардаке высшее руководство отдавало себе отчет, что такое стратегические ракеты, и относились к ним все же по-особому. Снабжали хорошо, и офицерам платили регулярно и не копейки какие.

А то мало ли что взбредет тем офицерам в голову, если осерчают на родину за жен и детей, сидящих в нищете и голоде.

Так что служили. Было достаточно много свободного времени, хотя места вокруг суровые — зимой до пятидесяти мороза, бывало и ниже, а летом мошка и гнус реально могли до смерти загрызть и до сумасшествия довести, но у них имелись специальные репелленты, методы защиты. Спасались как-то, не всегда, правда, удачно, но в основном терпимо.

А природа, вообще-то, там удивительная, красоты бывают — залюбуешься! Остановишься так, засмотришься на закат какой-то совершенно фантастический, словно небо горит разными цветными сполохами, а потом затухает, затухает, переходя в малиновые и пурпурно-розовые цвета, синеет, темнея. И меняется что-то внутри тебя, и чувствуешь такую мощь земли и себя каким-то иным...

Охотиться ходили, рыбу ловили в реке, что рядом текла. С эвенками общались — аборигены им приносили на продажу свои поделки, мясо-рыбу, хоть по уставу и не положены контакты с людьми без допусков. Так где устав, а где они... Вот именно.

Артема армия многому научила и многое дала.

Он тогда даже не знал, не понимал и не оценил до поры, как много на самом деле дала ему та служба.

— Но профессию-то выбрал? — спросила заинтересованно Арина. — В институт-то поступил?

— Поступил, — кивнул Артем, — сразу после возвращения из армии. В Бауманку. На ракетно-космическую технику. В чем-то по профилю службы.

— Серьезно, — с подчеркнутым уважением заметила Арина.

— М-да. Мне нравилось, — признался Артем, — потом еще одну специальность освоил, но попозже. Ладно, — вздохнув глубоко, словно отпуская красочные воспоминания, заметил он. — Пора нам, Арина Аркадьевна, спать отправляться. Завтра день суматошный.

Знал бы Артем, насколько сумасшедшим будет завтрашний день.

В воскресенье у соседа Степана Сергеевича был день рождения. Еще с вечера пятницы начали прибывать его гости: сын с невесткой, они же родители Вовки, дочь с мужем и двумя детьми-подростками, сестра с братом с детьми и с их мужьями-женами и внуками.

Гостей оказалось много для скромного соседского домика, так что несколько человек «расквартировали» в доме у Красногорских. И в обоих домах кипели приготовления к проведению столь масштабного мероприятия.

Памятуя об опыте прошлого застолья с гостями Артема, а заодно не забывая и все остальные «яркие» случаи, домочадцы предприняли все возможные профилактические меры защиты от Матвея и товарища его Вовки. Их кипучую энергию, исследовательский азарт и неугомонное любопытство Арина с бабушкой постарались направить в созидательное творческое русло, посоветовав мальчишкам нарисовать для Степана Сергеевича поздравительные открытки.

Дети идею приняли с энтузиазмом, и на час в доме воцарилась непривычная тишина и напряженное спокойствие. Напряженное — поскольку в такую благость никто не мог поверить, и взрослые периодически по очереди заглядывали в комнату, где, склонившись над журнальным столиком, пыхтели-сопели пацаны и, высунув от усердия языки, творили свои шедевры.

Когда длинный, составленный из нескольких столов и специально сколоченных досок праздничный стол был накрыт под старыми яблонями перед домом соседа, гости расселись, и торжество началось.

125

Сначала предоставили возможность высказаться сестре и брату именинника, соблюдая субординацию по старшинству гостей, потом детям, старшим внукам, и, наконец, дошла очередь до малышей.

Вовка, несколько дней в тайне от деда репетировавший с Анной Григорьевной поздравительное стихотворение, не подвел и громким, звонким голоском, со старательным выражением прочитал деду поздравительный стих, стоя на табурете перед столом. И под умильные слезы Степана Сергеевича и некоторых гостей преподнес еще и рисунок-открытку, ну и Матвей вместе с другом свой шедевр вручил.

Замечательно сидели за богато и щедро накрытым столом, тосты следовали один за другим. Один из гостей привез с собой гитару, а сын Степана Сергеевича — аккордеон, и начались песни и танцы.

Дети-подростки сбились группой и вскорости усвистали с участка гулять по поселку — им эти застолья неинтересны, у них своя тусня. Малышня же — Матвей с Вовкой и те, кто приехал в гости, — под приглядом взрослых играли рядом на площадке перед столами.

Но кто, спрашивается, в состоянии уследить за мыслями неуемной парочки и, главное, остановить?

Что им там какие-то игры с малышами не пойми во что и танцы «два притопа, три прихлопа», когда у них весь огромный, недоисследованный мир имеется и целая куча неосуществленных планов, задумок и проектов?

И нашли эти юные «пионэры» великий, недоступный им ранее, запрещенный самыми страшными запретами *агрегат*!

Имелся у Степана Сергеевича великолепный поливальный шланг — достижение современной технической мысли, подаренный сыном. Изюминка изделия состояла в том, что на его конце находилось некое механическое устройство, которое переводилось поворотом переключателя в разные режимы работы. Это мог быть мощный, бьющий струей поток, или капельный режим, как из душа, или вода лилась веером, как бывает, когда зажимают пальцами шланг при большом напоре. В общем, чудо-инвентарь огородника.

Степан Сергеевич был рад такому подарку и не нарадовался на новенький шланг, частенько хвалясь соседям. А мальчишкам, которые как завороженные, открыв рты, смотрели на поливальные чудеса, было строго-настрого запрещено шланг трогать и даже подходить к нему.

Ага, нельзя...

С утречка Степан Сергеевич поливал грядки, устроенные позади дома, а тут подъехали еще одни гости, которых и не ждали уже. Он и побежал встречать, перекрыв воду щелчком выключателя, но основной кран не выключил, да и сам шланг не убрал.

Дальше все понятно — те, кому надо, таки нашли «аппарат»!

Уж они сопели, тыкали пальчиками, трясли всячески, крутили-вертели тот механизм — и никак, не бьет святой источник.

Но, как известно, для твердой воли нет преград!

И Матвей додумался, что надо не тыркать туда-сюда, а крутануть, ну и... крутанул! И самым что ни на есть «удачным» образом — попав с первого же раза в режим наибольшего напора, выходящего веером — бинго!

Шибануло той водой так, что шланг с силой вырвался из их ручонок, упал на грядки и принялся крутиться диким змеем. Пацаны заорали от восторга и кинулись хватать-побеждать «Водного Дракона».

Шланг долго не давался, каждый раз вырываясь, но все же под конец они схватили его вдвоем: Матвей — за сам переключатель, а Вовка — сзади за шланг. И теперь «Дракон» дергался из стороны в сторону вместе с вцепившимися в него детьми.

Сначала они снесли к лешей бабушке ведро собранных огурцов, которые разметало по всем грядкам, потом смыли всю «огородную» обувь, что стояла на ступеньках заднего крыльца, и налили прилично воды в открытую дверь в дом, а потом, мужественно овладев бушующим «Драконом», умудрились направить струю вверх, посбивав листья и плоды с ближайшей груши.

После чего струя воды принялась тарабанить по крыше над крыльцом.

Сидевшие же за столом в полном блаженном неведении гости, уже разомлевшие от выпитого и съеденного, на странные звуки, доносившиеся со стороны огорода, не обратили никакого внимания.

Кроме самых знающих людей...

— Звук какой-то странный, — прислушался Степан Сергеевич и посмотрел наверх. — Дождь, что ли?

— Да нет, — подивилась его дочь, сидевшая рядом с ним. — Какой дождь, пап, солнце.

— А вообще-то стучит, как дождь по крыше, — поддержала соседа Лидия Архиповна.

— А где Матвей? — спросил Артем, подозревая нехорошее.

— И Вовка! — подхватил Степан Сергеевич и проорал, подскакивая с места: — Мать честная! Да я ж там шланг забыл!

И рванул из-за стола. Одновременно с ним сорвались с мест те, кто слишком уж хорошо понимал весь возможный масштаб катастрофы — Артем с Ариной, а за ними, чуть помедлив, Анна Григорьевна с Лидией Архиповной.

Таким вот порядком и появились у грядок на заднем дворе дома, застав битву со шлангом в самом разгаре, а за ними уж и любопытствующие гости прибежали гуртом.

— Деда! — восторженно заорал Вовка, мотыляясь на том шланге из стороны в сторону, как лист на ветру. — Мы шланг поймали!

Дедушка ринулся вперед спасать положение, пацаны повернулись к нему навстречу, и сильнейшая струя воды ударила Сергеича в грудь, в его белоснежную торжественную, наглаженную рубашку, опрокинув навзничь на раскисшие грядки.

— Дедуля, ты чего? — спросил озабоченный внучок.

И они с Матвеем отвернули шланг в сторону, чтобы посмотреть, что там сделалось с дедушкой. И поток воды, выпускаемой веерным образом, в одно мгновение с головы до ног облил всех, кто успел добежать до места противостояния двух пацанов со шлангом — вот хороший агрегат, что ни говори, мощный!

Так и держали мальчишки непокорную змею шланга, направленную на гостей, которые отплевывались, отворачивались, прикрывались от жестко бьющей струи.

— Выключи! — прокричал Степан Сергеевич, поднимаясь на четвереньки.

— А?! — переспросили детки и снова «посмотрели» на дедушку вместе со шлангом.

Степана Сергеевича вторично снесло куда-то в грядки, где он с матами-перематами барахтался в раскисшей земле.

— Выключите!!! — орали уже все собравшиеся. Артем же с Ариной ничего не орали, а героически ринулись вперед, повторяя подвиг Сергеича в попытке перехватить шланг, но именно в этот момент Матвей повернулся к бегущим «спасателям», встретив и их атаку ударом воды в упор, и весело сообщил, восторженно сияя глазами:

— А мы не знаем как! Он крутится, гад такой!

Артем стойко выдержал удар воды в грудь, только качнулся, а вот Арине досталось по полной: по лицу прилетело прямым попаданием, окатив мгновенно всю до босоножек, хорошо хоть, большую часть силы напора принял на свою грудь Красногорский, а то бы девушку снесло, как Степана Сергеевича в грядки.

— Эта пипка гадская не крутится! — решил сообщить подробности Вовка, повернувшись к остальным зрителем, дернув при этом за собой Матвея, и струя воды вторично прошлась по гостям, только-только кое-как отплевавшимся от первого «душа».

Те охнули дружным стоном от неожиданности, снова прикрываясь и уворачиваясь. И тут Артем в три огромных шага успел подскочить к мальчишкам, выхватил шланг у Матвея из рук и в два щелчка выключил воду.

И воцарилась неожиданная тишина. И в этой тишине начал подниматься из грядок Степан Сергеевич, кряхтя и охая: встал сначала на четвереньки и только после с трудом поднялся на ноги. Осмотрел себя и обнаружил, что перепачкан коричнево-зелено-бурой жижей, начиная с лица и заканчивая новыми, праздничными франтовыми туфлями, одетыми первый раз по случаю своего юбилея.

— Мать его ети! — с большим чувством произнес Степан Сергеевич.

И тут опомнились и заговорили все сразу, словно отмашку кто дал:

— Это кто-нибудь снял?! — прокричал кто-то из гостей.

— Я сняла! — отозвался веселый женский голос.

— И я! — подхватил кто-то весело.

— Блин, на «Ютьюбе» миллион просмотров гарантировано! Ролик под названием: «Дедушка, мы шланг поймали!» — ухахатывалась женщина, просматривая запись и показывая ее другим.

— Ну... — откинув на землю шланг, переставший дергаться, словно не имел к нему никакого отношения, Вовка сложил эдак невинно ручки и спросил: — Мы пойдем?

— Ну, а что бы вам не пойти? — с иронией сказала совершенно мокрая Арина, стоявшая в луже, раскинув в стороны руки, по которым все еще стекала вода. — Все, что могли, вы уже совершили: шланг вы, считай, героически укротили, себя полили, огород полили, гостей полили, а дедушку так и вовсе искупали, вон даже крышу над входом помыли.

— Тогда что? — подвел итог Матвей, глядя на нее совершенно невинным взглядом. — Мы пойдем, да?

— Куда? — сохраняя серьезное лицо, поинтересовалась его мама.

— Туда... — Он махнул рукой в непонятном направлении и уточнил: — У нас дела еще есть.

Красногорский, прикрыв ладонью глаза, затрясся от хохота, и гости грохнули вслед за ним.

— Вот теперь... — произнесла какая-то женщина, — я все сняла! Ютьюб с «Инстаграмом» рыдают!

Мальчишек «вымочили» в горячей ванной и напоили травяным настоем, сдобренным медом и имбирем. А проведя профилактические меры от простуды, подвергли привычному наказанию, растолковали вину, предварительно выслушав «отчет» о содеянном, лишили вечерних мультиков, сладостей, прогулки и развели по разным домам.

Переодевшись, высушившись и отсмеявшись, гости продолжили праздник с еще большим энтузиазмом. А любимые и родные соседи юбиляра после разборки с мальчишками к застолью не вернулись — не их тема. Вот совершенно.

Оставив Матвея под надзором двух бабушек играть и читать, Арина с Артемом решили пройтись прогуляться к реке и по окрестностям вокруг поселка.

— Это замечательно, что Матвей такой любознательный, умный, энергичный и такой исследователь, — выразил Артем свое восхищение. — И это очень здорово, что ты его не ругаешь, не наказываешь чрезмерно за то, что он вытворяет, за все его проказы, а выслушиваешь, объясняешь, в чем мальчуган был не прав, и привлекаешь к ликвидации последствий его деяний. Думаю, редкие мамы делают так же.

— Да ладно, — отмахнулась от похвалы Арина. — Я специально ходила на курсы психологии для мам и самостоятельно изучала этот вопрос. Да и бабуля у меня очень мудрая дама, порой мне кажется, что она ведунья какая-то и знает что-то такое, что недоступно остальным людям...

Артем ей не мешал, почувствовав, что она размышляет о чем-то важном. Молчали. Смотрели на «тихий пейзаж», как назвал кто-то из великих художников природу средней полосы России, сейчас Артем не мог бы припомнить, кто именно, да и какая разница.

— Знаешь, — заговорила Арина доверительно, — одна дама, наш известный детский психолог, утверждает, что какой бы ни была замечательной, умной и мудрой мать, одна она никогда не сможет воспитать из мальчика в полной мере гармоничного мужчину. Это невозможно в силу заложенной природой энергетической, психологической и психической разницы полов. Есть такие вещи и вопросы, которые может передать и объяснить мальчику только мужчина, причем не всегда на вербальном уровне. И я с ней совершенно согласна: действительно существуют такие вопросы, на которые мальчику может ответить только мужчина. Есть даже моменты, в которых ему надо помолчать только с мужчиной, есть дела, которые он может делать только с мужчиной. И я все время об этом думаю и стараюсь сдерживать свои материнские, женские реакции на его поведение. — И посмотрела на него. — Ты, наверное, понимаешь, о чем я говорю. Твой папа... Прости, если я затронула слишком личную тему. Но у Лидии Архиповны в доме везде ваши фотографии, она говорила, что у вас с отцом были особые, очень близкие и доверительные отношения.

— Да, — ответил Артем.

Поразительно, но странным образом он не чувствовал недовольства и раздражения, не закрывался внутренне, как делал это всякий раз, когда кто-то спрашивал его об отце. Наоборот, ему почему-то захотелось ей рассказать, объяснить и поделиться своими очень личными переживаниями. А ведь он никогда ни с кем не обсуждал этот момент — ни с мамой, ни даже с верным другом Игорем, хотя тот и был Артему очень близким человеком.

Вот как так? Почему она на него столь странно действовала?

Непонятно, и тем не менее....

— Отец был для меня самым близким человеком. В детстве так вообще самым важным в жизни. Ты права, есть такие вещи, объяснить которые может только мужчина. Отец был, как бы это сказать... идеальным отцом, что ли.

Сомневаясь, стоит ли, он все же начал рассказывать про то, как отец учил его плавать, про их рыбалку, про...

Они медленно шли по тропинке вдоль речки, вечерело, от воды тянулся освежающий ветерок, где-то верещала заполошная сорока, из поселка доносилась веселая музыка, а они брели, и Артем вспоминал об отце...

Отец умер от разорвавшейся аневризмы мозга.

Абсолютно неожиданно и в один момент. Это было настолько чудовищно и невозможно, что Артем никак не мог поверить, что на самом деле отца нет. Как это нет? Был, жил, двигался, смеялся, говорил, вчера еще вразумлял его по телефону — и в один момент перестал быть?

Это настолько невозможно и неправдоподобно, ненормально...

Артем давно уже жил отдельно от родителей, снимая квартиру, но связь они поддерживали плотную, хоть раз в день, перезванивались обязательно, а то и чаще, и он старался в выходные заезжать к ним.

Отец всегда был занят каким-то проектом, идеей, не мог сидеть без дела, говорил, голова тупеет от пустоты, когда не занята.

Борис Анатольевич в свои семьдесят три года был мужчиной бодрым, здоровым, крепким и невероятно деятельным. Жена была младше его на десять лет, и то уставала быстрей и частенько призывала:

— Боря, куда ты все мчишься, остановись.

Когда Артему предложили купить хороший участок земли с домом в довольно престижном поселке, за очень небольшую сумму, в связи с финансовыми трудностями хозяина участка, он поделился сомнениями с отцом:

— Хорошо бы, конечно, дачу взять, вы бы там на воздухе с мамой у меня жили. Да как подумаю, что и дом там надо перестраивать капитально, и сколько вообще возни и вложений с тем участком требуется, так что-то и не очень хочется, бать.

— Бери, — решительно заявил Борис Анатольевич. — Только не рвись сразу же хоромы городить, красоту наводить. Мы с тобой и дом, и участок потихоньку и неспешно до ума доведем. Я займусь.

Взяли. И на самом деле занялся.

Как инженер с огромным стажем и человек разносторонних талантов Борис Анатольевич и проект придумал толковый, и смету составил подробную, и рассчитал по годам, что, как и в какой последовательности они будут делать. И целое лето провел в поселке на участке безвылазно, воплощая свой план в жизнь, а мама лишь бывала наездами.

А зимой умер.

Был полон планов, идей, готовился к сезону, договаривался со строителями, изучал огородное дело и...

Заболела голова. И все сильней и сильней, и никакие таблетки боль уже не снимали. Сам сыну не сказал, мама пожаловалась, когда Артем позвонил.

— Уж и не знаем, что такое? — расстроенно докладывала она. — Вчера целый день болела, ночь промаялся, не спал почти, и сегодня с утра все болит и болит.

— Мам, — отчитал ее Артем. — Что вы как дети! Вы же взрослые, грамотные люди. Надо срочно

135

к врачу идти. Или даже «Скорую помощь» вызывать, особенно если боль никакими препаратами не снимается.

— Да я хотела... — жаловалась мама, — а Боря не позволил, говорит, что за ерунда, «Скорую» еще вызывать, не сердечный же приступ.

— Тогда немедленно собирайтесь, вызывайте такси и езжайте в поликлинику, раз он такой щепетильный у нас! — распорядился Артем.

— Да мы уж и собрались, — как-то неуверенно сказала она.

— Мам, немедленно и не откладывайте, — настаивал Артем. — Я бы сам приехал и отвез вас, да у меня тут запарка полная.

— Да что ты, что ты, работай. Мы доберемся.

Не добрались. Отец вроде бы и согласился, но без особого энтузиазма и еще два часа возился: то чаю попить, то полежать — боль невмоготу, ничего делать невозможно, то спорили о «Скорой», на которой настаивала Лидия Архиповна, потом говорит:

— Ладно, вызывай такси, в поликлинику поедем.

Она вышла из комнаты к телефону в прихожей, вызвала такси, а когда вернулась...

— Мне казалось... — у Артема перехватило горло, и он замолчал. Сглотнул, совладал с собой и продолжил: — На самом деле не знаю, что мне тогда казалось, но мой мир стал другим. В один момент. Я никак не мог полностью осознать, что его нет окончательно и бесповоротно. И чувствовал непереносимое, изводящее чувство вины. И ругал себя каждый день: почему я не приехал, почему узнал о его боли только на следующий день, а не за день до этого, почему сам не вызвал ему «Скорую». Миллион тысяч «почему». И хотя доктора объяснили нам, что отца невозможно уже было спасти, что аневризма лечится на начальных стадиях заболевания, а у него оно протекало без симптомов, что очень часто бывает, и люди гибнут, не зная про свой диагноз. И все равно... — Он сделал продолжительный вдох и медленно выдохнул. — А еще я обвинял его в том, что он ушел, и обижался на него. Вот так.

— Я тебя понимаю, — тихо произнесла Арина. — Я тоже ужасно обижалась на деда, когда он умер. Обижалась и винила. Мне казалось, что он нас предал с бабушкой. Взял и умер. И долго не могла его простить и примириться с его уходом.

— Прости, я все время хотел тебя спросить: что стало с твоими родителями? Как я понял, тебя растила Анна Григорьевна? — быстро перевел тему Красногорский, чувствуя запоздалую досаду на себя за свое откровение.

А Арина, легко, без душевного надрыва и боли, без обвинений и невысказанных претензий, рассказала ему о родителях, о том, как и почему осталась с бабулей, и о смерти дедушки.

Они повернули назад к поселку, прошли через сосновую рощицу и футбольное поле и вышли на улицу, ведущую к их участку.

— Я особо не интересуюсь, как отец, он общается только с бабушкой, когда изредка звонит, но знаю, что живет во Владивостоке, имеет какой-то свой бизнес, и что у него вроде бы все в порядке. Подробностей не знаю. А мама... — замолчала ненадолго Арина. — Мама несколько раз была сильно влюблена. Сменила то ли троих, то ли четверых мужей официальных и несколько гражданских. Слабое сердце, слабые сосуды и виагра — мама таким образом потеряла нескольких из них. Родила троих детей. Но, думаю, она была не очень счастлива все эти годы. Страстная и красивая женщина, которая так и не нашла себе партнера под стать и ужасно переживает свой возраст. Общеизвестно, что красивая женщина умирает дважды. И для нее это трагедия. — Арина уже давно не обижалась, а сочувствовала маме и по-женски ее жалела.

Когда они вернулись домой, обнаружили заснувшего на диване в гостиной Матвея, заботливо прикрытого пледом.

— Мы его специально не раздевали, — прошептала Анна Григорьевна. — Чтобы дважды не тревожить. Решили, вы перенесете его в кровать, тогда и переоденем в ночное.

— Я отнесу, — вызвался Артем.

Он подхватил малыша на руки и понес в комнату, которую единолично занимал Матвей.

Лидия Архиповна позвала Арину за какой-то хозяйской надобностью, Артем кивнул, мол, иди, я его отнесу, раздену и подожду тебя.

Никто не может подготовить вас к той бесконечной любви и к тому страху, которые входят в вашу жизнь и ваше сердце, когда вы первый раз берете на руки своего ребенка.

Красногорский уже множество раз поднимал Матвея на руки и множество раз носил его на закорках и видел его спящим. Но так получилось, что первый раз он нес заснувшего малыша.

Он смотрел на круглое веснушатое личико ребенка, на чуть приоткрытый во сне ротик, на эти непокорные кудри-вихры, на пухлые щечки и смешно торчащие уши, на ладошку, полусжатую в кулачок, и внезапно почувствовал такую непереносимую, сжавшую сердце и горло бесконечную нежность, такую любовь к этому ребенку, такое высшее родство и единение с ним, что сердцу стало больно, глаза защипало от подкативших слез, и не было никакой возможности вздохнуть от перехватившего дыхания.

Ощущение этой бесконечной любви к вот этому родному малышу и столь же бесконечного страха за его хрупкую жизнь, за его здоровье, были настолько неожиданными и сильными, что затопили его целиком, и он прижался к щечке малыша губами, втянул в себя воздух, почувствовал его неповторимый, еще младенческий запах и замер, переживая этот момент всей душой.

Так и стоял какое-то время, потрясенный и обескураженный захватившими его чувствами, пока не услышал в коридоре легкие торопливые шаги спешившей к ним Арины.

На следующее утро, привычно уехав совсем рано вдвоем в Москву, они отчего-то долго молчали.

Красногорский, находившийся под впечатлением пережитого вчера духовного откровения, не спал полночи, размышляя о том, как теперь с этим жить.

А Арина. Арина думала о том, что вчера они перешли некую важную грань, разрешив себе откровенность, доступную лишь очень близким людям, и она не чувствует от этого неловкости или смущения, принимая доверие к этому мужчине как нечто естественное, как дыхание.

Ну конечно, не полную откровенность... Бабушка поддержала внучку в том, что не стоит рассказывать мужчине подробности своего бурного романа и признаваться в сильных чувствах к другому, пусть и давно забытому мужчине. Может, когда-нибудь, но и тогда стоит сильно подумать, а нужно ли — у каждой женщины должны иметься свои секреты, не стоит их выкладывать до донышка даже очень близким людям.

И Арина улыбалась, глядя на пролетавшие за окном пейзажи, вспоминая этот их разговор и бабушку, наставляющую ее, как правильно держать интригу и соблюдать тайну, чтобы она не давила на тебя желанием открыться и поделиться теми давними переживаниями и чувствами — было, прошло: прожили, пережили, переплакали, отболели — и остались теплыми, приятными воспоминаниями, не тревожащими душу.

— Вот смотри, — внезапно заговорил Красногорский, — странное дело, я ведь несколько раз подходил к теме твоей работы, а так и не узнал, чем ты, собственно, занимаешься?

— Шоколадом, — легко рассмеялась Арина. — Я занимаюсь шоколадом.

Арина, с тоской и ужасным нежеланием, буквально пересиливая себя, все же настроилась на возвращение на работу. И даже позвонила в свой отдел и начальству, наведя предварительные справки на предмет ее выхода.

Ждут. Будут рады возвращению. Только вперед.

А тут у сынишки ее подруги Никитки должен был состояться «юбилей» — пять лет. Его родители, люди состоятельные, готовили масштабный праздник для любимого сынка с нанятыми аниматорами, с кучей сюрпризов, развлечений, игр и поздравлений, с широким застольем и настойчиво приглашали Арину, требуя обязательно быть.

Прямо слово взяли, что непременно приедет.

Слово-то она дала, да крепко призадумалась: что дарить?

Ерунду какую-то, так, лишь бы обозначиться и отделаться, никогда и никому не дарила и не собиралась начинать. Но и на хороший, добротный подарок выделить средства из семейного бюджета никак не получалось.

Сделать что-нибудь самой? А что? Торт? Так можно представить, какие торты будут на том шикарном празднике! А что тогда?

И тут Арина вспомнила, что на прошлой неделе готовила шоколад по рецепту из старинной бабушкиной книги по домоводству, доставшейся Анне Григорьевне от ее прабабушки, а той, в свою очередь, от тетушки.

Представили? То есть середина девятнадцатого века, на минутку. На форзаце толстой тяжелой книги чьей-то рукой, еще чернильной ручкой, со всей старательностью и тщательностью очень красивым, каллиграфическим почерком были переведены фунты в граммы и все остальные старинные единицы измерения в современные.

Арина с Анной Григорьевной частенько пользовались рецептами и советами из этой книги, можно сказать, бесценными, настолько уникальными они были на самом деле. И, кстати, большая часть хозяйских советов не просто работали до сих пор, а прекрасно работали, хоть и были благополучно забыты за современными технологиями и химией. А им вот повезло иметь такого помощника.

Но все это лирическое отступление.

Отчего ей взбрело в голову приготовить шоколад по старинному рецепту из книги, Арина и не вспомнит, но это решение было хоть и спонтанным, но воистину эпохальным. Потому что получилось так вкусно! Так вкусно, что она никогда такого шоколада не пробовала в своей жизни, совсем не хуже знаменитого швейцарского, а может, даже и лучше. Для нее так точно!

И, припомнив, как им с бабушкой понравилось то, что получилось, сильно удивив своим качеством, и даже Матюшке, которому достался малюсенький кусочек на пробу, очень-очень понравилось, Арина решила, что надо что-то сотворить интересное из шоколада в подарок Никитке.

Сварила, разлила по резиновым формочкам для льда, в каждую ячейку предварительно положив начиненную орешком виноградину, оставила замерзать. Еще одну порцию, раскатав тонкой пластиной, порезала на квадратики, а, когда они замерзли, упаковала в подарочную упаковку с разными именами, приделав к уголку красивую небольшую ленточку. В следующую порцию окунала фрукты — кусочки банана, клубничку, дольки персиков, крупные ягоды — какие целиком, а какие частично. Получилось весело и интересно.

На большой поднос поставила несколько крупных фруктов — апельсины, грейпфрут, большую грушу, в которые воткнула наколотые на шпажки виноградины в шоколаде, сотворив таким образом своеобразных ежиков. На красивых тарелках разложила фрукты и засыпала все оставшееся свободное пространство подноса шоколадными квадратиками в упаковках с именами.

Так и привезла, в таком виде и презентовала.

На празднике пробыла недолго, поздравила подругу с мужем, самого виновника торжества, посидела с полчасика и уехала.

А на следующий день ей позвонила Наташа и в самых восхищенных выражениях благодарила за подарок.

— Ты не представляешь! — радостно рассказывала та. — Сладкого полный стол, три разных авторских торта, а они на твой шоколад, как стая голодных птиц, налетели. Ярко же очень, оригинально, красиво и удобно: маленькие порции. А как вкусно, Аришка! Мы с Пашей только что и успели у детей несколько штучек виноградин в шоколаде выхватить и один квадратик с его именем. Так он все и слопал, забрал у меня, говорит, фантастика, я такого шоколада никогда не пробовал. Ты же знаешь, какой он у меня сластена. Слушай, офигенно вкусно, просто офигенно. Спасибо, тебе. Да, — спохватилась подруга, — чуть не забыла, меня одна из мамочек просила узнать, сможешь ли ты сделать что-то подобное для нее. У них день рождения у дочери через пять дней намечается.

— Я-то, конечно, смогу. — У Арины вдруг непонятно от чего заколотилось сердце, но тон она держала, справлялась. — Только ты же понимаешь, Наташ, что для твоего Никитки и вас — это от всей души подарок с любовью и на радость, а для других...

— Какой разговор, Аришка, я ей сразу сказала, что ты дорого берешь, — уверила подруга, — но та согласна на любую цену, они люди зажиточные, заплатят, сколько скажешь.

— Давай телефон, — решилась Арина.

И была девочка Верочка и ее день рождения, на который Арина придумала нечто новое и оригинальное, за что получила сумму, от которой несколько обалдела, таращась на купюры в руках.

Да? Это вот столько стоит? А она-то цифру от балды назвала, еще и выпендривалась, мол, ингредиенты особые, натуральные, только экологически чистые, органика, поэтому и дорогие. А они в ответ — да не вопрос, лишь бы так же вкусно и оригинально, как у Наташи с Пашей было.

Хотите оригинально? Да нате!

А после этого заказа на следующий день ей позвонила уже другая мамаша, бывшая на дне рождении Верочки, с просьбой и для ее ребенка сделать такое же, а то и лучше....

А потом Арина решила выложить в Сеть, в свою группу, фото сделанных шоколадных работ — похвастаться и предложить заказывать первый раз бесплатно, а если понравится — тогда по договоренности.

Через месяц у нее уже были расписаны заказами все дни, а через три месяца Арина поняла, что так дальше продолжаться не может.

Их кухня, да и квартира в целом, превратилась в цех по бесперебойному производству шоколадных изделий, а шустрый Матвей умудрялся сунуть свой любопытный нос везде, к вечеру становясь весь сладким, липким и шоколадным.

Вот у кого-кого, а у этого ребенка точно началась «шоколадная жизнь». Вылавливать его не было решительно никакой возможности — нужно было либо делать шоколад, либо гоняться за малышом, так что в целях безопасности Арине приходилось работать ночами да в часы его дневного сна и когда они уходили с бабушкой гулять на улицу.

Анна Григорьевна помогала, как могла, но и она вымоталась окончательно от этой новой затеи внучки и пожурила однажды:

— Ты себя так загонишь до истощения, Ариша. Нельзя так работать. Даже я, пожилая дама, согласна с вашим Стивом Джобсом, который сказал: «Работать надо не двенадцать часов, а головой».

— Головой... — устало произнесла за ней Арина, и вдруг ее осенило. — Ба! — Она подскочила с места, кинулась ее обнимать и целовать. — Ты гений!

— Не я, — спокойно ответила Анна Григорьевна, — утверждают, что это Джобс гений, хотя, вполне может статься, что и злой гений.

— Да какая разница, ба! — искрила энтузиазмом Арина. — Конечно, головой! Головой, понимаешь!

Вспомнив, что, на минуточку, она все же экономист, и очень классный, между прочим, экономист, чтобы вы знали, да еще и маркетолог, Арина села и посчитала прибыль, полученную за три месяца.

Грамотно посчитала, как она умеет, с затратами даже на свет, газ и воду. И вышло... Очень здорово у нее вышло, а ведь имелись еще и планы, и уже был придуман новый крутой торт.

И... нашла она подходящие площади с оборудованием в аренду.

Почесала свою умную голову — дороговато, а если учесть.... И взяла кредит на развитие бизнеса, оформив себя как частного предпринимателя, и пошла череда чиновничьих кабинетов.

Согласования, разрешения, санэпидемконтроль, Роспотребнадзор, доктора-обследования для медицинской карты, пожарные, дорогостоящее оборудование и так далее, так далее.

И все же, все же в один прекрасный день Арина Ахтырская стояла посреди *своего* производственного помещения, сверкающего всеми отполированными и отмытыми до стерильности поверхностями, новенькой кухонной утварью, кастрюлями-половниками, плитами-холодильниками, подносами и всевозможными чашами.

Через знакомых Арину свели с директором так называемого «колледжа сферы услуг», с молодой интересной дамой, которая представила двух самых талантливых кулинарок выпускного курса, к тому же достаточно порядочных, что было немаловажно. Арина предложила им поработать у нее на испытательном сроке, но с достойной зарплатой.

И — барабанная дробь, ленточку перерезали — и-и-и, отмашка: начали!

Одна девочка ушла, не хотела заниматься только шоколадом, Арина уговаривала, объясняла, что это лишь начало, будет и сопутствующая продукция: кондитерка с входящим в ее состав шоколадным наполнением, но молодость, как известно, нетерпелива и желает все, сразу и сейчас. Зато вторая девочка, Алена, осталась с удовольствием, заявив, что никуда от Арины Аркадьевны не уйдет, хоть выгоняйте ее, и проявляет чудеса творчества, и Арина на нее прямо-таки не нарадуется.

Вскоре снова необычайно повезло — ее бывшая сокурсница, с которой они дружили в институте, позвонила и попросила взять к себе на работу ее младшего брата.

— Парень работящий, талантливый кондитер, по призванию пошел в эту сферу, работает в дорогом ресторане, — объясняла та, — да не сошелся характером с новым управляющим, и тот его просто выживает. А Глеб, как выяснилось, знает о тебе, регулярно смотрит твой сайт и ролики, что вы выкладываете в «Ютьюбе», а я проговорилась, что мы знакомы, так он вцепился в меня мертвой хваткой, уговаривая узнать, возьмешь ли ты его.

А чего не взять, конечно!

Оказалось — находка, бриллиант, а не Глеб Краснов!

Вот и сформировалась их основная бригада — Арина и Алена с Глебом, чуть позже пришла к ним еще Ираида Павловна, дама талантливая и душевная, хороший профессионал. Бывшая завпроизводством кондитерского цеха крутого ресторана.

Вот такая у Арины банда собралась. Или семья, что скорее.

Один к одному, все люди замечательные. Неудивительно, что у Алены с Глебом на почве общих пристрастий, интересов, вкусов, талантов и увлеченностей почти сразу же сложился роман. Пална, как все стали обращаться к Ираиде Павловне с ее же подачи, их опекает, как любящая мать и наседка, производству от этого только прибыток. Со всеми ними у Арины подписан договор о неразглашении оригинальных рецептов, мало того, Арина эти самые свои рецепты, не поленившись и не пожалев денег и времени, еще и зарегистрировала как авторские.

Понятное дело, что есть свой крутой сайт и блог в «Ютьюбе» и в «Инстаграме», которые с огромным удовольствием и мастерством ведут Алена с Глебом. Имеется в штате и бухгалтер.

За три года раскрутились, поднялись, кредит выплатила давно, теперь от чистой прибыли работают, имеют своих постоянных клиентов, придумывают все новые и новые изделия, рецепты.

Врожденный вкус, никто не спорит, дело хорошее, но есть определенные базовые знания и умения, есть современные тенденции в оформлении кулинарных изделий, современные материалы и дизайн для оформления кондитерки. Пришлось учиться самой и ребят на курсы отправлять.

Работали, развивались. Сделали открытую витрину — расширили проем в стене, вставили цельное большое окно, и прохожие с улицы могут смотреть на производственный процесс и... там же витрина с изделиями, вроде как бы и ненавязчиво.

— Раскупают влет, не успеваем делать и выставлять, — улыбаясь, с радостью рассказывала Арина, — Пална предлагает поставить пару столиков, кофемашину, так, для легкого перекуса, но это такая головная боль: это уже общепит — сплошные проверки, требования, да и людей придется еще нанимать. Я пока не готова. У меня небольшой, можно сказать, семейный бизнес, и расширяться, укрупняться не хочется. К тому же я не хочу забывать об основной цели, из-за которой и затеяла все это: проводить как можно больше времени с Матвеем. Что, собственно, у меня пока получается: все выходные я только с ним, никуда не мчусь, никуда не опаздываю. И по несколько раз в году мы можем куда-то, пусть и ненадолго, но вместе съездить. У нас в коллективе взаимозаменяемость.

— Молодец! — похвалил Красногорский. — Вот молодец, и все тут! Умница, — улыбаясь, посмотрел он на нее.

— Я стараюсь, — рассмеялась Арина, чуть даже смутившись такой его похвале, и тут же спросила: — Ну а ты? Насколько я поняла, ты ведь не в Роскосмосе трудишься, а имеешь свой какой-то бизнес?

— Имею, — кивнув, подтвердил Артем и усмехнулся, — будешь смеяться, но наши истории снова в чем-то очень похожи.

— Ты тоже не хотел выходить на работу? — рассмеялась Арина.

— Да я-то как раз хотел выходить на работу, можно сказать, рвался, да только....

Вернувшись из армии, буквально через пару месяцев Артем поступил в Университет имени Баумана и сразу же столкнулся с некой проблемой.

Поступить-то он поступил, и даже на бюджет, да вот только вопрос: а на что жить? Просить у родителей денег?

Вообще-то, Артем себе плохо представлял, как он будет подходить к отцу и просить денег на погулять с девушкой или с друзьями.

— Не волнуйся, — успокоил его Борис Анатольевич, — прокормим и выучим тебя. Справимся.

Но Артема это заявление ни разу не успокоило — прокормить-то они его прокормят, кто бы сомневался, но что-то как-то это ему совсем не нравилось, что он, здоровый мужик, будет сидеть на шее у родителей.

Они оба работали, отец трудился ведущим специалистом на совместном российско-европейском производстве и по тем временам неплохо зарабатывал, мама тоже работала.

Но даже при относительном крепком достатке Артема такой расклад вот ни разу не устраивал.

И как частенько бывает — судьба любит играть с людьми в странные игры и, что называется, не было бы счастья, да несчастье, как водится на Руси, помогло.

Их залили соседи сверху.

Да не просто залили, а кипятком! Причем капитально! Основной удар потопа пришелся на кухню, где у соседей прорвало трубу отопления.

Никого нет дома: виновники сверху, Красногорские и нижние соседи на работе, Артем — в универе. И этот кипяток лил себе беспрепятственно несколько часов подряд, дойдя до первого этажа и успев по дороге остыть.

От кухни не осталось вообще ничего!

Вся мебель развалилась и ужасно воняла. Все, что лежало в шкафах, было безнадежно испорчено.

Да это-то фигня. А что стало с потолком, с обоями? Вспученные полы в кухне, коридоре, прихожей и частично в комнатах. Все межкомнатные двери повело вкривь и вкось, и они больше не закрываются.

Короче: ка-тас-тро-фа!

Лидия Архиповна в слезах несколько дней подряд — как теперь жить-то? Как исправлять-ремонтировать? Виновники бедствия бессильно жмут плечами — простите, извините, но денег нет никаких и не будет никогда. Разве что саму квартиру продавать и по миру идти. А у них трое детей.

Борис Анатольевич хмурый, думу думает, но придумать не может, где взять деньги на ремонт и новую мебель. Это ж сколько надо... Один контейнер для вывоза мусора им обошелся в приличную сумму, а если посчитать и представить, во что выльется хотя бы косметический ремонт с предварительной сушкой помещений и обработкой от грибка... Разве что кредит брать, но ой-ей-ей как же не хочется!

И тут Артем, прикидывавший возможные варианты решения проблемы, кое-что таки надумав, предложил отцу:

— Пап, я тут идею одну имею.

— Ну давай свою идею, — устало сказал отец.

И сынок дал.

Дело в том, что во время службы Артем научился делать мебель. И не только мебель, а вообще работать с деревом. Был у них старшина в части — знатный потомственный и плотник, и столяр, и мебельщик.

Интернетов тогда и близко не было, тем более там, где он служил. Телевизор не особо включали — конец девяностых, новости те и передачи помните? Бесконечные политические разоблачения и обливание грязью всех подряд, война в Чечне, дурные ток-шоу и сплошь эротика, по содержанию близкая к порнухе.

А на охране стратегических ракет сидят солдатики юные да дурные по молодости лет. Мало ли что в их головы взбредет от таких просмотров, вот и отключали офицеры телевизоры по большей части.

А потому что нехер. И все.

И чем солдатику заняться в свободное время? Имелась библиотека, спортплощадка и спортинвентарь, устав, неуставные охота и рыбалка, но это так, изредка. Чтобы дурь в голову не била, придумывали офицеры личному составу дела-заботы выше крыши, а Артем в первый же месяц поступления в часть необычайно заинтересовался ловкой и красивой работой Ивана Ильича.

А тот только рад был ученику.

И вот они всю Артемову службу, каждые его свободные часы сидели в ангаре, в специально отведенном под столярку цеху. И творили, можно сказать.

У Артема хорошо получалось, конечно, но краснодеревщик великий из него не выйдет. Так ведь на такие вершины никто и не замахивался. Но уже ко времени возвращения на гражданку он мог вообще-то и знатную вещь сотворить. А если бы у них там с Иваном Ильичом еще и фурнитура имелась добротная да лаки-краски хорошие, качественные, да современные материалы, то и шедевр вполне себе мог получиться.

Вот Артем и предложил отцу самим сделать и ремонт, и мебель. Кухню уж точно он осилит, особенно если отец поможет.

Борис Анатольевич в целом идею поддержал, но резонно заметил, что надо посчитать и прикинуть, что во что обойдется. В выходные объездили самые крупные строительные рынки, записывая и сравнивая цены, неделю прикидывали — считали да рассчитывали.

— А что мы считаем-пересчитываем, Тём? — оторвался от бумаг с расчетами Борис Анатольевич. — У нас что, какая-то иная альтернатива имеется? Ремонт нужен? Нужен, не будем же мы в бомжатнике жить, и мать извелась вся от жизни такой. Новый кухонный гарнитур купить можем? Нет. Добротный не потянем, как ни крути, а дерьмовый брать — только деньги выбрасывать. Давай, сынок, делать, что задумали, а там как выйдет.

Вышло шикарно! Вот честное слово — просто шикарно!

Гораздо лучше, чем предполагали и ожидали. Как-то так особенно Артем расстарался, да и руки по делу и дереву соскучились, к тому же тут тебе не тундра голимая, а все ж таки столица и материалы, лаки-краски какие хочешь на рынке выбирай.

Устроили в старом капитальном кирпичном пустующем гараже, еще от деда доставшемся, какой-никакой, но плотницкий цех и за три месяца управились и с ремонтом, и с мебелью, и двери все поменяли, и даже шкаф в гостиной старый выбросили, а новый Артем сделал лучше и красивей прежнего.

Вот тут и пришли вместе с ними соседи с нижних этажей — посмотреть, чего тут мужики понаделали.

И как посмотрели, так и ну уговаривать сделать им такую же красоту.

Тут у Красногорского проснулась коммерческая сметка.

— Так, — сказал он, — сделать-то можно, только это денег будет стоить.

— А сколько? — спросили соседи.

— Надо посмотреть и посчитать.

Хотя все ведь понятно — девяносто девятый год, у работящих простых людей какие капиталы и заначки? Живут все от зарплаты до зарплаты в лучшем случае, если ее выплачивают, ту зарплату.

Но жить-то все равно как-то надо, и ремонт сделать тоже надо.

Сделал Артем уже сам, без помощи отца, и ремонт, и кое-какую мебель соседям, потихоньку, за несколько месяцев, вечерами после учебы ковыряясь в гараже. И заработал небольшую, но все же денежку.

А тут одна мамина подруга, побывавшая у Красногорских в гостях, все восхищалась их новым кухонным гарнитуром, а как узнала, что это Артем сам, своими руками сделал, так и дар речи потеряла, все поверить никак не могла.

И, находясь под впечатлением от его работы, порекомендовала Красногорского-младшего своей хорошей знакомой, которая как раз собиралась менять мебель на кухне, ходила по магазинам, выбирала, да все ей дороговато выходило, вот она ей и предложила Артема.

И что — сделал и заработал.

За тем заказом пришел следующий — работало сарафанное радио, без инетов обходились.

Артем просто попал в нужное время в необходимую ценовую категорию добротной, качественной и недорогой мебели, да еще и с гарантией.

Так и пошло у него понемногу дело, пригласил в помощники парнишку одного, однокурсника. Тому всего только восемнадцать исполнилось, а парень головастый, очень талантливый. Живет вдвоем с мамой, та зарабатывает немного, еле концы с концами сводят, вот Артем его и позвал подрабатывать. Заодно и мышцы подкачает, и силы наберется, с их-то работой.

А Лидия Архиповна как увидела первый раз Женьку, так тут же взяла паренька под свою опеку и все подкармливала, вроде как невзначай. Зайдет несколько раз к ним в гараж, где они работают, то что-нибудь к чаю принесет, то горячий ужин.

Через годик нашел Артем по объявлению профессионального столяра, пригласил поработать. Присмотрелся, проверил через знакомого в милиции все его данные. Сработались. Так втроем и трудились, отец частенько помогал в охотку и с радостью, когда заказов многовато набиралось.

Справлялись. Но понимал Артем, что эта кустарщина гаражная не может продлиться долго, да и не должна. Это в первое время, пока осматривались на этом этапе, пока притирались к делу и осваивались, ничего, а теперь неизбежно надо решать, куда двигаться дальше — либо развивать дело всерьез, либо оставить на уровне подработки, эдакой артели, и не более того.

Он выбрал вариант номер один.

Тут еще Борис Анатольевич очень помог — во-первых, с помещением, договорившись с дирекцией своего завода на добротный пустующий цех, который начальство и так думало в аренду сдавать, да пока не определилось кому. Но Борису Анатольевичу, как человеку важному и своему, за очень симпатичную плату отдали.

Тогда уж что, раз такое дело? Оформил Красногорский свою фирму, занял-перезанял деньжат у всех знакомых родителей и своих друзей, да еще и кредит взял, закупил оборудование, материалы, прошел все положенные инстанции, договорился с бухгалтером заводским, что она его фирму вести будет частным образом, без отрыва от основного производства.

И начал свое дело.

И как-то оно пошло, как ни странно. Вроде и люди тогда очень сложно жили, если брать тот сектор, на который он ориентировался в своей продукции, а вот покупали его мебель. Да и на самом деле цены у него были очень хорошие, приемлемые, при гарантированном качестве.

За что, кстати, пришлось и по мордасам схлопотать от конкурентов в этом бизнесе с предупреждением о возможном членовредительстве, если он не уймется.

Да не унялся — идите вы... в прокуратуру.

Заявление на них написал, подтвержденное свидетелями.

Пару раз еще пришлось выдержать наезд, уже без мордобоя, в основном угрозы, но обошлось.

Да и сгинули те конкуренты быстро — разорились или поменяли вид деятельности, бог знает.

И вот как-то оно пошло и пошло, к концу учебы в университете так Артем уж и раскрутился, и на ноги встал, и имел далеко идущие планы.

— Двадцать лет прошло с того моего первого кухонного гарнитура, — с некой ностальгической ноткой произнес, улыбаясь, Красногорский. — Как подумаю, удивляюсь порой несказанно, как это я сотворил эдакую красоту, — признался он. — Так и не состоялась моя работа в ракетной инженерии, а Женька — тот после окончания университета как раз, наоборот, ушел от меня и такую карьеру сделал — ого-го, сейчас один из ведущих засекреченных специалистов.

— А ты так мебелью и занимаешься? — спросила Арина, увлеченная его рассказом.

— Да, так и занимаюсь, — посмотрел на нее, улыбаясь, Артем. — Теперь у меня производство в Подмосковье, делаем мебель разной ценовой категории и уровня, паркет делаем, оконные рамы, и садовую, и даже парковую мебель. Недавно, кстати, большой заказ от Москвы был как раз на парковую мебель.

— А вот та красавица столешница на веранде, сделанная из цельного куска дерева, — это ваша? — высказала догадку Арина, показав пальцем себе за спину.

— Наша, — кивнул Артем не без отеческой гордости, — редкой породы дуб. В доме почти вся мебель сделана на нашем производстве.

— Да ты что? — откровенно поразилась Арина. — Классно. Здорово. И ты что, делаешь мебель сам?

— Нет, — улыбнулся такой ее непосредственной реакции Артем, — сам я уже давно мебель не делаю, а только руковожу и управляю своей фирмой, у меня для этого дела специалисты знатные имеются. Кстати, бывшего старшину и учителя Ивана Ильича я переманил к себе, вместе с семьей переехать уговорил, живут рядом с производством в поселке. Доволен, работает. Мне нравится дело, которым я занимаюсь, как говорится, «не Газпром, конечно, но мечты тоже сбываются».

— У тебя один цех? — все выспрашивала с интересом Арина и вдруг сообразила, что машина уже какое-то время стоит. — А что мы стоим?

— Приехали. — Артем кивком указал на двери ее подъезда, усмехнувшись явному разочарованию, промелькнувшему на лице девушки, и ответил: — Цех у меня не один, а несколько. Один офис там же, на производстве, а второй в Москве, в котором в основном сижу я, как главный гриб, ну и менеджеры с бухгалтерией.

— Пошли позавтракаем? — отстегивая ремень, привычно пригласила Арина.

— Нет, сегодня не могу, — отказался Красногорский.

— Ну тогда что? — немного растерялась Арина. — Тогда пока?

— Пока, — кивнул Артем, всем своим видом показав, что торопится, даже на ручные часы посмотрел как бы мельком и не так чтобы демонстративно, но Арина, конечно, заметила и принялась с излишней поспешностью выбираться из машины. Выскочила, захлопнула за собой дверцу, еще раз попрощалась и махнула рукой.

Потягивая кофе, Арина размышляла над некоторыми странностями, даже не странностями, а... как бы это определить?

С самого утра она чувствовала в Красногорском некую напряженность, даже и не с утра, пожалуй, а с вечера, когда он помогал ей переодевать спавшего Матвея, а потом как-то быстро и скомканно попрощался и резко ушел.

А утром ей показалось, что они вернулись к общению первых дней знакомства — он холодновато-уважительно отстранен и закрыт, как элитный клуб для простых посетителей, а она все продолжает гадать, что так строго охраняет в себе этот мужчина.

Вроде бы они уже пришли к достаточной степени доверия и открытости, она даже вон рассказала о своих родителях, на тему которых ни с кем, кроме бабули, никогда не разговаривала, а с Артемом внезапно поделилась. И вышло это так естественно и легко как-то, без душевного напряга и дискомфорта, словно было единственно верным и правильным. Да и Артем раскрылся и поделился очень личным. Она же видела, понимала, что он рассказывает ей то, что вряд ли с кем-то обсуждает, словно сам себе признавался первый раз в своих мыслях и чувствах.

И вдруг... Что-то витало сегодня над ними в машине, какая-то напряженность, и Арина чувствовала отстраненность мужчины и какую-то возникшую натянутость.

А потом Красногорский вдруг, как по щелчку — раз, — снова принялся расспрашивать ее о работе, как и прежде, с большим, неподдельным интересом и душевным расположением.

И что с ним такое сегодня случилось? Непо-ня-я-ятно...

Артем вполне мог задержаться и на завтрак, и на поболтать, мало того, стоило ему отъехать от дома Арины, как, по известному закону Мерфи, как-то захотелось, да и сонливость от недосыпа накатывала, и он реально прямо-таки почувствовал во рту вкус фирменного, неповторимого кофе, который делала Арина.

Но Красногорский не мог остаться позавтракать и еще о чем-то мирно беседовать. Ему и так было непросто поддерживать их дружеский разговор в машине, сохраняя легкий, нейтральный тон.

Он был ошеломлен и потрясен.

То, что он испытал, пережил вчера, стало для Артема настолько мощным душевным откровением, настолько невероятным открытием в себе по-настоящему отцовских чувств к Матвею, что первый раз в жизни Красногорский терялся и не понимал, что делать и как теперь жить с этими чувствами и со своим желанием защищать, оберегать, любить малыша и находиться рядом с ним.

Полдороги он не знал, как разговаривать с Ариной в свете тех чувств, что испытывает к ее ребенку, потом все же, мысленно надавав себе тумаков, начал расспрашивать ее о работе, да и сам не без удовольствия и самоиронии рассказал о своем становлении в бизнесе. Но каждый раз, когда он поворачивал голову и смотрел на нее, непроизвольно в голове у него возникала мысль, что она мама Матвея.

Что с этим делать, Артем пока не понимал.

Рабочая неделя для Арины пролетела невероятно быстро, хоть и была загружена сверх всякой меры делами, заботами и кондитерским творчеством, к тому же пришлось самой стоять на производстве — Глеб с Аленой отдыхали на морях и должны были вернуться в воскресенье вечером.

Но мысли Арины, как, впрочем, и все предыдущие недели и дни с момента знакомства с господином Красногорским, были заняты именно им. Она бесконечно прокручивала в воспоминаниях слова и фразы из их разговоров, его реакции, его движения, как он посмотрел, как вздохнул и повернул голову, как улыбался и смеялся, как чесал задумчиво бровь...

Она вся была переполнена мыслями, ожиданиями и чувствами к этому мужчине и понимала, что подошла к некой черте, за которой принимается решение.

Какое?

Любое, но решение. Они уже нагулялись, наговорились, наобщались на все возможные и допустимые «предварительные» беседы, дальше начинаются дела.

Арина точно знала, что она готова переступать эту черту и двигаться вперед. А вот готов ли Артем? Что-то она неуверена.

Вот и ехала в электричке в пятницу вечером и все крутила в голове эти мысли, от которых ее бросало в жар и дрожь возбуждения, когда думалось-представлялось ей, что да! Что все у них может получиться, и уже в эти выходные. Или вдруг представляла себе, *как это может у них получиться*, и становилось невозможно дышать, и кровь приливала к лицу, и екало, замирая, сердце....

Красногорский так ничего и не решил для себя за эти дни — как справляться с внезапно проснувшимся чувством отцовства и нужно ли это делать вообще.

Махнув рукой на все эти вопросы, он поехал в субботу утром на дачу, сказав себе, что будет решать проблему по мере развития и поступления новых вводных.

Проблема возникла сразу же, стоило Артему приехать в поселок. Выяснилось, что на них свалилась неожиданная удача — у маминой близкой подруги заболели внуки, у которых именно на сегодняшний день имелись билеты в супер-пупер аквапарк с какими-то невероятными горками и водными эффектами. И эта самая бабушка заболевших внуков предложила билеты Лидии Архиповне, ну не пропадать же такому добру.

Потчуя хозяина завтраком, все домочадцы, не считая Степана Сергеевича, гомонили на разные голоса, объясняя ему суть вопроса и великолепие выпавшей на их долю удачи. Матвей с Вовкой, в то время пока Арина с Анной Григорьевной объясняли Артему, где находится этот самый аквапарк, стояли навытяжку плечом к плечу и молча смотрели на Красногорского голодными глазами. Так смотрят дети, не евшие как минимум три дня, на дядечку барина, который с аппетитом поглощает бутербродик с икоркой, заедая его ананасами, рябчиками и прочими буржуйскими деликатесами.

Два таких шрековских котика из мультика.

Причем молча смотрели. Не произнося ни звука.

Артем боялся, что захлебнется кофе и подавится творогом, если начнет смеяться.

— Вы хотите поехать? — спросил он пацанов.

Матвей, прикрыв глаза от избытка чувств, начал медленно, с большим значением крутить головой из стороны в сторону и так же медленно, с не меньшим значением, приложил ладошку к груди и произнес, старательно выговаривая каждое слово:

— Мы очень, очень, очень хотим поехать в аквапарк.

— Тогда почему вы еще здесь стоите? — спокойно спросил у него Артем, уже привычно прилагая усилие, чтобы не улыбаться.

— А где нам стоять, дядь Артем? — осторожно поинтересовался Вовка.

— С вещами у машины, — сказал Красногорский.

Надо было видеть реакцию пацанов — сначала на их рожицах отразилось непонимание и удивление, потом глазенки мальчишек расширились и лица засияли неподдельным восторгом и небывалым восхищением...

— Мама! — заорал вдруг Матвей. — Где мои плавки?!

И рванул в свою комнату с низкого старта, а за ним Вовка. Но вдруг Матюшка, не снижая скорости, на бегу развернулся, вернулся к столу, забрался с разбегу к Артему на колени, ухватил руками его лицо и клятвенно пообещал:

— Ты не пожалеешь, дядь Артем! Вот увидишь! — И, чмокнув горячими губами в щеку, мгновенно скатился с его колен на пол, снова ринувшись в свою комнату.

— Пожалеешь еще как, — пообещала Красногорскому Арина и напомнила: — Ты вообще представляешь, на что подписываешься, и масштаб операции? Ведь нам с тобой предстоит носиться за этими орлами по всем аттракционам, горкам и волнам, не бабушки же это будут делать.

— Прорвемся, — беспечно махнул рукой Красногорский.

Он вообще-то в данный момент и говорить толком не мог, так его проняло от этих смотревших на него с обожанием и восторгом глаз ребенка, от его безграничной радости и мокрого благодарного поцелуя в щеку.

Это что-то... непередаваемое...

Ну насчет «прорвемся» Артем Борисович явно погорячился по незнанию предмета. Эти двое пацанов укатали их с Ариной так, в том парке, что к машине они шли, еле волоча ноги.

Что только не вытворяли эти два диких туземца на горках и бесконечных аттракционах, куда только не залезали, да еще орали-верещали восторженно!

Чистейший, неподдельный детский восторг, помноженный на бушующую энергию броуновского движения. И Артем с Ариной за ними — а по всем горкам, спускам, канатам, детским городкам, под полив из бочки, и все на полусогнутых, с вытянутыми руками — вовремя поймать, подхватить, остановить, выдернуть, вытащить, вытереть, удержать, пока не прогреются и не высохнут, в клювик еды-питья засунуть и с новыми силами — по горкам, пригоркам, волнам, водным шквалам, сеткам, качелям.

Ухайдохались по полной программе.

Дети, без вариантов, заснули сразу же, пока Артем только выезжал с парковки центра, бабульки чуть позже, когда уж свернули с МКАДа на шоссе по их направлению.

А Арина, сидевшая на переднем сиденье, бодрилась как могла, чтобы не заснуть, и, как верная боевая подруга, составляла компанию Артему, ведущему машину.

Было совсем темно, тихонько наигрывала приятная музыка из приемника, они ехали и молчали.

И возникло такое странное, такое удивительное чувство какого-то волшебного единения, словно они едут одни и никого вокруг. И эта ночь, эта музыка, эта пустая дорога создавала между ними какую-то особую, тонкую связь — красивую, чувственную...

И спят на заднем сиденье мама и бабушка, уложив на колени головки спящих детей, и они едут и едут... И такая теплота, такое простое тихое счастье разливается внутри.

Когда они съехали с шоссе на дорогу, ведущую в поселок, начал накрапывать дождь, а когда подъехали к участку Степана Сергеевича и Артем отнес в дом спящего Вовку, то дождь уже лил конкретно как из ведра.

Лидия Архиповна и Анна Григорьевна, попрощавшись с Артемом и Ариной, сразу же разошлись по своим комнатам умываться и укладываться спать, обессиленные не меньше Артема с Ариной.

Красногорский отнес Матвея в его комнату, они с Ариной быстро и сноровисто переодели малыша в ночную пижамку и встали над ним, замерев ненадолго, глядя, как безмятежно спит это веснушатое чудо, улыбаясь во сне.

Выйдя из комнаты, Артем устало заявил:

— На веранду сидеть не пойдем. С меня на сегодня воды более чем достаточно.

— Ну хорошо, — согласилась Арина. — Тогда что? Спокойной ночи.

— Знаешь, я думаю, что по бокалу вина мы с тобой сегодня определенно заслужили, — философским тоном произнес Артем. — Более того, считаю, что нам это просто необходимо. Лично меня эти два сгустка неконтролируемой энергии укатали по полной. Даже представить не мог, что такое возможно.

— Меня тоже укатали, но я привыкла, — легко рассмеялась Арина.

— Ну так что? По бокалу?

— А давай, — разудало махнула она.

Артем достал из винотеки, находившейся в кладовке цокольного этажа, бутылочку французского шато и, показав этикетку, спросил Арину:

— Как насчет сухого шато?

— Да положительно.

— Тогда пошли наверх.

На втором этаже и выше, в небольшой мансарде под крышей третьего этажа, находилось пространство Артема. Большая спальная комната посередине, из которой имелся выход на широкий квадратный балкон, с прикрывавшей его маркизой. Балкон являлся одновременно крышей над верандой первого этажа, выходившей на задний двор, и с него открывался прекрасный вид на лес и дальнее поле за ним.

Одна дверь из коридора и вторая из спальни вели в просторную, шикарную ванную комнату с отгороженной туалетной зоной. С другой стороны от спальни была небольшая гостевая комната. Напротив, через коридор, находился кабинет, дальше по коридору было устроено небольшое открытое простран-

ство, что-то вроде гостиной с низким, длинным, вдоль всей стены, широким диваном, с мини-кухней, баром и посудным шкафом со стеклянными дверцами.

А небольшая и невысокая мансарда на третьем этаже представляла собой одно сплошное помещение без перегородок, приспособленное под комнату отдыха, для посиделок с гостями, с кучей переносных кресел-подушек, с кинотеатром, бильярдным столом и мини-баром. И из окон мансарды открывался великолепный панорамный вид.

В общем, такой отдельный мужской дом в доме.

Уютно, комфортно, удобно, выдержано в стиле минимализма.

В мансарду они не пошли, да ну на фиг подниматься по крутой лестнице, зачем. Расположились в гостиной на втором этаже, Артем открыл бутылку вина, Арина выставила на журнальный столик у дивана легкую закусочку, которую они прихватили из кухни. Достав из шкафа два бокала, Артем устало опустился рядом с девушкой на диван, протянув ей один из них.

— Сегодня обойдемся без декантера, по-простецки, — констатировал он.

— Да бог с ним, — согласилась Арина, — с декантером тем, не нужно.

— Это точно! — усмехнулся Красногорский, налил в бокалы вина, поднял свой и предложил тост: — За героически пройденный аквапарк.

— Ура, — поддержала Арина и чокнулась с ним: дзвинь-дзвинь.

Отпили по доброму глотку вина, откинулись на спинку дивана, наконец-то по-настоящему расслабляясь, посмотрели друг на друга и рассмеялись. Молча чокнулись еще раз и сделали еще по паре глотков.

— М-м-да, — поделился впечатлениями Артем, — никогда не думал, что погоня за детьми так выматывает.

— Ты еще не видел, что Матвей вытворял, когда начал ходить в девять месяцев, — усмехнулась Арина, — вернее, сразу бегать. Ты что, будет он ходить, это ж медленно и неинтересно. Это просто караул какой-то был сплошной. Представь, носится по квартире шустрый ребенок, а я за ним. Добежал до ящиков, шурух, с ходу открыл, ручку сунул, что-то выхватил, посмотрел, выкинул — не надо! Дальше побежал, пока я все подняла, положила обратно, закрыла ящик, он уже успел пару кругов в другой комнате навернуть, вытащив попутно и там все, до чего дотянулся. Это ему тоже оказалось не надо. В кухне приноровился табурет подвигать, куда ему требовалось, залезать на него и смотреть хозяйским взглядом, что там есть на столе и столешнице кухонной. Надо ж проверить, навести порядок, по ходу попробовав, надкусив, лизнув, понюхав все, что мы недальновидно не попрятали и не убрали, быстро-быстро так слезть и бежать дальше. И так весь день, с перерывом на дневной сон. Прогулки на улице не в счет, там свое «разгуляево» происходило, не менее масштабное и скоростное.

— Жесть, — представил себе Артем. — Весело вам было.

— Да обхохочешься, сплошной спорт и физкультура, — посмеялась Арина.

— Ну, за Матвея, — предложил новый тост Артем, — великого исследователя жизни.

— Давай, — поддержала Арина.

Чокнулись, отпили. Помолчали, задумавшись каждый о своем.

— Слушай, — спросила вдруг Арина, — а ты видел, что гости с дня рождения Степана Сергеевича про шланг в «Инстаграме»-то выложили?

— А они что — выложили? — поразился Красногорский.

— Ты не видел? — весело сверкнув глазами, удивилась девушка.

Поставила бокал, взяла свой смартфон и начала искать нужный ролик.

— Там есть все мы, причем с того момента, как первым прибежал Степан Сергеевич, они еще и музычку клево наложили, очень здорово получилось. Вот, смотри. И назвали-то, как обещали: «Деда, мы шланг поймали!»

Хохотать они начали сразу, поскольку удержаться было совершенно невозможно, особенно в тот момент, когда Степан Сергеевич «восстает» из грядок... Ролик давно закончился, а они все никак не могли остановиться, умирая со смеху.

— А как их... — заливалась хохотом Арина и помахала рукой туда-сюда, — этим шлангом... Из стороны в сторону... а Во-овка... «Э-эта пипка га-а-адская не крутится!» Ой, не могу, — простонала она, заваливаясь на бок.

— Да-а уж... — вторил ей Артем, утирая слезы, навернувшиеся на глаза, — я за всю жизнь столько не смеялся, сколько за время знакомства с Матвеем и его дружком.

— Ох, — перевела дыхание Арина. — У него такой же дружок, как Вовка, и в садике имеется, и у нас во дворе. Так что наша с бабушкой жизнь — это бесконечная комедия положений и спасательных операций с ликвидацией последствий.

— Это точно, — повторил Красногорский, — комедия положений.

Он глянул на нее странным, задумчивым взглядом и вдруг как-то враз придвинулся, взял в руки девичье лицо, всмотрелся близко-близко в ее глаза и поцеловал.

И они целовались, безвозвратно пропадая в этом поцелуе....

Долго, продленно, самозабвенно, невероятно.... У Артема словно крышу снесло, и он разом потерял контроль над собой.

Господи, ему сорок лет, он перецеловал за свою жизнь... не важно, скольких он перецеловал, но он даже не представлял, что поцелуй с женщиной может быть таким...

Таким упоительным, таким сводящим с ума, таким страстным и глубоким, который сам по себе являлся потрясающим актом любви!

И он целовал и целовал ее, постанывая, прижимая к себе, порываясь что-то сказать и отказываясь от всяких слов, ради которых надо было прервать то волшебство, что между ними происходило.

Но прерваться все равно пришлось, чтобы все же сказать что-то... И самому не слышать и не понимать, что говорит и объясняет, срывая с себя одежду и помогая раздеться ей.

И снова что-то шептать, и гладить, восхищаясь линиями ее тела, горячей шелковистой кожей, зарываться руками в ее разметавшуюся, непокорную гриву волос, заглядывая совсем близко в эти потусторонние темно-синие глазищи... И снова отдаться поцелую, уносящему остатки разума, и медленно входить в нее, переживая, как целую жизнь, каждую секунду их первого соединения...

И нестись вперед, держа горячее, рвущееся ему навстречу женское тело в руках, стонать, рычать, задыхаться от высоты великолепного, потрясающего оргазма... И на какой-то краткий миг остаться вдвоем где-то там, высоко-высоко, куда закинуло их... Всего на краткий, бесконечный миг.

Артем не хотел выпускать девушку из объятий, из кольца своих рук, так и перевернулся вместе с ней, немного неуклюже на пусть и широком и удобном, но все же узком для двоих диване, и уложил, пристроил поверх себя. Отчего-то ему казалось, что стоит разомкнуть объятия и выпустить ее, как вместе с ней исчезнет и то невероятное, поразительное чувство высшего, небывалого удовольствия, когда душа сливается с телом.

Да бог знает, что там ему почудилось, но то офигительное потрясение и оргазм, которого он достиг с ней, совершенно определенно был, пожалуй, на порядок выше всего того, что он испытывал в своей мужской жизни.

А в ней много чего бывало разного: и хорошего, и не очень, и такие страсти случались, что как он ноги унес — большой вопрос.

Но это... это фантастика какая-то! Космос!

И он лежал, прижимая к себе ее горячее, чуть влажное от любовной испарины тело, вдыхал ее неповторимый запах, смешавшийся с запахом их соединения, медленно поглаживая ее по спине, постепенно отходя от наивысшего удовольствия, плавно переходившего в состояние какого-то теплого блаженства. И ему казалось, что он постиг, ухватил всего на какой-то невероятный миг нечто высокое, неуловимое и недоступное...

И такое это было сча-а-астье-е-е...

— Я бы все же накрылась чем-то, — остановила Арина своим жарким шепотом приятное, незаметное скатывание Артема в сладкую дрему.

— Ты замерзла? — встрепенулся он, пробуждаясь из легкого забытья.

— Пока только одной выступающей частью тела, — улыбнулась девушка.

И он тут же положил обе свои большие ладони ей на попку.

— Да, поостыли, — усмехнулся Артем и предложил: — Давай перебираться в кровать.

В спальной Красногорский сразу же распахнул обе створки дверей, выходивших на веранду, и в комнату ворвался холодок и мерный, дробный стук дождя по деревянным плашкам и листьям деревьев. Пахнуло мокрой землей и зеленью, откуда-то издалека донесся еле слышный ленивый собачий лай, лишь подчеркивавший необыкновенную, торжественную тишину ночи.

— Почему так фантастически у нас вышло? — спросил Артем, нырнув под одеяло к Арине, сразу же обняв ее и прижав к своему прохладному телу.

Пока он переносил девушку на руках в комнату, пока принес вино и закуски, успел немного озябнуть.

— Может, потому, что я так долго тебя хотел? — предположил он горячим шепотом, прочертив короткими поцелуями дорожку на ее стройной шейке.

— А ты меня хотел? — таким же горячим шепотом спросила Арина.

— Еще как! — уверил мужчина и повторил: — Еще как. С первого дня, как увидел, хотел ужасно. И все сильнее и сильнее с каждым разом.

— Что ж ты так затянул с соблазнением? — игриво поинтересовалась девушка.

— Да вот, старею, видимо, хватку теряю, вот так и получилось, — признался он с наигранным вздохом.

— Ка-а-ак?.. — эротичным голосом спросила она, ловя его губы и целуя их.

— Да вот так, — решительно перехватил инициативу Красногорский.

И они уже падали в новый поцелуй, выносящий за рамки сознания, в поле бесконечной чувственности.

Только чувственности и полуобморочного кайфа...

И, подчиняясь воле мужчины, ведущего за собой, Арина отдавалась ему до самого дна, полностью, без остатка и выгибалась дугой, когда он вошел в нее одним длинным, мощным движением, переживая сразу же наивысшее наслаждение, и громко стонала, принимая его неистовство, и растворялась, растворялась в их полном соединении...

Так бывает, если очень повезет, так бывает, как бы вы ни боялись в это поверить, так бывает, если вы отпустили всякий страх...

Они долго лежали, не меняя позы, не размыкая объятий, переживая остаточный, затухающий оргазм, захвативший обоих, каждый чувствуя нечто непередаваемое, и слушали дождь, разбивавший черную тишину ночи. И было в этом их лежании что-то большое, важное, столь же значимое и сильное, как только что пережитое невероятное удовольствие.

И, испытывая в груди дрожь восторга от резонанса с той высотой, на которую поднялась, Арина произнесла тихим проникновенным голосом:

— Люблю тебя. Я люблю тебя, Артем Красногорский. Полюбила сразу, как только увидела. — Помолчала и добавила с улыбкой (он услышал эту теплую, легкую улыбку у нее на губах): — С пресловутого первого взгляда. Сразу и как-то безысходно.

Он не ответил. Приподнялся на локтях и поцеловал долгим, благодарным поцелуем. Оторвался от ее губ, всмотрелся ей в лицо и предложил:

— Давай выпьем?

— Давай, — согласилась девушка, улыбаясь через набежавшие от чувств слезы.

Быстренько поцеловав ее в губы, он поднялся, наполнил их бокалы, стоявшие на тумбочке у кровати, передал Арине один из них, снова забрался в кровать, устроившись рядом, но поверх одеяла, звякнул бокалом о бокал без всяких тостов, отпил вина и задумчиво посмотрел в окно.

— Знаешь, — через какое-то время произнес Красногорский, — я не представляю, как это объяснить и бывает ли у кого-то так, как произошло со мной, но я чувствую такую настоящую, такую сильную отцовскую любовь к Матвею, что меня это даже пугает.

— Почему пугает? — шепотом спросила Арина.

— Потому что это странное и очень сильное чувство, — совершенно откровенно признался Артем. — Я давно хотел иметь детей, семью. Лет десять назад, когда умер отец, я все думал, смог бы я стать таким настоящим отцом для своих детей, каким был он. И как-то вдруг понял, что быть отцом для меня важно и необходимо. Но первый раз в жизни я по-настоящему испытал, что это такое, держа на руках спящего Матюшку. Вдруг почувствовал поразительную нежность и страх за него, даже дышать стало тяжело.

— Ты привыкнешь, — тихо произнесла Арина. — Любовь к ребенку и страх за него — это просто есть, и все. Постоянные чувства, которые уже никогда никуда не денутся, как и желание защитить, закрыть собой от любой напасти, отдать ему самое лучшее и сделать все для его счастья. И ты живешь с этим, как дышишь, и все.

— И все, — повторил он за ней задумчиво и сделал глоток вина.

Молчали. Дождь торжественно и монотонно отбивал свою дробь по деревянному настилу веранды, собака давно перестала лаять, видимо, высказав миру все, что о нем думала, дом тихонько «дышал», издавая еле слышимые разнообразные поскрипывания и легкие вздохи.

— Мне надо идти, — разбила Арина тишину тихим шепотом, отставив бокал на тумбочку.

— Нет-нет, — опомнился Артем. — Куда идти? Что ты?

Быстро отставив бокал, он перекатился на нее и прошептал сексуальным голосом:

— Я хочу целовать тебя. Долго, нежно, без остановки, пока ты не потеряешь голову.

И воплотил все перечисленное в жизнь.

Но ранним утром, когда едва забрезжил рассвет, Арина все же ушла в свою комнату.

— Останься, не уходи, — уговаривал сонным голосом Артем. — Так сладко спать с тобой под бочком. Ты такая мягенькая, горячая и так славно пахнешь.

— Не могу. Когда Матвей просыпается, первым делом бежит ко мне в кровать. Да и все поймут и увидят...

— Пусть увидят и поймут, — из чистой вредности лениво возражал Артем, засыпая.

— Пусть, — согласилась с ним Арина, поцеловала легким прощальным поцелуем уже заснувшего мужчину и тихо вышла из комнаты.

Красногорский проснулся с чувством потрясающе приятной истомы и отголосками полного мужского удовлетворения во всем теле.

А что бы ему этого не чувствовать?

То, что было у них с Ариной, это... Да охренительно у них было! Чистый, фантастический улет!

Артема проняло так, что он до сих пор ощущал сладкое послевкусие последнего их оргазма в чуть гудящих той самой приятной усталостью мышцах. А когда услужливая память подкинула особо яркие и сильные моменты их близости, горячая волна мгновенно прокатила по всему телу, и захотелось немедленно вернуть девушку Арину в свою постель и повторить кое-что из тех самых ярких воспоминаний...

Но эротические мечты Красногорского ощутимо притушило, когда он вспомнил о своем ночном откровенном признании про внезапно пробудившиеся сильные отцовские чувства к Матвею.

Вот на кой, спрашивается, разоткровенничался, досадовал он. Что его пробило-то на откровения? Он и самому-то себе до конца не мог объяснить, что с ним случилось и почему так произошло, и приноровиться к этим чувствам пока не успел, а взялся, видишь ли, признаваться Арине.

Но даже эта досада на самого себя не смогла притупить ощущение потрясающего послевкусия, которое наступает только после по-настоящему классного секса.

А их с Ариной секс не был просто классным. Это было... да хер знает, как офигительно это было!

Ладно, надо выбираться из постели, вон доносятся звуки давно проснувшегося дома, да и поселка в целом.

Кстати, а это сколько же у нас времени? Ого! А ничего он так, не хило соснул, наверное, самым последним встанет.

Оказалось, нет, не последним, буквально за десять минут до него в кухню пришла Арина, проснувшаяся ненамного раньше Артема.

Старшие дамы даже и мысли не допустили будить их обоих, посчитав, что молодежь так умаялась «отдыхать» в том аквапарке, что пусть себе спят сколько угодно, хоть до утра понедельника. К тому же где же еще и отдыхать напряженно работающим людям, как не на даче?

Артем с Ариной завтракали, заговорщицки обмениваясь красноречивыми взглядами и улыбками, когда считали, что на них никто не смотрит. Впрочем, никто и не смотрел — день сегодня с самого утра стоял шикарный: солнечный, по-настоящему жаркий, да так, что земля успела подсохнуть после дождя, шедшего всю ночь, правда, лужи остались, но это-то ерунда. И все домашние находились на участке по случаю такого прекрасного солнечного денечка, редкого для нынешнего лета.

— Какие на сегодня планы? — спросила Арина и слегка покраснела, когда Красногорский с большим значением приподнял одну бровь в ответ на оказавшийся провокационным при всей его невинности вопрос.

— Помимо самых главных? — уточнил он с явным намеком.

— Помимо них, — поджав от веселья губы, кивнула Арина.

— Ну... — начал было Артем.

Но вся особенная прекрасная расслабленность утра выходного дня после великолепной жаркой сексуальной ночи была безжалостно порушена ворвавшимся перепуганным Степаном Сергеевичем.

— Ребята! — взмолился он с порога. — Ох, боюсь, беда у нас приключилась!

175

— Что? — в момент собравшись, деловито и строго спросил Артем. Куда только делась вся его медлительная леность вкупе с сексуальностью и настроем на эротические игры.

— Да Вовку щас мыл от грязи, ваш-то тоже весь уделался, это они на самокатах по лужам наяривали, — принялся торопливо объяснять встревоженный сосед, — так вот и нашел на ноге у него клеща. И такой непростой клещ-то, здоровый и цвет фиолетово-коричневый. Ой, ребята, боюсь, что энцефалитный клещ-то это! Я сам и вытаскивать не решился. Надо его в больницу вести, ребята! Выручайте.

— Спокойно, — начальственным тоном сказал Красногорский, и Сергеич замолчал, ощутимо взбодрившись при этом. — Так, Степан Сергеич, бери Вовку, свой паспорт, документы на пацана, если имеются таковые. Родителям пока не звони, нечего их волновать, пока все точно не выяснится, к тому же они на работе.

Родители Вовки работали по сменам на производстве, причем по разным: он в одном графике, она в другом, потому и приезжали на дачу редко, успевая дома лишь денек отдохнуть, денек дела поделать, и снова на работу.

— Ариш, ты с нами? — спросил Артем.

— Конечно, а как еще? Я быстро, пять минут!

И вот намучились же они с Вовкой и его клещом!

В районной поликлинике, куда они приехали спешным порядком, их не приняли, объяснив, что у них нет таких реагентов и такой аппаратуры в лаборатории, и отправили в областную поликлинику.

Пока доехали, пока выстояли очередь таких же потерпевших любителей отдыха на природе, пока

Вовке достали из ножки «подселенца» и выяснилось, что анализ будет готов только через несколько дней и никаких экспресс-анализов платно не делают...

Ждите. Ничего с ребенком не случится за это, а делать укол на всякий случай, как требовал перепуганный насмерть Степан Сергеевич, — только зазря нагружать организм ребенка ненужной химией.

Уставший от нервного напряжения взрослых, от поездок и поликлиник, от этих строгих тетенек-лаборантов, волнения деда, передавшегося ему, Вовка смотрел с тревогой, то и дело собираясь заплакать.

— Нет, так дело не пойдет, — решительно взялся успокаивать малыша Красногорский, — ты же смелый парень, победитель шланговых драконов, подумаешь, какой-то малюсенький клещ. Что он нам, соперник, что ли?

— Нет, не соперник, — твердо уверял Вовка и в подтверждение крутил головой.

— Вот именно, — похвалил его Артем, ну и поощрил, разумеется: — А давай-ка угостимся чем-нибудь вкусненьким для профилактики?

Пока они угощались «для профилактики», после которой сытый, успокоенный и довольный Вовка заснул прямо за столом в кафе, пока возвращались обратно, там и поздний вечер подобрался незаметно.

На ужин они опоздали, дамы было засуетились, ринувшись подогревать, ухаживать, но Арина с Артемом их остановили.

— Я сначала в душ, — объявила Арина, — есть пока не хочу. — И поинтересовалась, переводя взгляд с бабушки на Лидию Архиповну: — А вы чего такие уставшие и замученные? Матвей что-то выкинул?

— Да нет, Матюша как раз вел себя почти идеально, — призналась Анна Григорьевна, — просто мы что-то не рассчитали свои силы и перестарались с возней с грядками и в саду.

— Мам, — тут же мягко пожурил Артем, — мы же договаривались и, кажется, железно, что грядки-кусты и деревья не для того, чтобы упахаться, а в радость. По чуть-чуть, легко и без фанатизма.

— Да так, Артемушка, получилось, — оправдывалась Лидия Архиповна, — денек уж больно хороший выдался, и надо было убрать после дождя, и все в порядок привести, вот мы с Аней и увлеклись.

— Ладно, что уж теперь сетовать, — прервала разговоры Анна Григорьевна, — пойдем мы спать-отдыхать. Да и вы не задерживайтесь, небось устали, а вам завтра вставать ни свет ни заря.

Ладно, и впрямь, чего уж теперь удручаться попусту.

Дамы ушли в свои комнаты, Арина с Артемом, приняв душ каждый в своей части дома, и встретились на кухне.

Пусть и поздновато для ужина, но и пофиг, только вот поесть им сразу не удалось. Сразу у них случился поцелуй... затянувший в сладкий, горячий, обещающий омут.

И Артем заставил себя оторваться от губ Арины, ухватил ее за руку, молча увлек за собой, почти бегом поднялся по лестнице, в три огромных шага преодолел коридор до спальни, хлопком закрыв за собой дверь. И — быстрее, быстрее — поцелуй до полуобморока, одежда, сорванная и улетевшая в ночь, горячие губы, шальные слова, произнесенные жарким шепотом, горячие руки, прохладная простыня, принявшая их пылающие от желания

тела... И все, все! Он в ней, с ней, вокруг нее, внутри ее тела...

Поднялись, взорвались на пике... и в полном бессилии спланировали в сон.

Непонятно отчего Арина внезапно проснулась посреди ночи, в самый ее темный час, не сразу сообразив, где находится, и, потянувшись рукой в ту сторону, где стояла возле ее кровати тумбочка, чтобы зажечь ночник, натолкнулась на горячее мужское тело и...

И придвинулась к нему, обняла, почувствовала его неповторимый запах, действующий на нее неизменно возбуждающе, придвинулась еще ближе и начала осторожно, тихонько целовать лицо, еле касаясь губами.

У мужчины изменился ритм и глубина дыхания, но он не двинулся, не повернулся, и Арина продолжила свое «путешествие», пройдясь губами по его шее от уха до ключицы, и двинулась дальше, с предосторожностью, медленно сместившись чуть ниже. И вдруг ее ухватили сильные руки и одним рывком уложили поверх его тела.

— Тебе бабушка не говорила, что надо опасаться спящего мужчины, а то он может и проснуться? — чуть хриповатым от сна и желания голосом спросил Артем.

И, не дождавшись ответа, накрыл ее губы своими.

И взорвалась ночь восторгом стремительного, истового соединения двух тел, переплетавшихся, берущих-отдающих, исступленно растворяющихся в возбуждении и страсти.

Они стонали, перекатывались, меняли позы и начинали все сначала, пока не достигли наивысшей точки единения вдвоем, одарившей их чувственным, слепящим взрывом...

И, обессиленные и опустошенные, снова провалились в сладостный сон.

Артем внезапно проснулся, резко и как-то в один момент, не понимая, что его разбудило. Что разбудило — непонятно, но проснулся он как-то очень уж конкретно, не чувствуя даже легкой сонливости, отчетливо понимая, что уже не заснет.

Было достаточно светло, солнце еще не встало, но небо уже на востоке светлело, птицы негромко гомонили, шуршала листва и пахло скошенной травой и сочными, спелыми грушами.

Красногорский повернул голову и посмотрел на девушку, спавшую у него на плече. На бархатистой, бледной коже ее лица проступали еле заметные веснушки, такие симпатичные, почти невидимые. Брови изгибались красивыми дугами, и алели полные, четко очерченные губы, опухшие от его страстных поцелуев, — не губы, а сплошное искушение. Буйные светлые волосы разметались по подушке и его руке, обнимавшей ее за талию, не отпуская от себя даже во сне.

В этот поразительный момент она вдруг увиделась ему невероятной красавицей — эфемерной и земной одновременно, — нежной, утонченной, как сказочная фея, и совершенно реальной, сексуальной, темпераментной и чувственной.

Артем с максимальной осторожностью медленно вытащил свою руку из-под ее головы, не удержался от невероятного притяжения, которое испытывал к ней, наклонился и поцеловал сначала в лоб, еле касаясь губами бархата кожи, а потом совсем легко в губы. Посмотрел на нее еще какое-то время, чувствуя что-то странное, щемящее в груди, и так же осторожно и медленно поднялся с кровати и прикрыл девушку одеялом.

Прихватив покрывало, завернувшись в него, как в римскую тогу, Артем вышел на веранду.

Было тихо, по-утреннему зябко и как-то торжественно и прекрасно от этой тишины просыпающейся природы.

Он глубоко вздохнул, задержал дыхание и медленно выдохнул.

Новый день, новая жизнь, новые реалии. Есть о чем подумать.

И он сел в плетенное из ротанга кресло возле круглого плетенного из того же ротанга стола. Смотрел вдаль, встречая утро, крепко задумавшись об этой самой новой жизни и ее новых реалиях.

Он настолько погрузился в свои размышления, что не услышал, как встала Арина, и слегка вздрогнул, когда за спиной раздался ее тихий, какой-то колдовской, невероятно эротический полушепот:

— Приве-ет, — с легким придыханием произнесла девушка и погладила его по голове, продлив движение рукой по шее до лопатки.

И от этого ее легкого касания у Артема пробежали мурашки по телу, мгновенно возбуждая его.

— Ты что не спишь? — тем же волшебным голосом спросила она, пройдя вперед и встав рядом с ним.

Артем улыбнулся — такая она была вся розовенькая от сна, с помятой от подушки правой щекой, с так и продолжавшими алеть от их неистовых поцелуев припухшими как-то по-детски губками. И ее буйная грива, взорвавшись тысячью оттенков-всполохов, расплескалась по ее плечам, груди и рукам. Завернувшись в одеяло, закрепленное на груди, босиком, Арина казалась маленькой волшебной чаровницей, вышедшей из леса, чтобы заняться с ним любовью и снова исчезнуть.

— Ты такая хорошенькая, что хочется зацеловать и затискать тебя до обморока, — заулыбался Артем.

И внезапным молниеносным движением, схватив стремительно за руку, притянул и усадил ее к себе на колени и тут же поцеловал.

— Вот теперь привет, — довольный произведенным эффектом, глядя на порозовевшие щечки девушки и сверкающие желанием глаза, поздоровался Артем.

— Совсем рано, — подставив солнцу лицо и прикрыв глаза, промурлыкала она своим медовым голосом, разморенная негой после сна и поцелуя. — Так почему ты здесь сидишь?

— Я думал, размышлял, — улыбался, любуясь ею, Артем.

— В такую рань? — открыв глаза, посмотрела на него девушка.

— В такую рань всегда лучше думается, — усмехнувшись ее сонливой разморенности, он поцеловал девушку в лоб.

— И о чем ты так напряженно думал в такое прекрасное утро? — все «мурлыкала» она сонным, еще более эротично-сладким голосом.

— Я думал... — не договорив, он посмотрел вдаль, захваченный какой-то мыслью.

Арина его не торопила, не задавала наводящих вопросов. Она и на самом деле еще наполовину спала, но другая ее половина чувствовала внутри жар разгорающегося возбуждения, и два этих противоположных состояния конфликтовали друг с другом.

— Ум-м-м, — потерлась она щекой о его грудь и положила на нее голову, отдаваясь приятной неге сонливости.

— Подожди, — окликнул ее Артем, поцеловав в волосы на макушке. — Не засыпай. Раз уж ты проснулась и пришла, давай поговорим.

— О чем? — Она села ровно и вопросительно посмотрела на него, удивившись его серьезности.

— О нас, — слишком решительно для такого часа начал Красногорский, но его было уже не остановить, он уже все решил, а когда он что-то решал, то начинал сразу же действовать: — Арин, нам надо пожениться.

Не ожидавшая ничего подобного, тем более в такой ранний, неурочный ни для чего, кроме занятий любовью или ленивого созерцания, час и в такой обстановке, Арина оторопела от столь сильного заявления.

— Ты уверен, что именно здесь и сейчас хочешь это обсуждать? — спросила она озадаченно.

— А почему нет? Даже романтично: раннее солнечное утро, тишина, птички поют, красота, — пожал плечами Красногорский и начал приводить аргументы в пользу своего предложения: — Смотри, нам очень хорошо вместе, и мы знаем друг о друге главное, не опасаясь никаких сюрпризов в виде жены-мужа-детей-долгов, и нам очень нравятся родственники друг друга. Мы интересны друг другу, и во многом наши взгляды, вкусы, интересы, желания и пристрастия совпадают. И есть Матвей, которому я буду хорошим, достойным отцом.

И, перечислив все пункты, он замолчал, выжидательно глядя на нее.

А Арина, у которой в момент испарилась вся дрема и всякое пробуждавшееся было возбуждение, смотрела на него немного ошарашенным взглядом и не спешила отвечать.

— Ты меня любишь? — помолчав, спросила она.

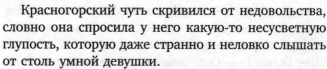

Красногорский чуть скривился от недовольства, словно она спросила у него какую-то несусветную глупость, которую даже странно и неловко слышать от столь умной девушки.

— Это все ерунда, Ариш, игры в слова, и не более, — объяснял он очевидные для него вещи. — Ты мне очень нравишься и невероятно притягиваешь, у меня от тебя совершенно сносит разум, я хочу тебя постоянно, и у нас с тобой просто фантастический секс. Ты удивительная и прекрасная, и я уважаю тебя как человека, как личность и как женщину, восхищаясь твоей силой, мудростью и нежностью, твоим чувством юмора и иронией. И это гораздо больше того, что я когда-либо испытывал к любой другой женщине за всю мою жизнь.

Какое-то время она внимательно разглядывала его в упор и молчала, напряженно о чем-то думая. А потом вздохнула и заговорила.

— Ты держишь все свои переживания, мысли и чувства под контролем. Всегда закрытый, немного отстраненный и холодноватый. Ты соблюдаешь дистанцию, даже не осознавая этого. И только занимаясь со мной любовью, ты первый раз позволил себе быть полностью откровенным и настоящим. И так искренне и честно разрешил себе признаться в любви к Матвею! — Она помолчала, напряженно глядя на него. — В Англии бытует такое выражение: «Во фраке невозможно ни драться, ни обниматься». Я не знаю, что произошло в твоей жизни и что заставило тебя сдерживать эмоции и прятать свои чувства, но даже сейчас, после страстной и потрясающей ночи, которая была у нас, ты снова закрылся и дистанцировался от меня, надев свой привычный фрак. Ты делаешь мне предложение и при этом не собираешься быть близким со мной не только телом, но и душой. Ведь ты меня не любишь, Артем, правда?

Они смотрели друг другу в глаза, и Арина с замиранием сердца ждала и надеялась, что он...

— Нет, — признался Красногорский, не отводя своего напряженного взгляда от ее глаз, — не люблю. Но это не главное. Нам по-настоящему хорошо вместе, и у нас будет прекрасная семья, а у Матвея любящий, родной отец. А чувства придут со временем. Большинство людей принимают страсть и сексуальное влечение за любовь и сходятся-женятся. Но сексуальное притяжение быстро проходит, и они обнаруживают, что совершенно чужие друг другу и неинтересные люди, а так называемая любовь, в которой они клялись, куда-то испарилась. Мы построим семью на уважении, на дружбе и невероятном сексуальном совпадении, а со временем придут и глубокие чувства.

Ее прекрасные глаза густого, темно-синего оттенка заволокло слезами, и Арина медленно, осторожно прикоснулась кончиками пальцев к его щекам, наклонилась и поцеловала в губы горьким и нежным последним поцелуем.

И в этот момент Артем понял, что потерял все — потерял ее, ее доверие, открытость, близость и духовную щедрость, ее любовь и Матвея.

И, ощутив на губах соленый вкус ее слез, вдруг почувствовал боль в сердце.

Арина прервала поцелуй, отстранилась, вглядываясь в его глаза, отпустила его лицо и поднялась с его колен.

— Подожди, — ухватил ее за руку Артем. — Ну что ты? Не решай все вот так, в один момент, поддавшись эмоциям и женской обиде. Не усложняй все. Ведь нет ничего трагичного и непоправимого, Арина. Ты на самом деле мне очень дорога и важна. А Матвею нужен отец, ты же сама мне говорила, что понимаешь это. Я буду хорошим отцом для него.

— Да, — согласилась Арина и наклонилась к нему, — ты будешь прекрасным отцом Матвею и ужасным мужем для его матери. Я буду годами ждать-ждать-ждать, не теряя надежды, что ты меня когда-нибудь все-таки полюбишь и станешь близким душой, а ты возненавидишь меня за это ожидание, за мои всегда печальные глаза, смотрящие на тебя с надеждой и укором, за жертву нелюбви, которой я стану, и будешь оставаться таким же отстраненным и недоступным. И моя жизнь превратится в ад. И я уйду от тебя, так и не дождавшись твоей любви. И тогда в ад превратится и жизнь моего ребенка. — Она наклонилась к нему еще ближе и прошептала: — Моему сыну не нужен отец, который не любит его мать.

И вдруг притянула голову Артема к себе, зажмурилась, вдохнула его запах, поцеловала в висок, отстранилась и, улыбнувшись сквозь слезы, пообещала:

— Ты встретишь женщину, которую полюбишь, Красногорский, обязательно, и родишь своих детей, которых будешь любить беззаветно. Ты не грусти.

Коротко поцеловала в губы, погладила каким-то успокаивающим жестом по плечу и ушла, оставив Артема.

Он уехал традиционно рано, один, не дождавшись Арины. Впрочем, Красногорский и не надеялся, что она выйдет хотя бы проводить его — она все сказала и попрощалась с ним, ей казалось, что навсегда, он искренне считал, что ненадолго.

И всю дорогу до Москвы Артем прокручивал и прокручивал в голове, кадр за кадром, картинку за картинкой эти два дня — ту их первую, невероятную ночь после аквапарка, их страсть, восторг, смех, ее признание в любви, его признание в отцовской любви к Матвею, самые потрясающие моменты их близости, при воспоминании о которых по телу прокатывала горячая волна. И вторую великолепную ночь, закончившуюся катастрофой.

Артем дословно запомнил все, что Арина сказала ему, и в памяти все повторялись и повторялись произнесенные ею слова. Он до сих пор ощущал ее запах, шелковистость кожи под его пальцами, нагретую от солнца щеку, ее немного щекочущие волосы на его голом торсе, на плече и шее. Он слышал ее интонации, видел жесты, мимику, эмоции и чувства, с которыми она произносила слова.

Он сделал ошибку! Это факт. Не надо было начинать этот разговор так рано. Надо было подождать, подольше насладиться близостью, дать Арине время привыкнуть к этому их фантастическому сексу, дать ей свыкнуться с его постоянным присутствием в их с Матвеем жизни, привыкнуть к нему, как к чему-то необходимому и постоянному, тогда и делать предложение.

Но он поспешил, поддавшись эмоциям, разомлев от великолепного, небывалого удовольствия, и поторопился застолбить их отношения, дать им официальную основу.

Ну ничего. Да, просчитался, но это поправимо.

Она успокоится, обдумает их разговор, и они встретятся в следующий раз и до чего-нибудь договорятся, например, оставить пока все как есть, а там... Он уговорит ее не принимать резких решений и не разрушать того, что у них уже сложилось. Ведь сложилось, и здорово.

Ничего. Они встретятся, поговорят спокойно. Ничего. Она обязательно поймет, что он прав и что им надо жить вместе.

Красногорский умел отступать, когда это требовалось для лучшего решения какой-нибудь задачи. За годы в бизнесе он давно научился быть и стратегом, и очень целеустремленным, упертым, умевшим дожать оппонента до конца, когда чувствовал, что именно такая тактика необходима.

Сейчас он не думал ни о стратегии, ни о тактике. Он думал, что будет повторять и повторять свое предложение и сделает все, чтобы Арина его приняла. А вот как повторять — вот тут уже и начинаются те самые стратегия и тактика.

Арина слышала, как уехал Артем, как выходила на веранду проводить его Лидия Архиповна, как вернулась после его отъезда в дом, заперла двери и пошла в свою комнату.

Она лежала и смотрела в потолок, жестким волевым усилием запретив себя плакать.

Плакать нельзя, стоит начать — и она утонет в этих слезах, и все домочадцы увидят ее распухшее лицо и... она не сможет ничего им объяснить, потому что вряд ли даже говорить сможет. Да и...

Плакать нельзя.

Она лежала и смотрела в потолок, слушая, как, ненадолго потревоженная отъездом Артема, тишина снова воцарилась в доме, как спустя какое-то время начал просыпаться поселок — у соседей проскрипели петли на воротах, залаяла собака, где-то вдалеке проурчал мотор автомобиля.

Хлопнула дверь комнаты Матвея, и Арина, не меняя позы, все так же лежа на спине, закрыла глаза.

— Мамочка, — прошептал Матюша, пробираясь к ней в комнату, шустренько залезая на кровать и пристраиваясь рядом. — Мамуся, ты спишь?

— Я сплю, Матюшенька, — не открывая глаз, ответила Арина и попросила: — Я еще посплю, ладно? Ты мне не мешай.

— Не буду, — пообещал сынок, чмокнул ее в щеку горячими, чуть влажными губками, шустренько слез с кровати и, выскочив из ее комнаты, закричал на весь коридор: — Бабуля, мама еще спит, ее не надо будить!

Арина даже улыбнуться не смогла такой громкой заботе сынка, открыла глаза и снова уставилась на потолок.

Она была не в состоянии сейчас думать, размышлять и осмысливать, какая и почему произошла там, на веранде, катастрофа. И почему так получилось, что из самого сверкающего, счастливого утра в ее жизни оно в один момент превратилось в самое ужасное.

Она лежала и смотрела в потолок.

Заглянула бабушка, и Арина снова закрыла глаза, притворяясь спящей. А как только Анна Григорьевна тихонько ушла, открыла их и подумала, что вставать надо. Надо встать и куда-то уехать отсюда, чтобы не видели ее боль и тоску, тем более Матвей. Она сама как-нибудь переболеет и справится, а там...

Чувствуя ужасную тяжесть и тянущую боль во всех мышцах, постанывая, в несколько этапов Арина поднялась с кровати, кое-как оделась и пошла на кухню.

— Аришенька, детка! — охнула Лидия Архиповна, увидев ее. — Что с тобой случилось? Ты выглядишь просто ужасно!

— Плохо себя чувствую, — проскрипела надтреснутым голосом Арина.

Анна Григорьевна, зашедшая в кухню со двора в этот момент, сразу же подошла к внучке и приложила руку ко лбу.

— Температуры вроде бы нет, — убрала она ладонь и всмотрелась в лицо Арины. — Но выглядишь ты и на самом деле совершенно больной. Иди ложись.

— Нет, ба, — отказалась Арина, — я поеду. Не хочу вас здесь заражать.

— Да как же ты поедешь в таком состоянии, детка! — разволновалась Лидия Архиповна.

— На такси, — махнула рукой Арина, тяжело опускаясь на стул.

Достала смартфон из кармана спортивной куртки и начала искать контакт в записной книжке.

— Спрошу Петрова, может, отвезет, — комментировала она свои поиски.

Петров был дачником, чей дом располагался с другой стороны поселка. Здоровый такой мужик средних лет, нигде не работавший, а находившийся на заслуженном отдыхе, потому как трудился он ранее на каком-то сильно засекреченном вредном производстве, дающем право выхода на пенсию чуть ли не в сорок пять лет, да еще с достойным начислением.

Не суть. Главное, этот Петров всем в поселке раздал свои визитки, предлагая при надобности пользоваться его услугами как водителя. И брал с пассажиров вполне вменяемые деньги, уж, по крайней мере, поменьше, чем таксисты хапужные, которые стояли в ожидании пассажиров на станции.

Петров оказался в поселке и проявил готовность доставить Арину по назначению.

Чтобы не переполошить пожилых дам, Арина, собрав волю в кулак, кое-как сложила нужные вещи, переоделась и, заставив себя взбодриться, попрощалась с Матвеем.

Под предлогом болезни и слабости она легла на заднем сиденье машины и всю дорогу, глядя на небо, подернутое тучами, и редкие кроны высоких деревьев, чувствовала в горле комок непролитых слез, не дающих продохнуть, от которых все разрасталась и ширилась боль в груди.

«Надо доехать, надо только доехать», — уговаривала она себя, отгоняя навязчиво встающий перед мысленным взором образ Артема Красногорского, смотревшего на нее своими янтарно-зелеными глазами, когда он почти деловито перечислял, что ему в ней нравится и почему они должны пожениться.

И лишь на МКАДе вспомнила о чем-то ином, кроме своей боли и Артема Красногорского, и позвонила Палне, предупредив, что заболела и не появится в цехе, без каких-либо подробностей, выдавив из себя минимум слов:

— Пална, я заболела, не приду сегодня.

— Да я уж слышу по голосу, что дела плохи! — весело отозвалась Пална.

— Пока, — прошелестела Арина и полностью отключила телефон.

Войдя в квартиру, она побросала на пороге все вещи-сумки, скинула обувь и прямиком прошла в свою спальню, где рухнула на кровать, свернулась калачиком и, подтянув край покрывала, прикрылась его углом, как смогла.

Арина ждала этого момента, как спасения, как смертельно раненный пациент ждет необходимую срочную операцию, и всю дорогу представляла себе, как доберется до своей кровати, уткнется в подушку и вот тогда-то извергнет из себя все слезы, которые душили ее, но...

Но заплакать так и не получилось, зато странным, невообразимым образом она не заметила как, но заснула.

И проспала до самого утра следующего дня, проснувшись уставшей, разбитой, с дурной головой, которая бывает, когда переспишь, и с ощущением слабости и сосущего в животе голода.

Ну ладно. Раз такое дело — надо поесть, не умирать же, в самом деле.

Арине категорически не хотелось что-либо делать, готовить еду, заваривать чай-кофе, захватившая ее в плен апатия просто подавляла любое желание шевелиться, двигаться, что-то решать.

«Раскисать нельзя, — подумала вдруг Арина. — Никак нельзя!»

А вот это точно. На ней Матвей и бабушка, и никого, кроме друг друга, у них троих в этом мире нет. И, случись с Ариной какая непоправимая беда, что с ними станется? Она себе никак не может позволить отдаваться тоске. О бабушке и Матвее, кроме нее, позаботиться некому. Нет, нет — пугалась она, борясь со своими переживаниями, — нельзя!

И хотя больше всего на свете ей сейчас хотелось сбежать куда-нибудь подальше от всех, уползти в какую-нибудь щель, свернуться калачиком и лежать там недвижимо, отдавшись своим страданиям, слезам и страшной обиде на жизнь, врачуя душу тишиной и временем, это стремление и желание так и останется из разряда невыполнимых.

«Бежать», — из всех ее сумбурных, трагически-несчастных мыслей и жгучей жалости к себе сознание вдруг выхватило одно-единственное ключевое слово.

— А ведь точно, — взбодрилась вдруг Арина. — Бежать на хрен! В тепло, к солнцу, к морю!

И в один момент из апатичной, безразличной к жизни, несчастной женщины она превратилась в решительную и энергичную сверх всякой меры даму.

А потому что вспомнила, что на прошлой неделе ей звонила Наташа и предлагала присоединиться к их семье в Сочи.

— У Светы с Владиком, — рассказывала подруга, — ну ты должна их помнить, они часто у тебя всякие эксклюзивы заказывают, дочь еще у них, Анжела, помнишь?

— Ну конечно, помню, я помню всех своих постоянных клиентов, тем более таких преданных, как они, — уверила она подругу.

— Так вот, — продолжила Наташа, — у ребят есть замечательный домик в Сочи. Такой уютный, компактный, небольшой, на участке игровая детская зона, цветники, фруктовые деревья и беседка для застолий с видом на море. К тому же прямо рядом с шикарным санаторием, почти на его территории, и у них есть возможность купить пропуска на санаторский закрытый пляж — очень классный пляж, между прочим. Там тихо, спокойно, все грамотно продуманно и устроено, в том числе для маленьких деток, есть кафе и ресторан на пляже. Одним словом, красота сказочная. Ребята предложили нам поменяться: они едут в наш дом на Кипре отдыхать, а мы — в их в Сочи. Поехали с нами, Аринка. Домик, конечно, небольшой, но на нас всех места вполне хватит, Никитку с Матвеем в одну комнату поселим, мы с Пашей, и для вас с Анной Григорьевной по комнате есть, и большая гостиная с диванами остается. Поехали, — уговаривала подруга, —

мальчишкам вместе веселей будет, да и мы с тобой оторвемся, отдохнем.

И как ни мечталось Арине о солнце и теплом море, о настоящем, полноценном отдыхе, но в тот момент о прекрасном Артеме Красногорском ей мечталось куда как жарче и сильней любых отдыхов и морей. К тому же Матвей прекрасно отдыхал и на даче, под присмотром двух замечательных бабушек, что давало Арине возможность спокойно поработать.

А тут словно тюкнул кто по голове, подкинув мысль о побеге на моря — зачем нам отлеживаться и болеть в квартире? Бежать — так с комфортом, от себя все равно не убежишь, а там хоть от объекта страданий подальше будет.

И, может, там ей будет легче справиться со своей душевной болью и крахом жизни, хотя... Ей бы одной, а не с компанией, не по ее нынешнему состоянию веселые застолья и радостные курортные мероприятия, тишины бы. И все же!

И Арина тут же набрала Наталью узнать, осталось ли еще в силе ее приглашение.

— А мы уже на Кипре! — весело посмеиваясь, сообщила подруга, пребывавшая, не в пример Арине, в великолепном, радостном настроении. — Второй день загораем на морях!

— Значит, с домиком я пролетела, — печально протянула Арина.

Нисколько не удивляясь тому, что у нее сейчас все плохо, ну а как могло быть иначе...

— Подожди, почему пролетела? — весело сказала Наташа, и Арина услышала, как она спрашивает у кого-то: — Свет, вы в дом-то в Сочи кого-нибудь пустили?

Арина, превратившись вся в большое ухо, пыталась разобрать, что ответили Наталье, но ни фига не было слышно за пляжным развеселым шумом и гулом множества голосов. А в трубке возник голос совсем другого человека:

— Арин, это я, Света, — таким же веселым, как и Наталья, голосом вовсю кайфующего на отдыхе человека произнесла Света. — Мы тут с ребятами вместе на Кипре решили отдохнуть. А дом стоит пустой, смело можете приезжать и жить, сколько захотите, мы только рады будем. Владик не любит, когда в доме долго никто не живет, у него на сей счет своя теория имеется.

Арина услышала на втором плане пробасивший что-то голос ее мужа и смешок второго мужчины, видимо, Паши.

А Света принялась давать хозяйские разъяснения, но отвлеклась на что-то, тогда трубку у нее забрал муж Владик и четко, по пунктам объяснил, как лучше всего добраться до их дома, кому позвонить, у кого взять ключи, кто следит и убирает в доме и за какую сумму, к кому обратиться за пропусками на пляж.

— Я тебе сейчас на WhatsApp скину адрес и все контакты-координаты. Ты как билеты возьмешь, позвони, я предупрежу Веру Константиновну, когда вы приедете, она вас встретит, и свяжусь с человеком, выдающим пропуска. И еще скину ссылку на приложение для нормального сочинского такси. Арин, — другим, совсем не деловым голосом обратился он вдруг. — Это замечательно, что именно ты к нам в дом поедешь, и у меня к тебе будет ма-а-а-аленькая просьба, — нарочито заискивающим тоном произнес он.

— Да любая.

— Научи Галю, это наша домработница там, делать мои любимые кексики, ну те, что с шоколадной пасточкой внутри, а?

— Разглашение авторских рецептов навредит моему бизнесу и уменьшит доходы, — попыталась отшутиться Арина.

— Я ее очень строго предупрежу, а ты с нее возьмешь расписку вместе с клятвой, зато у меня и в Сочи будут твои кексики. А то все там классно и замечательно, а без кексиков твоих тоска. Но Галя, ручаюсь: могила! — пообещал он дурашливо. — Никто не узнает, слово даю.

У Арины просто не осталось никаких сил на дальнейшие разговоры, не то что на шутки, и она пообещала и рецептик, и научить неведомую Галочку, и хорошо отдыхать в свое удовольствие.

Наплевав на цены в разгар сезона, Арина купила билеты на самолет на тот рейс, который подошел ей лучше всего, и сразу же позвонила бабушке:

— Ба, — начала она, но Анна Григорьевна ее перебила:

— Что происходит, Арина? Как ты себя чувствуешь? Я не смогла тебе дозвониться вечером, а сейчас постоянно занято...

— Вчера, как приехала, заснула и спала вот прямо до утра. Мне получше. Бабуль, я что звоню: собирай все вещи и готовься выезжать с дачи.

— Подожди, что значит — готовься. С бухты-барахты, без предупреждения? У нас еще целых три недели до первого сентября, и, между прочим, оплаченные.

— Мы летим в Сочи. Как раз на эти три недели. Я уже взяла билеты и обо всем договорилась.

— Когда летим? — уже более деловитым и спокойным тоном уточнила бабушка.

— Послезавтра. Завтра пришлю машину, забрать вас вместе с вещами, а послезавтра утром мы улетаем, — и первый раз за два дня улыбнулась, хоть

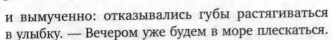

и вымученно: отказывались губы растягиваться в улыбку. — Вечером уже будем в море плескаться.

— Надеюсь, ты помнишь, что я достаточно умна для того, чтобы понять, что у тебя что-то случилось и именно поэтому мы летим в Сочи? — поинтересовалась Анна Григорьевна.

— Я помню, — вторично улыбнулась Арина.

— Очень хорошо, — заметила бабуля и, прежде чем попрощаться, посоветовала: — Если не обнаружилось, что у кого-то из нас смертельная болезнь, если руки-ноги есть и голова в порядке, то все остальное мы преодолеем и со всеми напастями как-нибудь справимся. Ты не впадай там в глубокое уныние, кроме смерти, исправить и пережить можно все.

— Я тебя люблю, — сказала Арина с чувством.

— Я тебя тоже, детка, я тебя тоже, — ответила бабушка и отключилась.

И вот теперь только Арина смогла заплакать.

За три бесконечных дня Красногорского измучили, изрядно извели и достали мысли-размышления и воспоминания о девушке Арине.

Он набирал ее несколько раз, но она не отвечала — не сбрасывала номер и не выключала телефон, но и не отвечала.

Ладно, решил Артем, это нормально, у нее есть веские причины, чтобы не хотеть с ним разговаривать — она сильно на него обижена, возмущена предложением, которое он сделал, по сути, ради Матвея, и хоть не так прямолинейно, но Арина очень умная девушка и поняла все верно.

Хотя почему только ради Матвея?

Все, что он сказал тогда ей на веранде, правда — они ведь не просто так оказались в постели, их взаимное влечение достигло такого накала, что игнорировать его было уже никак невозможно. И он, и она неодолимо хотели друг друга.

Факт? Факт.

И то, что он буквально потерял власть над собой, целиком и полностью отдавшись их интимной близости, которую-то и сексом невозможно назвать, настолько это было потрясающе мощно, красиво и даже, наверное, в чем-то духовно, потому что переживал Артем не только телесные потрясения. У него разум просто снесло напрочь — настолько, что он не контролировал ни девушку, ни себя, ни сам процесс, чего в его яркой мужской жизни никогда не бывало.

Ну бывало, несколько раз, но совсем не так, а, скажем, до соединения с женщиной он более-менее контролировал происходящее, да и сам процесс как-то умудрялся.

Но то, что произошло с Красногорским, стоило ему поцеловать Арину, это нечто... охренительное! Это был какой-то... концентрированный восторг. Настолько...

Ладно, не будем об этом. Он вообще-то о другом.

Они совершенно уникальным образом подошли друг другу и совпали физически, телами, температурой, сексуальной пылкостью и предпочтениями в интимной близости. Они чувствовали желания друг друга, не нуждаясь в словах, хотя и горячие, безумные слова, произносимые жарким шепотом, тоже, как оказалось, им нравились и заводили обоих. И это такая редкость, такая удача, когда люди так совпадают в интимной области жизни.

Факт? Факт.

И бесспорный факт, что он глубоко, искренне, по-отцовски любит Матвея. И это так.

Вновь и вновь раскладывая по полочкам эти доводы, непроизвольно вспоминая моменты их интимной близости так, что у него сразу же наступала эрекция, Красногорский уверялся в своей правоте, успокаивая себя мыслью, что Арина умная девушка и, когда у нее пройдет первая болезненная реакция, она, подумав над всеми этими неоспоримыми фактами, поймет, что он прав.

И тогда можно будет спокойно и рассудительно поговорить с ней еще раз. А пока он позвонил маме.

— Привет, — выдерживая ровный приветливый, нейтральный тон, поздоровался Артем. — Ну, как вы там?

— Да вот, — вздохнула она печально, — скучаем с Вовкой по нашим гостям.

— По каким гостям? — не сразу понял Артем, о чем она вообще говорит.

— Как по каким? По Матвею, Анечке и Арине, — ответила Лидия Архиповна и снова вздохнула.

— А где они? — напрягся Красногорский.

— Съехали с дачи со всеми вещами и улетели в Сочи. Мы даже толком попрощаться не успели. Никаких посиделок не устроили, бегом, бегом: собрали вещи и в машину. И все. — И пожаловалась: — И сразу стало так одиноко, грустно, тоскливо и пусто в доме, и тишина непривычная.

— Так, — произнес Артем, почувствовав некую растерянность и досаду, отчего и спросил неосмотрительно: — А Арина что-то говорила, рассказывала?

— Подожди, — произнесла в свою очередь его умная мама, мгновенно уловив некую недоговоренность в вопросе сына и интригу, — а скажи-ка мне, сынок, не ты ли послужил причиной столь стремительного отъезда Арины с семьей?

— Я даже о нем не знал, — попытался соскочить с темы Артем, но было поздно.

С мамой такие номера не проходят, обмануть ее можно только тогда, когда она сама позволит себя обмануть, потакая ему.

— Артем Красногорский, — произнесла Лидия Архиповна строгим тоном Арины, зовущей нашкодившего сынка (видимо, переняв у нее эту привычку), — завтра же приедешь и объяснишь мне все, что происходит, без отговорок и вариантов. Один день без тебя твоя работа как-нибудь переживет.

Он продолжительно выдохнул и не ответил.

— Артем! — потребовала мама железным голосом.

— Приеду, — вздохнув, пообещал Красногорский, подчиняясь ее нажиму.

Утром следующего дня, когда Артем приехал, Лидия Архиповна стойко выдержала ровный тон. Спокойно встретила сына, накормила его прекрасным завтраком и подождала, пока он выпьет вторую чашку кофе, неосознанно немного оттягивая момент объяснения.

— Идем в гостиную, там поговорим, — строгим тоном распорядилась она, как только он допил кофе.

Ну в гостиную так в гостиную, по большому счету пофиг, где разговаривать, Артем бы с огромным удовольствием вообще избежал бы этого разговора.

Ну это-то понятно. А кто бы не хотел избежать на его месте?

— Вы с Аришей поругались? — спросила Лидия Архиповна.

— Мы не ругались, — ответил Артем.

Не выдержал напряженного взгляда мамы, ожидавшей от него чуда, наверное, поднялся с кресла, подошел к окну и посмотрел вдаль.

— Тогда что у вас произошло?

— Мам, — рассердился Артем, повернувшись к ней, — что может произойти между мужчиной и женщиной?

— У вас была интимная близость, — почему-то не удивилась Лидия Архиповна, лишь уточнила.

— Да, мы занимались любовью, — подтвердил Артем.

— И что, ты ее обидел как-то или непристойно настоял на своем желании? — растревожилась она пуще прежнего.

— «Непристойно настоял», — повторил он подчеркнуто картинно. — Найдешь же выражение. — И попенял: — Мам, ты как-то обо мне не сильно лестного мнения, я вроде бы никогда женщин ни к чему не принуждал. Все было по обоюдному согласию и к обоюдному же удовольствию.

— Ну извини, сынок, это я от беспокойства, — повинилась Лидия Архиповна и спросила в сердцах: — Но тогда что, что у вас произошло такого, что вы разругались?

Пришлось Красногорскому еще раз тяжко глубоко вздыхать и продленно выдыхать с полной безнадежностью. Он присел на край подоконника, засунул руки в карманы, помолчал, собираясь с решимостью, и рассказал о том незабываемом моменте, когда почувствовал себя отцом Матвея, и о потрясших его чувствах к ребенку, о том, что с первого дня знакомства испытывал сильнейшее сексуальное притяжение к Арине, и уважение, и интерес к ней как к личности, и о том, что у них была потрясающая близость, без подробностей, понятно, но достаточно честно.

И о своем решении жениться на ней, чтобы стать настоящим отцом Матвею, и о том их утреннем разговоре на веранде.

— Постой, — нервничала Лидия Архиповна, — я правильно поняла, что ты не испытываешь настоящей любви к девочке?

— Правильно, — подтвердил Артем и повторил скорее для себя, чем для мамы: — Я очень уважаю и ценю Арину, мне она невероятно нравится и как женщина, и как человек, и я испытываю к ней сильное сексуальное влечение и желание. Но не любовь.

— И ты ей об этом сказал? Вот прямо так и сказал: «Я тебя не люблю?» — не могла принять и понять этого Лидия Архиповна.

— Да, сказал. Она спросила прямо, и я ответил прямо.

— Бедная, — сочувственно приложив пальцы к губам и покачав головой, сказала Лидия Архиповна, — бедная девочка. Сынок, — посмотрела она на Артема полными жалости глазами; — я, конечно, в детстве учила тебя не врать. Но почему-то мне казалось, ты точно знаешь, что иногда не сказать правду — это не значит соврать. Разве ж можно женщине, которая тебя любит, говорить вот так прямо, без экивоков, что ты ее не любишь? Тем более, если женщина тебе нравится, и вас тянет друг к другу, и вам хорошо вместе. Это же все равно что ударить.

— Не утрируй, мам, — скривился Красногорский.

Понимая, что называется задним умом, что она — будь оно все неладно! — права! Что надо было уйти от щекотливого прямого вопроса, заданного в лоб Ариной, обыграть как-то этот тонкий момент или соврать, в конце концов, ни ей, ни ему эта откровенность не принесла ничего, кроме боли.

— В первую очередь я думал о Матвее и о том, чтобы ему было хорошо.

— Господи! — безнадежно вздохнула Лидия Архиповна. — Артемушка, я бесконечно люблю этого мальчика и чувствую его по-настоящему родным внуком, но при чем тут, прости меня, Матвей, когда дело касается ваших с Ариной чувств и отношений? Неужели ты не понимаешь? — И всплеснула руками: — Да боже мой, уж ты-то грамотный человек и знаешь, какие страшные вещи в мире делались из лучших побуждений! В отношениях между мужчиной и женщиной не должно быть расчета, любой расчет — это торговые отношения, с какой бы благородной целью они ни затевались. Ты понимаешь, что ты пытался сыграть на чувствах девушки, воспользоваться ее признанием в любви к тебе. — И холодно произнесла: — Ты прости меня, но это натуральное плебейство: пытаться извлечь выгоду из любви.

— Мам, — остановил ее Артем холодным тоном, — не надо читать мне мораль.

— Не смей разговаривать со мной подобным тоном, — величественно отрезала она. — Оставь подобный тон для своих подчиненных.

— Извини. — Артем понял, что перегнул палку от раздражения.

— Я беспокоюсь о тебе, сын, — смягчив голос, сказала Лидия Архиповна. — Тебе сорок лет, и ты еще ни разу не любил женщину по-настоящему глубоко и искренне. Я не знаю, что так на тебя повлияло, но Арина права: ты надежно прячешь свои чувства, не позволяя себе их явного проявления. Ты всегда был достаточно закрытым, с детства, но только для людей не близких тебе, для нас с отцом, для Игоря и даже для Ильи, хоть тот и менее тебе близок, чем верный друг-брат Игореша, ты всегда был щедр на проявление чувств. Да, между всеми остальными людьми и собой ты словно очерчивал границу. Я очень часто и много размышляю об этом и виню себя, думая: может, это я что-то не так сделала или не смогла правильно объяснить, дать тебе в детстве, и виновата в том, что твоя природная закрытость с годами превращается в холодность. Может, на тебя так повлияла смерть отца, потому что у вас были совершенно уникальные отношения, очень близкие и доверительные, а может, этот странный брак с Лией, не знаю. Но ты словно держишь себя постоянно под контролем, не позволяя себе любить и жить полной жизнью. Прямо какая-то, прости господи, экономика чувств. Как я радовалась, глядя на вас с Ариной, вы словно светились, когда находились рядом, а когда я видела, как тянется к тебе и как любит тебя Матвей и ты совершенно открыт к нему и отвечаешь мальчику искренней привязанностью, то была счастлива за тебя. Мне казалось, что вот ты и встретил замечательную девушку, свою близкую душу, которую наконец дождался. — И окончательно разнервничавшись, не выдержав накала переживаний, всхлипнула.

— Мам, мам, — поспешил Артем к ней, присел рядом, прижал к своему боку, погладил по плечу и руке. — Ну что ты расчувствовалась так, чересчур ты у меня романтичная натура. — Он поцеловал ее в висок и пошутил, передразнивая: — «Наконец дождался» — это уже что-то из дешевых сериалов.

— Да какие уж тут сериалы, — отмахнулась Лидия Архиповна. — Ты бы видел, *какая* Арина вышла утром из своей комнаты. Она выглядела как в воду опущенная. И самое страшное — не плакала. Мы с Аней решили, что она заболела. Есть-пить не может, ходит еле-еле, вызвала Петрова, легла на заднее сиденье в машине, и он ее увез. Мы с Аней ужасно переживали, ночь не спали почти: телефон Арины не отвечает, что с ней там, как. Только утром и позвонила. А ты говоришь, сериал. Какой там сериал, в жизни дела-сюжеты пострашней будут, никаким сценаристам не придумать. — Она снова всхлипнула и посмотрела на Артема строгим взглядом. — Знаешь, сынок, пусть ты сейчас молод, но жизнь настолько стремительно пролетает, что не дает нам возможности даже перевести дыхание. И как-то несправедливо быстро проходят лучшие годы, молодость, энергичная зрелость, и ты внезапно обнаруживаешь, что тебе уж за шестьдесят. И уже ничего невозможно возместить, исправить, и уже нет сил и энергии созидать что-то важное в жизни. И если ты не разрешишь себе любить полной мерой и жить полной мерой, то никогда не испытаешь настоящего счастья. И если ты точно уверен, — она повторила с нажимом, — вот абсолютно точно уверен, что не любишь Арину и не сможешь ее полюбить, то, как бы тебе ни было больно расставаться с Матвеем, тебе придется смириться с этой необходимостью и принять ее. Потому что девочка права: жизни нормальной у вас не получится, а страдать будет не только она, но и Матвей. И как мать она права, что увезла его от нас. Нечего ребенку прирастать к тебе душой, любить, чтобы потом стало трагедией всей его жизни, когда вы расстанетесь.

— Я не знаю, мам, я не знаю, — задумчиво ответил Артем, обнимая и все поглаживая и поглаживая маму по руке.

В первый день прилета Арина развила какую-то кипучую, не совсем здоровую активность, умудрившись все обустроить, со всеми договориться, получить заветный пропуск на санаторский пляж, сходить на рынок и, что называется, «затариться» овощами-фруктами, продуктами, привести это добро на такси и смотаться по магазинам за шмотками, потом примчаться домой и приготовить ужин.

Анна Григорьевна внучку не останавливала, лишь наблюдала за этим нервным марафонским забегом от собственных мыслей и себя самой и помалкивала, отложив до поры неизбежный главный разговор.

Понятное дело, что Арина за день так умоталась на нервном драйве, что, уложив сына спать, уже практически в полубеспамятстве доплелась до отведенной ей комнаты и рухнула на кровать.

И проспала пятнадцать часов беспробудным сном без сновидений, даже ни разу не перевернулась во сне. И проснулась, чувствуя себя совершенно разбитой. Не обнаружив бабушку с Матвеем, позвонила, выяснила, что они как порядочные отдыхающие уже давно находятся на пляже.

Она долго стояла под душем, после которого выпила большую кружку крепкого кофе, сидя на веранде второго этажа и любуясь великолепным южным морским пейзажем. Заставила себя заняться хоть каким-то делом и разобрала чемоданы, приготовила обед, и в это время ее пляжники вернулись домой.

Когда наплескавшийся в море, набегавшийся, наверещавшийся от восторга и наигравшийся до изнеможения сынок, пообедав, мгновенно заснул, стоило его уложить в постель, Анна Григорьевна распорядилась безапелляционным тоном:

— Думаю, пора тебе, внученька моя дорогая, все мне объяснить.

— М-да, — без особой радости согласилась Арина.

Они устроились на веранде второго этажа с безалкогольным мохито, с удовольствием потягивая его по такой-то жаре, и Анна Григорьевна спросила своим особым, доброжелательно-железным тоном, после которого, как правило, было совершенно невозможно что-то скрывать, пытаться соскочить с темы или привирать, точно зная, что не прокатит:

— Так отчего мы, Аринушка, с такой стремительностью бежали прочь из Москвы, как от пожара?

— От обиды, сердечной боли и подлой несправедливости жизни, — перечислила Арина.

И рассказала все, начиная с момента, когда впервые увидела Артема Красногорского, шедшего по дорожке к дому с Матвеем на руках, приняв его за свою Судьбу. Рассказала об общении, которое у них сложилось, об их разговорах и о том, как ее неудержимо тянуло к нему и как ее прямо-таки обуревали чувства к этому мужчине. И о их близости поведала, которая не могла не произойти, при столь очевидной и сильной сексуальной тяге обоих, и о том, как Красногорский признался в своих отцовских чувствах к Матвею, и о причине своего стремительного побега.

Плакала, жаловалась на жизнь, на Красногорского и больше всего на себя саму, словно ее прорвало, и слова текли потоком, очищая и освобождая от переполнявшей душу горечи и обиды.

— Господи, бабуля, — негодовала она ужасно, — какая же я дура дурацкая! Представляешь, я ему в любви объяснилась! — и, прикрыв лицо ладонями, сложилась пополам.

Посидела так, пораскачивалась немного, испытывая жгучую обиду на Артема, ругая себя и сетуя. Сделав глубокий вдох, выпрямилась и посмотрела больными глазами на Анну Григорьевну.

— Он ведь так прямо и сказал: «Нет, я тебя не люблю!» Представляешь? — еле сдерживая слезы, все жаловалась она.

— Это странно, — задумчиво протянула Анна Григорьевна, глядя вдаль на просвечивавшее лазурной синевой сквозь деревья море. — Он вел себя совершенно не так, как ведут себя обычно люди с теми, кого не любят. Может, он сам не разобрался пока в своих чувствах?

— Господи, ба! — воскликнула, сокрушаясь и негодуя, Арина. — Что в них разбираться? Ты либо любишь, либо нет. Я люблю, он вот нет. Да, я ему нравлюсь, да, нам очень хорошо в постели, даже больше чем хорошо, мы просто нереально совпадаем в этом плане, у меня такого никогда в жизни не было, но не более того. Он бы никогда не сделал мне предложения, если бы не Матвей, и он достаточно четко дал это понять. Все.

— Не знаю, — не согласилась бабушка. — Мы же с Лидой наблюдали за вами и видели, как вы общаетесь, как вы друг на друга смотрите, тихо радовались, проявляя осторожный оптимизм, надеялись, что у вас все сложится.

— Ба, это простое сексуальное притяжение и ничего более. Он обычный мужчина, который любит секс, а если ему еще и женщина симпатична и с ней интересно поговорить, тогда вообще замечательно. И все, — настаивала Арина на своем и, резким движением вытерев тыльной стороной ладони слезы, объяснила: — Сейчас никто не циклится на сексе, считая его чем-то незначительным: подумаешь, переспали, все равно что в бане попарились или справили естественные потребности, ерунда! Какие там чувства-привязанности. Сейчас с этим все проще: переспал и пошел дальше. А у меня все как ни мужик, так либо страсти, либо любовь и страсти! — негодовала она ужасно. — Может, я какая-то не такая у тебя? С прибабахом?

— И все же я думаю, что не все так прямолинейно, — задумчиво произнесла Анна Григорьевна, не отреагировав на горячее выступление внучки должным образом. — По крайней мере, когда человек заявляет так открыто и уверенно, что кого-то не любит, он ведет себя совершенно иначе.

— Ба, — нервничала и заводилась еще больше Арина, — ну откуда тебе знать, у тебя же не было безответной любви?

— Давно живу, — вздохнув, улыбнулась Арине бабушка, — много чего знаю. Бог миловал, я любила всю жизнь одного мужчину, твоего деда, и совершенно взаимно. Но когда я была еще студенткой, меня полюбил один парень, которому я даже симпатизировала какое-то время, он был умным, интересным, очень активным молодым человеком. Но когда он признался мне в своей любви, я поняла, что не испытываю к нему именно те чувства, которые он ждет от меня в ответ. И я сразу же перестала чувствовать к нему какой-либо интерес. Понимаешь, Ариша, люди так устроены, что испытывают неприязнь к тем, кому что-то должны, и стараются всячески избежать общения со своими так называемыми «кредиторами». А любовь — это самый большой кредит, который может выдать человек другому человеку. И, когда любящий признается в своих чувствах и преподносит их, а другому нечем ответить и дать то, чего от него ждут, он начинает ненавидеть и всячески избегать любящего его. Так было и у меня. Я честно призналась, что не могу ответить взаимностью, и постаралась свести к минимуму наше общение. Но парень был настойчивым и так достал меня со своей любовью, что я его видеть не могла и буквально бегала от него. Пока не появился твой дедушка и не отвадил от меня всех моих поклонников и ухажеров.

— Артему Борисовичу совершенно незачем утруждаться: я призналась в любви, он ее отверг, и сбежала я, а не он от меня, — с горькой иронией пошутила Арина.

— Да перестань ты, — недовольно остановила внучку Анна Григорьевна. — Артем — умный мужчина и далеко не мальчик, он прекрасно понимал твои чувства еще до того, как ты в них призналась, но не остановил развития ваших отношений. А между вами не было пошлой, пустой сексуальной связи, страстишки дешевой. Да и жгучих больных страстей тоже, слава богу. Это же было совершенно очевидно и понятно. Но, честно говоря, я была бы рада и таким, если бы они у тебя появились.

— Опаньки, — удивилась Арина, — это почему, позволь узнать?

— Да потому что после Виктора ты вообще не подпускала к себе мужчин, даже на уровне друга. Ладно, я понимаю, ты носила Матвея, потом грудной ребенок, потом становление бизнеса, но последние время ты вполне могла и влюбляться, и встречаться с мужчинами, ты же совершенно игнорировала эту сторону жизни, сублимируя всю свою сексуальность только в работу. И после Виктора у тебя никого не было. А это не очень нормально и здорово для молодой женщины.

— А потому что, — усмехнулась Арина и процитировала фразу из известного шедевра, — «Наша сестра должна опасаться по своей горячности в любви». Про пылкость моей натуры нам с тобой все известно, а повторять предыдущий опыт мне совсем не хотелось.

— Да брось ты, — отмахнулась бабуля, — нет смысла защищать добродетель, на которую никто не претендует. Ты распугала всех мужчин окрест себя, пресекая любые их попытки сблизиться еще на подходе. Потому и забыла, что такое отношения между мужчиной и женщиной. Забыла, что такое флиртовать, влюбляться, заниматься сексом для удовольствия. У тебя в мозгу словно какой-то ограничитель вырос, мешавший тебе жить легко и, между прочим, потакать своей страстной натуре. Вот ты от внезапно обрушившихся на тебя сильных чувств к Артему и потеряла трезвый взгляд на вещи и, обуреваемая чувствами, видела только то, что хотела видеть. Человеческое сознание склонно упрощать и приукрашивать действительность, и мы все счастливы обманываться в своих мыслях и мечтах. Ты просто не рассмотрела его истинного характера, его натуры и не поняла, что он очень закрытый человек и, может, просто трусит открываться, распахивать душу и любить. Трусит пустить кого-то в свое сердце. Может, надо было не кидаться наутек, чтобы залатать свое разбитое сердце и залить душевные раны слезами, а проявить женскую мудрость, терпимость и как-то расшевелить его, помочь ему раскрыться.

— Но Матвея же он полюбил и честно в этом признался? — спросила Арина.

— Детей любить всегда проще, — вздохнув, ответила Анна Григорьевна, — тем более такого шкодника и умника, как наш Матюша.

— Ба, — восхитилась и попеняла одновременно Арина, — вот как ты умудряешься перевернуть любую проблему так, чтобы найти в ней что-то позитивное? Даже когда происходит трагедия?

— Трагедия, детка, — наставительно произнесла Анна Григорьевна, — это другое. Надо сначала попробовать проанализировать проблему, увидеть нечто иное, кроме самого очевидного, бросающегося в глаза. А там уж и убиваться, если захочется и деваться некуда. — И вдруг строго попеняла: — Ты, Ариша, не выдумывай: «трагедия». Слава богу, миновало нас, и ты знать не знаешь, что такое настоящее горе, и не приведи господь накликать. От разбитого сердца умирают только дураки, потому что это не любовь, а непреодолимое желание обладать другим человеком, умные же от неразделенной любви становятся философами и продолжают жить, радоваться жизни и любить хоть на расстоянии, хоть рядом. Жизнь не останавливается и всегда берет свое. Ты же знаешь, что все, что ни делается, всегда к лучшему.

— Да, только почему-то не всегда к моему, — продолжала жаловаться Арина.

— Да перестань глупости говорить и канючить, — отчитала ее бабушка. — Не гневи бога, всегда все складывалось к лучшему для тебя, в любой ситуации. И сейчас сложится, каким бы трагичным тебе все ни казалось. А на поверку это самый лучший для тебя исход. Вот смотри, где мы сейчас с тобой находимся? — Анна Григорьевна обвела рукой вокруг. — В прекрасном доме, в Сочи, море шикарное, пляж шикарный, вон мохито попиваем. И все потому, что ты от горя горького решила рвануть из Москвы. На даче у Лиды, конечно, тоже замечательно, но просидеть целое холодное, дождливое лето в Подмосковье скучно, когда есть море. Это раз. И второе. — Анна Григорьевна поднялась с места, подошла к внучке, прижала ее голову к себе, погладила, наклонилась, поцеловала в макушку и сообщила доверительным тихим голосом: — А если Артем и на самом деле тебя не любит, так и бог бы с ним, и правильно сделала, что сбежала. На кой, спрашивается, тебе в жизни такой трудный мужик: закрытый, всегда все в себе держит, варится в своих переживаниях, и пойди пойми, что он там думает, будет помалкивать да сопеть на все вопросы. Может, как раз и к лучшему, что у вас ничего не сложится, может, он не твой человек, так зачем тогда мучиться. Переболеешь, забудешь и встретишь своего мужчину.

— Ба, — снова заплакала Арина. Всхлипывая, посмотрела на бабушку, запрокинув голову, и усмехнулась сквозь слезы: — Ты потрясающая. Ну кто, кроме тебя, мог вот это все так преподнести? И так все перевернуть? Я тебя обожаю.

— Можешь быть уверена, что это твое чувство абсолютно взаимно, — усмехнулась Анна Григорьевна и поцеловала внучку в лоб.

Красногорский давно не звонил Арине. Набрал пару раз ее номер в первые дни побега с семьей в Сочи, чтобы узнать, как устроились и как дела, но она уже привычно не взяла трубку. Он больше и не пытался. Зачем?

Но! У него же был свой внедренный «агент влияния»! Да еще какой!

Похоже, что дамы Лидия Архиповна с Анной Григорьевной, что называется, нашли друг друга. Больше двух месяцев они прекрасно уживались на даче, удивительным и счастливым образом совпав во многих аспектах жизни: обе коренные москвички, причем, как выяснилось, жили в детстве в одном районе и ходили в соседние школы, у обеих гуманитарное образование, обе заядлые театралки и смотрели все нашумевшие постановки, знали, что называется, культурный код столицы, то есть писателей-поэтов, режиссеров, художников и актеров периода своей молодости и зрелости. Обе проработали в области культуры и образования долгие годы: Анна Григорьевна — библиотекарем и архивистом, а Лидия Архиповна — искусствоведом. У них совпадали интересы и вкусы, они не конфликтовали между собой, а вполне мирно уживались, лишь дополняли друг друга.

Как итог всего перечисленного, они замечательно провели время вместе и очень симпатизировали друг другу, продолжая поддерживать тесную дружескую связь, благо в современных реалиях это делать было просто и удобно.

Вот этому-то своему «агенту» и «засланной казачке» в одном лице и звонил Красногорский, блюдя сыновний долг и заботу о матушке, попутно выясняя, как там дела у Арины с сыном.

— Привет, ма. Как ты там?

— Да грустно, Артемушка, — вздыхала Лидия Архиповна, — никак не привыкну к тишине и размеренности жизни. Уж десять дней прошло с отъезда девочек и Матюши, а я все тоскую.

— Может, тебя к ним отправить? — предложил заботливый сын.

— Да я бы с удовольствием, да не могу, — расстраивалась Лидия Архиповна, — у меня сейчас самый урожай идет. Надо же собрать, заготовить.

— Да бог бы с ним, с урожаем, — упрощал проблему Артем, — оставишь на хозяйстве Варю с Сергеичем, они тебе все соберут и заготовят.

— У них свои хозяйства имеются и свои заготовки ждут. И не чета моим любительским делянкам для удовольствия и души, так, по веточке-кусточку. — И вздыхала. — Нет, я уж сама, Варя, конечно, поможет, но по мелочи.

— Ну, смотри, а то бы на море съездила, — предлагал Красногорский и спрашивал вроде как невзначай: — Ну как там у курортников твоих дела?

И все понимавшая мама принималась подробно рассказывать, впрочем, с большим удовольствием.

— Матюша симпатизирует девочке, с которой они вместе отдыхают на пляже санатория. Целая история! — И, увлекаясь, принималась пересказывать все, что вытворял Матвей, про его ухаживания за малышкой, про ее родителей и, разумеется, про Арину с бабушкой. — Аня мне фотографии прислала и видео. Я со смеху умирала, что там Матвей устраивает. Тебе переслать?

— Конечно, переслать, — улыбался Артем.

А вечером ухохатывался и Красногорский, пересматривая несколько видео с Матвеем, который выписывал кренделя вокруг девочки-ровесницы, и видео, которое сняла Арина уже дома, за столом на веранде, когда Матвей разговаривал с бабушкой, рассуждая на тему, почему он готов лишь ухаживать за Марьяной, но не жениться на ней.

— Она разбалованная девочка, — на полном серьезе рассуждал пацан, уплетая творожную запеканку. — Зачем мне такая? Для жизни мне нужна, как мама: работящая и заботливая, красивая, чтобы такая же была и любила меня. Тогда да, можно и жениться.

— В таком случае для чего же ты ухаживаешь за Марьяной? — спросила правнука Анна Григорьевна.

— Ну как же ты, бабушка, не понимаешь? — подивился Матвей. — Для красоты же. Она же красивая, с ней прогуляться хорошо, друзьям показать. —

И вздохнул тяжко: — А так ее еще воспитывать придется, а мне этого не нужно.

И принялся за свою запеканку с неподдельным удовольствием.

Вот так, растет пацан, в девочек влюбляется, смеялся Артем. И, отсмеявшись, подумал вдогонку — растет, да без него.

И бог знает, удастся ли ему участвовать в жизни Матвея, присутствовать в ней и стать ему отцом? Чем больше проходило времени после того их разговора-признания с Ариной, после которого все пошло совсем не так, как ожидал Красногорский, он все больше сомневался, что ему удастся легко и незатейливо убедить Арину в своей правоте и настоять на том, чтобы она приняла его предложение.

Настоять, разъяснить, в конце концов, сделать упор на сексуальную, чувственную сторону, ухаживать и убеждать — все эти идеи, планы и возможности Артем бесконечно прокручивал в голове и готовился к их осуществлению. Несколько раз порывался сам поехать в тот Сочи, поймать ее там и уже, наконец, поговорить спокойно и без нервов.

Но останавливал себя, понимая: раз она так и не отвечает на его звонки, то разговора толкового, скорее всего, не получится, а излишним напором можно только все испортить. Как говорят за полярным кругом, «собрался в тундру — никогда не выстраивай только один план: все по погоде и случаю». Вот он и выстраивал и прорабатывал разные варианты по «погоде и случаю».

Но все чаще Артем задумывался о словах мамы, прокручивая их в голове неоднократно, о том, как Арина права, защищая Матвея от ненужных ему трагедий и переживаний и оберегая себя от ду-

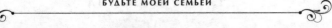

шевного разрушения и опустошения. И вспоминал о горьких словах Арины, брошенных тогда ему:

— И моя жизнь превратится в ад. И я уйду от тебя, так и не дождавшись твоей любви.

Артем не любил ее. Как бы она ему ни нравилась, как бы ему ни было с ней хорошо, как бы невероятно ни тянуло его к Арине и как бы он ужасно ни скучал по ней все это время, дивясь самому себе и обуревавшим его нежданным чувствам грусти-тоски и не дававшему покоя, желания увидеть, обнять, поцеловать, раствориться в ней» — он ее не любил.

Мама права в том, что он стал совсем закрытым и не позволяет себе сильных чувств и душевной близости, кроме самых близких людей, которых у него на сегодняшний день всего-то несколько: мама, Игорь, его сын Алешка, он же крестник Артема. Даже Женя, жена Игоря, не входит в этот круг.

Была еще Лия.

Да Лия была, и Артему даже казалось какое-то время, что он ее любил.

Они учились в одной группе в институте и дружили с того самого эпохального момента, на второй день учебы, второго же сентября, когда познакомились. А случилось это так. По дороге в институт Красногорский стал невольным свидетелем сцены любовных разборок. Парень на крутом мотоцикле подвез девушку и, видимо, по какому-то вопросу они не сошлись во мнениях, в результате чего между ними завязалась жаркая дискуссия, начавшаяся с перечисляемых друг другу претензий. Все это Артем наблюдал, пока шел к зданию универа, на дорожке к которому и разгорелись дебаты молодых людей. Девчонка была ничего так: фигурка классная и копна темно-каштановых волос, отливавших рыжиной на солнце, которыми она постоянно несколько картинно трясла, и... сама такая компактненькая, росточка невысокого, формы достаточно миниатюрные и ужасно задорная, боевая, наскакивала без всякого страха на амбала в «боевом» байкерском снаряжении — сплошная кожа-метал-шипы-заклепки и красная бандана на голове.

И в какой-то момент трепетная нервная система байкера не выдержала, и, отказавшись полемизировать дальше, он залепил подруге оплеуху, от которой ту снесло в ближайшие кусты.

Красногорский, аккурат в этот момент, не дошедший до парочки буквально метра три, не суетясь понапрасну, сделал оставшиеся три больших шага, и, продолжая двигаться с прежней скоростью, с ходу засадил хороший такой хук не успевшему ничего сообразить мужику под челюсть. Того аж приподняло от силы удара, и наступила его очередь лететь в кусты. Артем же подошел к кустам и вытащил оттуда девицу.

— Ну и зачем было его убивать? — наехала тут же на него пострадавшая. — Михей, в принципе, мужик неплохой, но бывает нервным, — поясняла она недовольным тоном, как ни в чем не бывало, словно схлопотать по мордасам для нее дело привычное, эдакая утренняя разминка для тонуса.

В это время из кустов, потряхивая пострадавшей головой и проверяя челюсть на предмет сохранности, выбрался «неплохой мужик» по имени Михей.

— Он просто узнал, сколько мне на самом деле лет, и настаивает на женитьбе, — разъяснила весело девица.

— Дура ты, Лия Батьковна, — доброжелательно пробасил мужик. — Меня ж посадят за твое малолетство, а я не хочу. Ты зачем дядю старого обманула-то, а? Да еще чужой паспорт предъявила, доказывая, что тебе двадцать лет. — И повернулся к Артему. — Ты, мужик, граблями-то своими размахивал бы поаккуратней, это хорошо, у меня голова чугунная, а ну как и на самом деле прибьешь кого до смертоубивства, — и протянул вдруг руку Красногорскому.

Артем, не узрев никакой агрессии со стороны байкера, пожал плечами и протянул свою ладонь.

— Михей, — представился мужик и коротко поведал суть конфликта: — Ты от этой нее держись подальше, парень, у нее голова такой херней забита, караул. Кащенко рыдает в ожидании этой барышни. Полмесяца вокруг меня круги наяривала, снимала и так и эдак, ну и доснималась, подловив, когда я к нирване приближался посредством крепких напитков, ну и закрутилось у нас, а утром сегодня выяснилось, что ей всего семнадцать лет и она решила расстаться с девственностью непременно с крутым байкером. Нормально?

— А чо такого? — подивилась девчонка. — Ну не с бандюком же каким, или с ботаном конченым, или ровесником сопливым. — И весело проскандировала: — Новая жизнь, дядя, студенчество, долой девственность и условности! — И попеняла от сердца: — Гордился бы, что тебя такая девушка выбрала.

— Так и горжусь, говорю, давай жениться, — начал заводиться по новой мужик.

— Да не хочу я, — отбрехивалась девчонка. — Ну хорошо было, все клево, мне почти понравилось. И все, расстались.

— Я же говорю тебе, — пожаловался Красногорскому Михей, — беда у нее с головой, там какие-то шарики неправильно соединяются. — Он надел шлем, оседлал своего железного друга и предупредил Артема: — Держись от нее подальше, парень, вляпаешься с этой козой по полной, потом устанешь расхлебывать.

Знал бы Артем, насколько оказался провидцем тот Михей.

Девушку звали Лия, и, как выяснилось, они учились в одной группе.

— Будем друзьями, — безапелляционно объявила девица Красногорскому. — Держись меня, будет весело! Введу тебя в современную жизнь и тусню столицы, разъясню реалии модерновой жизни, с андеграундом познакомишься у лучших его представителей.

И не поверите, но они на самом деле дружили.

Странная это была дружба — Лия, при среднем росточке и явной миниатюрности, была совершенно роскошной девчонкой, лицо ее было удивительным — утонченным, аристократическим, породистым, высокий лоб, брови — как два изогнутых лука, тонкий чуткий носик, выразительные зеленые глаза и чувственные губы. Хрипловатый от природы голос и плавные движения тела, словно она постоянно находилась в замедленном танце, и прямо-таки сшибающая сексуальность.

Мужики всех возрастов, рангов-регалий и сословий велись на нее, как на медовую приманку пчелы, забывая о себе, о своих статусах, семьях-женах и любовницах.

А Красногорский как-то вот спокойно. Может, в силу химии-физики, не сильно у них совпадавших, может, потому что относился к ней скорее как к ребенку, а может, потому, что они и на самом деле вроде как дружили, хотя кому и когда это мешало спать вместе.

И все же. Не спали, даже не целовались ни разу до определенного момента.

Лия никогда не принимала никаких допингов, ни в каком виде — ни алкоголя, даже пиво не пила, табак и травку не курила, ей вполне хватало большой придури в голове, толкавшей девочку на такие закидоны и чумовые истории, что мама не горюй.

Кстати, о маме с папой — Лия происходила из достаточно богатой, известной и даже знаменитой некоторыми ее представителями семьи. И позорила их от души, с огоньком и страстью.

Она сдержала слово и протащила Красногорского по всем андеграундовским тусовкам и громким мероприятиям, познакомила с кучей странных людей, таскала без билетов, пользуясь знакомствами, на скандальные премьеры театральных постановок, в какие-то мутные собрания странного народа, читавшего стихи матом или игравшего Стравинского, будучи подвешенными вниз головами.

Артему достаточно быстро это надоело, да и свои важные дела образовались в жизни, занимавшие теперь все его свободное время, и он, решив, что достаточно близко ознакомился с неклассическими течениями культурной жизни столицы, лазить по подвалам, пентхаусам, заводским помещениям и ангарам за городом резко завязал.

Зачем девочке с такими интересами в жизни понадобилось образование в техническом вузе, да еще на столь непростом факультете, для Артема так и осталось загадкой не меньшей, чем то, что училась она очень неплохо при всех своих закидонах.

И тем не менее всю учебу они сидели рядом, вместе ходили обедать и проводили время между парами, так ни разу и не поцеловавшись. А по окончании учебы их дружба сделалась еще более странной.

Лия то исчезала на месяцы, то вдруг снова врывалась в жизнь Артема, как грохочущая комета в тихую атмосферу Земли, нимало не смущаясь наличием у него в это время девушки, с которой тот встречался, и быстро становилась подругой и для той. Однажды заявилась в момент, когда они с тогдашней его девушкой занимались сексом, села на стул, подождала, когда они достигнут апогея, и кинулась обниматься с Артемом, вереща от радости:

— Горыч, как я по тебе соскучилась! Привет!

Он даже не стал смущаться, привыкнув за годы к полной безбашенности Лийки. А вот его девушка, наоборот, смутилась, а придя в себя, возмутилась не по-детски. Ничего, разобрались. Девочки даже подружились.

И, возникнув снова в его жизни, Лийка занимала ее очень плотно — приходила практически каждый вечер или тащила куда-то одного или с его очередной на тот момент дамой, и так продолжалось пару-тройку месяцев, после которых она снова без всякого предупреждения надолго исчезала.

В одно из таких внезапных появлений она призналась Артему в любви. Просто и безыскусно, даже буднично.

У Лии всегда были ключи от его жилья, где бы и с кем бы он ни жил, кроме родительской квартиры, разумеется. Она могла прийти в любое время, как к себе домой, и делать то, что хотела. Вот так однажды вечером Артем пришел с работы, а Лия, появившаяся на час раньше его, приготовила спагетти-болоньезе, салат, накрыла стол, и они сели ужинать.

Болтали о чем-то, смеялись, бубнил невыключенный телевизор, и она вдруг сказала ему ни с того ни с сего:

— Горыч, я тебя люблю. Нет, не как друга, хотя и как друга тоже, но я ужасно тебя люблю как мужчину, все эти годы. С того момента, как ты тогда врезал Михею, заступившись за меня.

— Это какая-то новая твоя идея? — усмехнулся Артем.

— Нет, не новая идея, — очень серьезно заявила она. — Ты единственный мужчина, которого я люблю. Очень сильно. И всегда буду любить только тебя и никого больше.

И тут он понял со всей отчетливостью, что она не шутит.

И обескураженно застыл. Они сидели, смотрели друг другу в глаза и молчали, наверное, достаточно продолжительное время.

И вдруг она улыбнулась, выдохнула и преувеличенно бодро заявила:

— Ладно, мне пора идти. У меня дела, — и подскочила со своего места.

— Подожди, — попытался остановить ее Артем и что-то сказать, как-то отреагировать на ее признание.

— Да ладно, Горыч, что мы, будем объясняться сейчас, что ли?

И, быстро чмокнув его в щеку, подхватила свою сумочку и умотала.

И не появлялась несколько месяцев, а когда появилась, вновь ни словом, ни намеком не дала понять, что тот разговор вообще имел место быть, и не вспоминала о своем признании.

А он все эти месяцы мучительно думал и изводил себя вопросами: а я ее? Я ее люблю? Что я к ней испытываю? И так и не смог ответить.

И еще, наверное, с год все продолжалось, как и прежде: она то появлялась в перерывах между отношениями с другими мужчинами, то исчезала, пока не объявилась однажды поздно ночью.

Он спал, вымотался до изнеможения на работе и улегся пораньше, впрочем, какое там улегся: рухнул и отрубился, только коснувшись головой подушки. И проснулся от того, что кто-то гладил его по голове, подскочил спросонья, испугавшись, ни фига не понял, дезориентированный в темноте, пошарил со страху рукой по тумбочке в поиске кнопки на светильнике, когда вдруг услышал знакомый голос:

— Что ты так испугался, Горыч?

— Лийка, ты, что ли? — Он в сердцах матюгнулся. — Напугала, дурочка.

— Не бойся.

И плавно скользнула к нему под одеяло, и тогда Артем почувствовал, что она совершенно голая.

Голая, прохладная, мягкая и упругая, где и положено, шелковистая и горячая.

Ночь эту они не спали. На следующий день на работе он просто умирал от усталости, хоть веки пальцами держи. Но ему было классно, хотя имелись и нюансы. Оказалось, что секс с Лией — это нечто, но кое в чем они все же не очень совпадали физически. И все равно в основном было потрясающе. Так и потрясались два месяца подряд, после чего она решила, что им надо пожениться.

— Горыч, надо нам в загс идти, — как-то утром задумчиво произнесла девушка.

— По причине? — заподозрив то, что в первую очередь подозревает любой мужчина при такой постановке вопроса, спросил Артем.

— Очень хочется за тебя замуж, — ответила девушка. — Я же тебя люблю, почему бы мне не быть твоей женой?

— В общем-то, не вижу препятствий, — хохотнул Артем и вдруг посерьезнел: — Только давай проясним один момент: если ты всерьез решила выйти за меня, то должна знать, что я хочу детей, и сразу, и желательно не одного ребенка.

— Теперь знаю, — кивнула Лия.

— То есть на детей ты согласна?

— Согласна, — подтвердила она.

И они поженились. Совершенно буднично.

Лия отказалась от любых торжеств и отмечаний, выдвинув какую-то свою очередную теорию о том, что это давно прошлый век, тупая традиция устраивать пьянку-гулянку по данному поводу. Что надо проводить такое важное соединение двух людей исключительно вдвоем и всяческую пургу по поводу новомодных эзотерических веяний в этом вопросе. Красногорский не спорил — не хочешь, да и бог бы с ним, с этим отмечанием.

Подали заявление, а через неделю расписались в будний день без свидетелей, гостей и отмечаний. В выходные собрали родителей за одним столом, поставили тех и других в известность об изменении своего социального статуса, выпили шампанского (все, кроме Лии), приняли осторожные поздравления от родни, не искрившие энтузиазмом, и стали жить семьей.

И, в общем-то, они неплохо жили, достаточно весело, если учитывать тот факт, что Красногорский очень много работал и мало бывал дома, да и Лия где-то как-то трудилась, но основной ее занятостью была совсем иная деятельность: посещение нескончаемых перфомансов, каких-то знаковых мероприятий, тусовок и встреч, словом, она вела очень активную, напряженную, отнимающую все силы светскую жизнь.

А так ничего, весело и достаточно легко жили, ни разу не поскандалив и не найдя за эти два года повода для упреков.

Однажды утром за завтраком Артем спросил у жены:

— Лий, может, нам стоит пройти обследование?

— Какое обследование? — недоуменно посмотрела она на него.

— Медицинское, какое же, — уточнил Красногорский. — Ну смотри, мы уже два года живем вместе, не предохраняемся, а детей нет и даже не намечалось.

— Скажи, Горыч, а от тебя женщины раньше когда-нибудь залетали? — несколько снисходительно спросила Лия.

— Ну было пару раз, по молодости, но обе барышни не собирались рожать, хотя я и предлагал и даже, помнится, настаивал, но одна делала крутую карьеру, а у второй и так уже имелось двое детей и перманентный муж, к ним прилагающийся, который то есть, то его нет.

— Ну тогда на фига тебе это обследование? — недоуменно пожала она плечиками. — У меня с этим полный порядок, и у тебя с плодовитостью все в порядке, — и усмехнулась. — Даже более чем в порядке, я уже два аборта от тебя сделала, значит, все обстоит как надо.

— Ты что? — обалдел Красногорский.

— Ну, что, что? — пожала она снова плечами. — Забыла таблетки принимать, вот и залетела. Бывает.

— То есть ты... — у него просто мозг взорвался от той простоты, с которой Лия призналась в том, что сделала. — Подожди, — перевел Артем дыхание. — Я правильно понял, что за время нашей со-

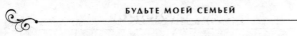

вместной жизни ты дважды беременела и, ничего мне не говоря, делала аборты?

— Правильно, — подтвердила Лия, улыбаясь, кивнула головой и попеняла: — Ну что ты так разнервничался, Артем?

— То есть ты не понимаешь? — терял дар речи, буквально зверея от негодования, Красногорский. — То есть для тебя это нормально — взять и сделать аборт, ничего не говоря мужу?

— Вообще-то это мое дело — делать мне аборт или нет, это же моя жизнь и мое тело? — перестав улыбаться, объяснила ему свою позицию Лия.

— Лий, — осторожно сказал он, стараясь держать свой гнев под контролем, только желваки на скулах ходили ходуном да зубы скрипели. — Ты помнишь, когда я согласился с тобой, что нам надо пожениться, я поставил одно условие и предупредил тебя, что хочу детей.

— Помню, помню, — улыбалась она, — что ты так разнервничался, Горыч?

— И ты согласилась, — сдержанно уточнил он.

— Согласилась, конечно. Я хотела за тебя замуж, ты единственный мужчина, которого я люблю и с которым вообще могу жить. Но какие дети? — объясняла она ему свои приоритеты. — Детей можно рожать только от очень-очень, ну очень богатых мужчин, и то потому что там без этого не обойтись. А так я не хочу детей, не хочу через это все проходить: вынашивать, рожать, потом на всю жизнь эта канитель.

— Ты вообще нормальная? — Красногорский вдруг остыл в один момент, ощутив лишь холодную ярость.

— Нормальная, нормальная, — уверила его недовольным тоном Лия. — Большинство современных молодых женщин не хотят детей и всей этой мороки. Мы хотим жить для себя, развиваться, учиться, познавать мир и что-то новое, мощное. Новые интересные знакомые, новые дела.

Он смотрел на нее, смотрел, даже думать не мог толком, переживая бурлящую, клокочущую ярость в груди. Встал из-за стола, собрался и уехал... в загс, где подал заявление на развод.

А вечером, вернувшись домой, сообщил:

— Отдай мне ключи от квартиры, собери свои вещи, и больше я не хочу тебя видеть в моей жизни никогда. Я подал на развод. Не придешь — нас разведут автоматически. Все.

— Ты чего сорвался-то? — опешила Лия, совершенно натурально не понимая причины столь бурной реакции мужа на ее невинное, в принципе, признание.

— Давай собирайся и к родителям вали, — указал он ей на дверь. — Не хочу больше иметь с тобой ничего общего.

— Да перестань, все это такая ерунда, — уговаривала она его.

— Все, Лия, — выставив руку вперед, отрезал Красногорский и повторил: — Все.

И она поняла, что и на самом деле это *все*.

— Я люблю тебя, Горыч, ты знаешь, как я тебя люблю, — напомнила она.

— Видимо, недостаточно, — горько усмехнулся Артем, — чтобы хотеть от меня ребенка.

Любила ли она его на самом деле так, как уверяла? Бог знает. Он склонен считать, что да, просто у нее было своеобразное представление о любви, жизни и отношениях между людьми. Иное.

За всей неординарностью и эксцентричностью ее поведения и характера он не понял и не заметил главного: что она просто избалованная до невозможности богатыми родителями, позволявшими ей все, без ограничений, современная женщина, играющая в жизнь, в чувства, с удовольствием потакающая любым своим желаниям, прихотям, капризам и придури. Любующаяся собой до самозабвения.

Как говорят в Одессе: «Женщина всегда сюрприз, но не всегда подарок». Вот абсолютно точно!

Любил ли он ее? Вряд ли, но она была ему дорога, это точно.

И он ей верил и впустил в круг своих близких людей. Пустил, а она там нагадила.

Вроде бы все давно прошло и даже не болит, не свербит и забыто, однако что-то ведь осталось и где-то в глубине души саднит, незаметно меняя характер, привычки и образ жизни.

Ладно, на хрен! Чего это его вдруг потянуло на воспоминания?

О другом надо думать, о другом. Вернее, о другой!

Как встретиться с Ариной и рассчитать эту встречу так, чтобы она получилась в удачном месте, в удачное время и при ее хорошем настроении, чтобы они могли спокойно с ней пообщаться.

Красногорский решил, что вот они вернутся с курорта, Матвей отправится в садик, они войдут в привычный режим и в привычную колею, и где-то через недельку он попробует встретиться и поговорить с Ариной. И надо обязательно подключить маму — пусть предложит приехать им в выходные на дачу, надо придумать какой-нибудь важный предлог, значимый повод.

Вот над чем стоит думать и размышлять, а не о своей неудавшейся семейной жизни вспоминать не ко времени и не к месту.

Было — прошло, все — отрезали.

Господи, какое же это счастье, что у нее есть бабушка!

По несколько раз в день возносила ей сердечную благодарность Арина. Вот где бы она была сейчас и как жила, если бы не бабуля с ее житейской мудростью и весьма неординарным взглядом на жизнь, которая никогда не поддается панике и унынию.

А еще какое великое счастье, что у нее есть Матюшка!

Благодаря им Арина смогла преодолеть в себе какое-то безысходное отчаянье, непроходящую, саднящую душевную боль и черную обиду на жизнь в целом, на Артема в частности и на себя вдогонку.

Да, все еще щемит сердце и иногда накатывает такая тоска, что становится нечем дышать, и постоянно и бесконечно с ней, перед ее мысленным взором, даже во сне, все стоит образ Красногорского, в основном в те бесподобные моменты их близости или тот их разговор на залитой утренним солнцем веранде.

Но она уже может дышать и улыбаться, и тихо радоваться каким-то простым вещам — теплому ласковому морю, солнцу, красоте природы, особому ощущению свободы, когда заплываешь далеко-далеко, раскидываешь руки и лежишь на волнах, глядя в бесконечное небо.

Радоваться вкусной еде, замечательному концерту классической музыки в исполнении звезд мировой симфонии, на котором они побывали с бабушкой, прогулкам, тихим вечерним разговорам за столом на веранде. Посмеиваться над сынком, ухаживающим за девочкой Марьяной, наслаждаться приятным и интересным общением с ее родителями, разговорами с бабулей, возможностью выспаться и лениться, хорошим дням.

Чему-то малому и простому, на поверку оказывающемуся самым главным. Как иронизирует Анна Григорьевна: «Дезинфицируем душевные раны!»

Ведь бабушка права: руки-ноги целы, голова работает, сама здорова и близкие здоровы, крыша над головой есть, работа есть, не нищенствуешь и не побираешься, войны нет, угрозы жизни нет — тогда имей совесть и не гневи бога, отдаваясь с особым наслаждением жертвы своим страданиям, сотрясая пространство жалобами, обидами и сетованием на жизнь.

Конечно, воспринимая эти маленькие радости через призму постоянно присутствующей внутри печали и грусти по несбывшемуся счастью, вздыхала, когда бабуля не видела, чтобы ее не расстраивать, вспоминала дачу Красногорских и те мощные, яркие чувства, что переживала там.

И тихонько плакала, уткнувшись в подушку, чтобы никто не услышал.

Но, как-то так незаметно, потихоньку Арина выправилась из перекоса на тему «несчастная я, нелюбимая, ай-ай-ай, жизнь закончилась!».

Да нет, не закончилась, идет себе. Вот уж и последний день на отдыхе, завтра в Москву, а там и Матвею в садик, бабуля, решив что ей скучновато будет, объявила, что переговорила с руководством районной библиотеки и выяснилось, что ее опыт очень даже нужен и востребован, и она пойдет «помочь девочкам», и ее даже берут на полставки со свободным графиком работы. Хотя трудно представить, что такое половина суммы, приближенной к нулю, — ноль?

Арина вообще восхищалась безмерно подвигом работников библиотек — фантастические люди! При очень скромных зарплатах они все преданные, увеченные энтузиасты своего дела и такие интересные и важные дела-мероприятия проводят, привлекают людей.

Да что говорить! Это пообщаться с ними надо, тогда поймете.

Анна Григорьевна сообщила, что будет работать в первой половине дня, после чего забирать Матюшку из сада и заниматься им. За хозяйством теперь присматривает домработница, которую Арина с бабушкой решили нанять для пробы, посмотреть, получится ли у них такой уклад жизни, к тому же та согласилась помогать и с Матвеем.

Так что — новая жизнь, новые реалии, новые высоты — без присутствия во всем этом господина Красногорского.

А что он? Бабушка рассказала, что Артем постоянно интересуется их жизнью, здоровьем и делами, и Лидия Архиповна ему передает новости и пересылает снимки и видео. Арина не возражала — да пусть себе, толку-то от этого его знания.

Поинтересуется еще какое-то время и постепенно остынет, забудет, встретит другую женщину, заведет с ней своих детей и будет жить счастливо, как и мечтал. Аминь.

Она бы тоже предпочла забыть его, оставив в памяти как приятный, замечательный и яркий эпизод жизни и не более того, но... она хотела его, тосковала по нему, скучала, поражаясь, как за такой короткий срок, который они были знакомы и общались, она привыкла к его постоянному присутствию в ее жизни, и ей ужасно не хватало его.

К тому же родной сынок постоянно напоминал о господине Красногорском, что тоже не способствовало ее быстрому излечению от любви. Чуть ли не каждый день в Сочи Матвей спрашивал Арину:

— А когда дядя Артем приедет?

Она отговаривалась, что он не приедет, потому что у него работа, потому что он занят, потому что у него свои дела, пока однажды не решила, что надо раз и навсегда объяснить сыну реалии, и ответила на его очередной вопрос:

— Мам, а дядя Артем когда к нам приедет?

— Матюша, он не приедет. У дяди Артема своя жизнь, свои дела. Он же не наша родня, не наш родной и близкий человек, он сам по себе, отдельно от нас.

— Нет, мамочка, — возразил ей сынок, забравшись ей на колени. Он взял ручонками ее за лицо и сообщил с самым серьезным видом: — Ты не понимаешь, мамочка, он наш. Он очень даже наш родной. Скажи ему, пусть он приедет. И бабушка Лида с ним тоже приедет.

Вот что тут будешь делать? Так и забалтывала ребенка дальше, объясняя что-то про сильную занятость его любимого дяди Артема, решив, что он со временем забудется Матвеем и потускнеет в памяти ребенка образ того дяди Артема, чтоб ему... хорошо жилось.

Сентябрь пришел как-то сразу после расслабляющего отдыха.

А через пять дней после приезда произошло очень странное событие.

Арина вернулась домой около семи вечера. Анна Григорьевна, вышедшая в прихожую следом за вылетевшим пулькой Матвеем, уже висевшим у матери на шее и целующим ее в щеки, произнесла настораживающую фразу:

— Умывайся, и за стол. Поговорить надо.

— Что-то случилось? — тут же напряглась Арина.

— Не случилось, но повод для беседы имеется.

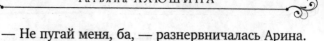

— Не пугай меня, ба, — разнервничалась Арина.

— А ты не пугайся попусту и заранее, — посоветовала Анна Григорьевна.

И объяснила, уж когда они сидели за столом в кухне после того, как соскучившийся за день по матери Матвей поведал ей о всех своих сегодняшних важных делах, достижениях и новостях, поделился мыслями о жизни и планами на завтра и убежал в гостиную разбирать очередную машину, а Арина, провожая любящим взглядом сына, мимоходом подумала: какие в скором времени придется искать ему машины и механизмы для изучения, он уже любую элементарную электронику курочит на раз, особенно при помощи подаренного Красногорским специального набора инструментов.

Красота, а не набор, только теперь мы все норовим разобрать, особенно важные вещи и агрегаты. Вот и думай, спасибо говорить тому господину или помянуть недобрым словом.

Она бы предпочла второе.

— Звонил отец, — отвлекла ее Анна Григорьевна от размышлений, которые каким-то странным образом, с чего бы ни начавшись, всегда сводились к одному предмету, о котором по-хорошему вообще не надо было бы вспоминать.

— Как у него дела? — дежурно поинтересовалась Арина.

— Вот ты у него и спросишь, — предложила бабушка и пояснила: — Он хотел с тобой поговорить. Специально позвонил предупредить, что свяжется с нами позже, когда ты вернешься с работы.

— И что ему надо? — насторожилась Арина.

— Думаю, он объяснит сам.

— И чего вдруг я ему понадобилась? Не нужна была двадцать семь лет, а тут здрасте, пожалуйста.

— Напомню, что Аркадий до сих пор переводит нам ежемесячно достойную сумму денег, а это мало похоже на поведение человека, которому ты безразлична. К тому же он звонит и интересуется твоей жизнью, просит ваши фото с Матвеем. Хотя бы поэтому ты могла бы спокойно и доброжелательно его выслушать. Думаю, просто так он бы не стал тебя тревожить.

Арина смутилась эдакой отповеди бабушки, понимая, что та права, но, наверное, это первая, непроизвольная реакция все еще где-то в глубине души обиженной маленькой девочки.

Как-то надо бы все-таки взрослеть, подумалось ей.

Они заканчивали ужинать, когда раздался звонок отца на телефон Анны Григорьевны. Та ответила, обменялась приветственными фразами и передала трубку внучке.

— Да, — отозвалась Арина, и что-то предательски дрогнуло у нее в солнечном сплетении.

— Здравствуй, Ариша, — услышала она отдаленно знакомый, практически позабытый голос отца, и снова что-то екнуло внутри.

— Здравствуй... — запнулась она, но произнесла все же: — Папа.

— Да, — усмехнулся он с грустью, — я понимаю. Помолчали.

— Ариша, — более деловым тоном заговорил он, — у меня есть к тебе огромная просьба и очень важное дело. Я все понимаю, что меня не было в твоей жизни и, по сути, я для тебя никто, незнакомый человек. И ты имеешь полное право отказать мне, даже не выслушав. Но то, о чем я хочу попросить тебя, очень важно. Невероятно важно.

— Что именно?

— Я не могу объяснить все по телефону и хотел попросить тебя прилететь ко мне.

— К тебе? — поразилась Арина.

— Да, ко мне, во Владивосток, — подтвердил он свою просьбу и поспешил растолковать: — Я перевел на вашу карточку деньги, чтобы ты смогла купить билет в бизнес-классе, — помолчал и сказал каким-то странным, особым голосом, полным скрытой скорби: — Мне очень многое надо тебе объяснить и очень многое сказать. И мне очень нужна твоя помощь.

— Когда ты хочешь, чтобы я прилетела? — спросила Арина и поторопилась уточнить: — Если я все же соглашусь прилететь.

— Как можно быстрей, — снова спокойным и ровным тоном ответил отец. — Лучше бы вообще сегодня. Но я понимаю, что тебе надо будет уладить какие-то дела.

— Я не могу прямо сейчас дать тебе ответ, — не отказала сразу Арина. — Мне надо подумать.

— Да, конечно, — торопливо согласился он и оповестил: — Я буду ждать твоего ответа. Звони сразу, как только решишь, в любое время.

— Хорошо, — пообещала она и попрощалась.

— Как я понимаю, Аркадий попросил тебя прилететь? — скорее утверждала, чем спрашивала Анна Григорьевна

— Да, — кивнула, не выходя из состояния глубокого недоумения, Арина. — Ничего не объяснил, сказал только, что это не телефонный разговор и что перевел нам на карту деньги на билет.

— Надо лететь, — вздохнув, уверенно сказала Анна Григорьевна.

— Ба! — удивилась Арина. — Я не видела его двадцать семь лет, он жил своей жизнью, и мы знать не знали, как он там живет и чем. Наверняка у него куча жен и любовниц поменялась за эти годы, и дети есть, с чего вдруг он обо мне вспомнил и я ему резко понадобилась?

— Знаешь, что, Арин, — строгим тоном прямо-таки отчитала ее бабушка, — давай-ка ты эти свои подростковые комплексы уже оставишь, перестанешь мучиться и строить из себя навеки обиженную девочку. Давно уже проехали, как ты выражаешься, эти темы и давно разобрались со всеми твоими претензиями к родителям. Аркадий никогда ничего у нас не просил и ни за чем к нам не обращался, только давал, поддерживал и всегда интересовался, как у нас с тобой обстоят дела. Даже предлагал тебе денег, когда ты в бизнес полезла, если помнишь, но ты гордо отказалась. И раз он просит сейчас помощи, значит, у него имеется для этого серьезная причина. И мы просто обязаны помочь.

— М-да, — устало потерла лицо ладонями Арина. — Ты права, ба, сто раз права. Это у меня по инерции и от усталости первая, неосмысленная, подсознательная реакция. — И пожаловалась: — Все-таки все еще сидят глубоко где-то там во мне детские обиды, вот не выдрать их до конца никак, как бы ни обольщалась. — И снова потерла ладонью лицо. — Ладно, все это лирика. Пошли в комнату, будем брать билет, папа денег на бизнес-класс дал, полечу с комфортом.

— Вот и молодец! — похвалила Анна Григорьевна.

— Кто, — усмехнулась Арина, — отец или я?

— Оба, — отмахнулась от нее бабушка.

Арина улетела на следующий день, успев уладить все дела. Передала бразды правления производством Палне, поручив нанять еще двух работ-

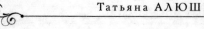
ников сначала на испытательный срок, а там посмотрим.

Но, услышав их разговор, вдруг влез с предложением Глеб:

— Арина Аркадьевна, у меня товарищ есть, бывший одногруппник, он нормальный пацан. Так вот, он просил меня еще до нашего с Аленой отпуска поговорить с вами, хочет к нам на постоянку устроиться, к тому же он в инете бог, говорит, надо нам концепт менять и в сайте, и в блоге, активней работать с Сетью и все такое. Так я позову?

— Давай, под твою ответственность, Глеб. Но тоже на испытательный срок, а там посмотрим. Тогда вы втроем посовещайтесь, поспрашивайте своих бывших коллег и подберите нам еще одного человека.

На том и порешили. Арина навела полный порядок в документации, просидев с бухгалтером несколько часов, потом пришел черед домашних забот. Вот было у Арины такое странное ощущение, что не скоро она вернется к работе в коллективе. Какое-то смутное предчувствие.

Посудили-порядили с бабушкой и пришли к выводу, что Анне Григорьевне не придется уходить с новой работы, только-только приступив к ней, что справятся они как-нибудь. И их решение нанять помощницу по хозяйству оказалось как нельзя кстати.

И все это время Арина думала странные мысли: а узнает ли она отца, когда увидит? Она его почти не помнит — его лицо, образ, голос стерлись из памяти. Зато она помнила его запах, его сильные руки и как он подбрасывал ее к потолку и ловил, а она хохотала от восторга и счастья. Помнила, как ждала его каждый вечер и бежала сломя голову навстречу, стоило услышать, как он открывает ключом дверь, потому что он открывал замок как-то по-особенному, только как он умел. Она очень его любила, больше, чем маму. Почему так?

В самолете, в шикарном бизнес-классе, после взлета, она откинула спинку кресла, воткнула беруши в уши, натянула маску для сна на глаза, укрылась пледом и почти моментально отрубилась. И проспала практически весь полет, пропустив все ритуалы питания пассажиров.

Отца Арина узнала сразу, выхватив взглядом в толпе встречающих.

Он был выше всех ростом и все так же красив, статен и по-мужски привлекателен, очень импозантный, подтянутый, дорого и со вкусом одет. Он увидел ее раньше, чем она его, и смотрел на Арину такими же, как у нее, темно-синими глазами, странным, остановившимся взглядом, в котором смешалась радость, тревога и какая-то глубокая, очевидная боль.

Он не сильно изменился, сохранив свою немного поредевшую и поседевшую, но все еще роскошную шевелюру, уложенную дорогим мастером, и не состарился так уж явно и очевидно, не покрылся морщинами и возрастными признаками увядания, хотя какое увядание — молодой мужчина в расцвете лет, еще и шестидесяти нет.

Но какая-то невидимая печать болезненности витала вокруг него: излишняя худоба, умело скрытая грамотно и со вкусом подобранной одеждой, бледность кожи не то от пережитой глубокой душевной драмы, не то от физического недуга.

Арина остановилась, замерев, как только увидела отца, и все смотрела, смотрела, узнавая и поражаясь цепкости своей детской памяти. А люди шли мимо, задевая ее, локтями и чемоданами, а она не замечала, стояла и разглядывала его, чувствуя, как подбираются к горлу слезы.

И тут он двинулся вперед и пошел ей навстречу, игнорируя любые запреты и ограничители и, никем не останавливаемый, подошел к Арине совсем близко и сказал очень просто:

— Здравствуй, доченька.

— Здравствуй, пап, — задушенно пискнула она в ответ, справляясь с предательской слезливостью.

А он взял и обнял ее. И Арина, прижимаясь к груди отца, зажмурилась, и две крупные слезы скатились с ее глаз, и она торопливо смахнула их ладонью. Постояли, каждый справляясь с нахлынувшими эмоциями.

— Ну что, пошли? — спросил Аркадий Викторович, отпуская дочь из объятий и перехватывая у нее ручку чемодана. — Как долетела?

— Спала весь перелет, — сковwindows улыбнулась Арина, смутившись вдруг своей чрезмерной чувствительности.

— Тогда ты наверняка проголодалась?

— Ужасно.

— Ты предпочтешь ресторан или у меня дома поедим? Мы готовились к твоему приезду и организовали праздничный обед.

— Мне, наверное, сначала надо в гостиницу заселиться, — протянула с сомнением Арина.

— Я забронировал тебе номер, — уведомил ее отец и попросил: — Но я надеялся, что ты остановишься у меня в доме. Не дворец, конечно, все довольно скромно и далеко не помпезно, но места достаточно, чтобы не мешать друг другу. Предлагаю поехать домой, пообедать и поговорить, а потом ты решишь, как и где тебе будет удобней.

— Хорошо, — согласилась Арина.

Не дворец, и в самом деле, убедилась Арина, когда машина, в которой они ехали, повернула в распахнутые ворота.

Даже не «Дворянское гнездо», а вполне себе замечательный компактный кирпичный домик в два этажа с высокой мансардой, ненамного больше, чем дом Красногорских, а вот участок приличный, с грамотно разбитым мини-парком с цветниками, деревьями и декоративными кустарниками. Это только то, что она увидела вокруг центрального входа в дом, а что там еще сзади...

Дом с участком находился в поселке, расположенном, в общем-то, в черте города, и стоял на небольшой возвышенности. Как позже узнала Арина, из окон второго этажа открывался прекрасный вид на Тихий океан.

Красота, конечно, но не до нее было. Совсем не до нее.

В аэропорту Аркадий Викторович представил Арине своего шофера, солидного, спокойного, уверенного в себе мужчину лет пятидесяти, Константина Андреевича. Когда же они подъехали к дому, навстречу им вышла приятная, улыбчивая женщина, лет где-то за сорок, и отец представил ее:

— Знакомься, Арина, это наша незаменимая и прекрасная помощница по хозяйству Марина Максимовна.

— Очень приятно, — первой протянула руку Арина.

— Здравствуйте, — улыбнулась приветливо женщина, пожимая предложенную руку. — Очень рады, — и вдруг добавила прямо со слезой: — Мы вас очень ждали. Очень.

Арина даже немного напряглась от этого странного поведения.

— Марина Максимовна, — обратился к помощнице Аркадий Викторович, — Ариша с дороги, ей надо умыться, перевести дух, привести себя в порядок, проводите ее в комнату и помогите сориентироваться в доме.

Внутри, слава богу, обстановка не слепила роскошью, а была достаточно лаконичной, но не строгой, приятной, уютной и очень комфортной, и становилось как-то сразу понятно, что этот дом любят, в нем именно что живут, а не красуются на фоне обстановки.

Арина даже дыхание перевела незаметно, потому что раньше внутренне напряглась от этого импозантного вида отца — человека, давно привыкшего жить обеспеченно, от этого вальяжного Константина Андреевича за рулем дорогого, престижного автомобиля, а тут оказалось все не так печально и напряжно — теплый, уютный, располагающий дом без всякой помпезности.

Она не могла бы ответить самой себе, чего ожидала от встречи с отцом, каким мысленно рисовала его себе. Всякое предполагала она — от скромного работяги до... наверное, вот такого, как есть, — с домом, шофером и прислугой.

Да еще это его «мы ждали, мы готовились», и она подумала, что это «мы» предполагает наличие семьи — жены, детей.

Хотя все еще возможно и до конца непонятно. Может, семья и наличествует на самом деле и прибудет позже, занятая до поры важными делами.

Охо-хошеньки!

Арина посмотрела на себя в зеркало над умывальником в великолепной ванной комнате, соседствующей с большой, шикарной спальней, в которую ее определили. Потом она еще посмотрит более придирчивым взглядом обстановку. На первый, беглый взгляд ей все очень нравилось, а там увидим. А сейчас очень хотелось есть, аж подташнивало от голода.

Умывшись по-быстрому и приведя себя в порядок на скорую руку, Арина спустилась на первый этаж в большую гостиную-столовую, расположенную в самом центре дома.

Стол был накрыт всего на две персоны, но богато. Отец встретил ее у лестницы и пригласил широким жестом руки:

— Ну что, давай пообедаем? Марина Максимовна расстаралась, решив с ходу порадовать и угостить тебя дарами нашего края. А дары эти, как известно, в основном морские.

Он поухаживал за дочерью, галантно отодвинув перед ней стул, и занял место во главе стола.

— Крабов любишь?

— Наверное. — Арина все никак не могла расслабиться, невольно смущаясь, тушуясь и чувствуя сковывающую неловкость. — Я ела их несколько раз и только в салатах.

— Вот сегодня и определишься. Свежего нет, не сезон, но Марина Максимовна сама делает засолки, когда идет вылов краба. И сегодня у нас краб представлен в нескольких блюдах.

— Ух ты, — без особого восторга произнесла Арина.

— Ариш, — внезапно попросил отец, — расслабься, пожалуйста, и чувствуй себя как дома, а не в гостях. И постарайся не нервничать.

— Я постараюсь, — кивнула она, — но это сложно. — И пояснила несколько путано: — Мы давно не виделись. Я тебя совсем не знаю, мне сложно.

— Да, — кивнул он, — я понимаю. И все же постарайся расслабиться. Расскажи мне о своем бизнесе. В общих чертах я знаю, как все это вышло и получилось, мне Анна Григорьевна рассказывала, но хотелось бы услышать, что называется, из первых уст и подробности.

— Тебе на самом деле интересно или это просто прием такой, чтобы сгладить нашу общую неловкость? — несколько задиристо спросила Арина.

— Мне интересно абсолютно все про тебя и твою жизнь, — очень серьезно ответил Аркадий Викторович и посмотрел ей в глаза.

— Ну хорошо, — шумно вздохнув, согласилась Арина, — значит, про бизнес.

И начала рассказывать про случай с днем рождения Никитки, в общем-то, изменивший ее жизнь, про то, как она начинала, как развивала свое дело. И постепенно, исподволь и очень умело направляемая вопросами отца, и не заметила, как увлеклась, рассказывая о своем коллективе, о достоинствах и недостатках каждого, о своих успехах на данный момент и какие мысли-идеи имеет по поводу дальнейшего развития.

И великолепный обед пролетел за их разговором совершенно незаметно.

— Так, — вдруг опомнилась Арина, сообразив, что проболтала достаточно продолжительное время, опомнившись, когда Марина Максимовна забрала стоявшую перед ней и давно опустевшую тарелку. — Кажется, я несколько увлеклась. Думаю, я пролетела свыше шести тысяч километров не для того, чтобы болтать о себе и своей жизни.

— Мне было бы очень приятно узнать о твоей жизни поподробней и как можно больше, — улыбнулся ей отец.

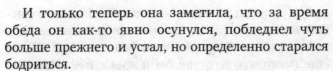

И только теперь она заметила, что за время обеда он как-то явно осунулся, побледнел чуть больше прежнего и устал, но определенно старался бодриться.

— Пап, — очень серьезно потребовала объяснений Арина. — Кажется, самое время объяснить, зачем ты меня вызвал? — И спросила напрямик: — Ты болен?

— Я болен, — не стал отпираться Аркадий Викторович, — но я попросил тебя прилететь не из-за своей болезни. Вернее будет сказать: при всех прочих, это обстоятельство оказалось решающим. Мне надо сейчас сделать укол, это не займет много времени, а после мы устроимся поудобней, и я постараюсь тебе все объяснить самым подробным образом.

Действительно, он отсутствовал не более десяти минут, за которые расторопная и энергичная Марина Максимовна успела убрать со стола, категорически отказавшись от предложенной Ариной помощи, и накрыла к чаю небольшой столик у двух кресел, стоявших возле камина.

Отец вернулся чуть более бодрым, чем уходил, указал Арине на кресло, сам сел в соседнее, помощница принесла большой керамический чайник, какую-то закусочку, разлила по чашкам ароматно пахнущий темно-янтарный чай и удалилась.

Аркадий Викторович взял в руки блюдце со стоявшей на нем чашкой, сделал небольшой глоток и долгим, задумчивым взглядом посмотрел на горевшие дрова в камине, которые успела разжечь ну очень скорая домработница.

— Ты знаешь, наверное, чтобы объяснить все обстоятельно и правильно, надо начать с самого начала, с того момента, когда я развелся с твоей мамой и уехал из Москвы, — поставив блюдце с чашкой на столик, начал он явно трудно дававшийся ему рассказ. — Скорее всего, я бы не ушел от Жанны еще несколько лет, так бы и жил с ней. Изменял бы, конечно, не скрываю этой стороны своей натуры, преодолеть которую так и не сумел, но получилось как получилось. Жанна влюбилась, в очередной раз до страсти, пришлось разводиться. В стране девяносто третий год, полный бардак, но в этой беспредельной разрухе рождалось что-то новое, появились иные возможности проявить свои способности, и мне хотелось попробовать эту новую жизнь и себя в ней.

Куда только не забрасывала Аркадия его неуемная натура, ищущая новых знаний, испытаний на прочность, новых применений своим способностям. И каждый раз некий внутренний исследовательский зуд, какая-то неуемность натуры заставляли его срываться с уже обжитого, насиженного места, от устроенности жизни, и вновь нестись куда-то в поисках более интересной реализации новых идей.

Так и промотался по стране больше шести лет, и это в самые непростые девяностые годы. Чего только он не повидал, в каких только ситуациях не побывал и чего только не пришлось ему пройти и испытать в поисках себя, своего дела, своего применения. Несколько раз совершенно реально находился на волоске от гибели, даже ранен был дважды, но это так, попутные, неизбежные издержки в такой-то шальной судьбе.

Но всегда, где бы ни оседал Аркадий на время, — всегда и везде он был востребован как специалист высочайшего уровня, недаром МГУ с отличием закончил и был очень, очень толковым и грамотным человеком, но не только. Обнаружилась вдруг у Аркадия, среди прочих дарований и способностей, в свете новых реалий жизни, эдакая настоящая практическая сметка человека, расположенность к бизнесу и коммерческая жилка, особая смекалка, умение рисковать, при этом четко рассчитывая эти самые риски, и прямо-таки дар управленца.

Вот все это, да помноженное на неуемность его натуры, и дало ему долгие годы удачно заниматься бизнесом, и каких только предприятий Аркадий не затевал, и в каких только бизнесах не участвовал! И всегда успешно, всегда в прибыли, и умудрялся прямо как между струями ливня проскользнуть, пройти по самой грани, общаясь с братками и их соратниками, коррумпированными ментами и чиновниками того времени, и не попал ни под пресс, ни под голимый отстрел.

К тому же не стоит забывать о необычайной востребованности Аркадия у женского пола и все той же его притягательной магии. Женщины все так же продолжали безнадежно обожать Аркашу, помогали всегда всем, чем могли, во всех его делах и начинаниях, и готовы были ради него на многое.

Он принимал предложения их помощи, но никогда внаглую не использовал дам: всегда и сам в ответ делал для женщин многое, и помогал, если требовалось, ну и, разумеется, одаривал ласками по полной и до изнеможения.

Так что взаимовыгодно было у него все с противоположным полом, без обмана. По крайней мере, ему, как мужчине, казалось, что все честно, а что думали женщины по этому поводу — его мало волновало.

Но ни одна привязанность и страсть, ни одна женщина никогда не могла остановить Аркадия и удержать подле себя надолго. Он заводился новой идеей, строил очередное дело, налаживал бизнес, и в какой-то момент ему становилось неинтересно, когда начиналась каждодневная рутина, и он, как правило, продавал свою долю или бизнес целиком, и — фюйть! — только вы его и видели — улетел в другие края за новой идеей и реализацией.

По ходу своей жизни несколько раз был женат, и каждый раз по одной-единственной и традиционной для него причине — «по залету» его пассий.

Вторая после Жанны женитьба закончилась быстро, в связи с выкидышем у его новой жены, после которого Аркадий еще полгода побыл рядом с переживавшей эту беду женщиной, помог ей чем мог: квартиру купил, денег подкинул, потом развелся и уехал дальше за своей «синей птицей».

Третий раз женился, когда жил в Комсомольске-на-Амуре, родился в том браке у него сын Федор. Прожил с женой и сыном два года, потом у женщины кончилось терпение прощать его многочисленные измены. Развелись.

В двухтысячном году Аркадий перебрался во Владивосток и осел в этом городе окончательно и навсегда. Понравилось ему здесь, как-то совпал душой он с этим местом, с Дальним Востоком, с Тихим океаном, с сопками и солеными ветрами, со своеобразным колоритом этого города.

И затеял новое дело, новый бизнес, собрав за семь лет скитаний и многочисленных коммерческих предприятий вполне приличный капитал для любого начинания, да еще и квартиру московскую продал. И бизнес, привычный для специфики этого региона, укрепился и наладился, а дела пошли в гору. И он женился в четвертый раз, все по тому же привычному до смешного поводу — женщина ждала от него ребенка.

И на сей раз женитьба оказалась последней, самой продолжительной и самой необычной.

Его жена Надежда была признанной в городе красавицей — такой славянский тип, редкий для этих мест: натуральная блондинка, хоть и достаточно миниатюрная, но хороша необычайно, все при ней — фигура, формы, стать, одна походка чего стоила — вот буквально не идет, а плывет над землей. Черты лица идеальные, глаза золотисто-зеленые, лучистые, брови дугами, губы... ну что описывать — красавица, и все. И, как большинство красавиц, капризна, надменна, эгоистична, не очень умна, центропупие зашкаливает в сочетании с полным отсутствием самоиронии, да и иронии как таковой в принципе.

Да не свезло девушке влюбиться до одури в залетного красавца Аркадия Ахтырского. И привыкшая по праву своей красоты небывалой получать все, что ей заблагорассудится, заполучила Наденька и Аркашу. И родила ему дочь Алису.

— Аркадий Викторович, — прервала хозяина дома незаметно вошедшая в комнату женщина.

Она подошла настолько тихо, что, услышав ее голос за спиной, Арина от неожиданности вздрогнула всем телом и резко обернулась.

— Простите, — увидев непроизвольную реакцию девушки, извинилась та.

Арина кивнула, принимая извинения, а женщина снова обратилась к Ахтырскому:

— Аркадий Викторович, вам давно надо отдыхать, вы и так сегодня долго были на ногах, переволновались и устали.

— Познакомься, Ариша, это моя медицинская помощница. Она неукоснительно следит за состоянием моего здоровья. Алла Романовна. А это Арина, моя дочь. Впрочем, вы знаете.

— Да, — кивнула женщина и дежурно улыбнулась, пояснив: — Аркадий Викторович вас очень ждал. Как и мы все, кто находится рядом с ним.

— Это приятно, конечно, хотя удивительно и несколько смущает, но я до сих пор не знаю, почему настолько важна наша встреча, кроме очевидного: ты болен, и, видимо, всерьез, — сказала Арина.

— Давай так, — предложил он, — Алла Романовна права, надо бы отдохнуть, к тому же мне пора ставить капельницу. И если тебя не смутит, что я буду лежать под системой, то ты можешь посидеть рядом со мной. Разговаривать мне эта процедура не помешает.

— Да, конечно, — согласилась Арина, — меня не смутит.

— Тогда где-то через полчаса подходи в мою комнату, она на первом этаже, Марина Максимовна тебе покажет.

Арина и сама с удовольствием полежала эти полчаса, только сейчас прочувствовав, насколько устала не столько физически, сколько морально, находясь с того момента, как приземлился самолет, в постоянном, не отпускавшем ее напряжении. И, улегшись на кровать поверх покрывала, буквально заставила себя расслабить все мышцы тела и постараться ни о чем не думать.

У двери в отцовскую комнату Арину с совершенно очевидным намерением что-то сказать поджидала Алла Романовна.

— Арина, — обратилась она напряженным тоном, подтверждая предположения девушки, — я не могу запретить Аркадию Викторовичу нервничать и перенапрягаться, он сам прекрасно знает, что ему это противопоказано и очень вредно. Я понимаю, что он торопится все вам объяснить и поэтому так нервничает. Но постарайтесь его не тревожить понапрасну.

— Я не очень понимаю, что вы хотите мне сказать, — ответила Арина, — и не понимаю, чем именно я могу его тревожить, тем более понапрасну, как вы выразились. Ему нельзя долго разговаривать?

— Разговаривать ему не противопоказано, но ему нельзя нервничать, расстраиваться и перенапрягаться.

— Я вас услышала, — холодно ответила Арина.

И вошла в комнату к отцу. И тормознула на пороге, обнаружив, что он лежит не на роскошной постели, что как-то само собой предполагалось в этом доме, а на медицинской функциональной кровати-трансформере. И у него стоит капельница.

— Так, папа, — строгим тоном потребовала Арина, — объясни, чем ты болен? Что с тобой?

— Я все скажу, — улыбнулся он ее решимости и кивком головы указал на стоявшее рядом с кроватью кресло: — Садись. Я все объясню. Немного осталось.

Показательно недовольно вздохнув, Арина все же села.

— На чем мы остановились? — попросил напомнить отец.

— На том, что ты женился в четвертый раз, и жена твоя совершеннейшая красавица.

— Да, — Аркадий Викторович помолчал, собираясь с мыслями, и продолжил: — Итак, Надежда...

Они были потрясающе красивой парой, наверное, даже нереально красивой парой: он — высокий, стройный, широкоплечий великолепный мужчина со светло-русой вьющейся шикарной шевелюрой, мужественным лицом, с выразительными, невероятными темно-синими глазами; она — миниатюрная блондинка, с удивительной красоты лицом, с золотисто-зелеными глазами, с фигурой богини.

Когда они входили куда-нибудь вместе — в театр, в кинотеатр, в ресторан, на какие-то официальные мероприятия, замирал весь зал, и какие-то мгновения воцарялась совершенная тишина, пока люди смотрели на великолепие этой пары не отрываясь, а потом шу-шу-шу — несся быстрый горячий перешепот: кто это такие? Ахтырские! Какие красивые! Фантастические! Невероятные! Боже, какая пара! Какая красота...

И так было всегда и везде. Они привыкли. Аркадий относился к такой реакции людей спокойно, с большой долей иронии и скепсиса, а вот Надежда питалась этим восхищением, дышала и жила им, это было ее жизненной необходимостью — обожание, преклонение, восхищение и всякие безумства мужчин, кстати, и не только мужчин, бывали прецеденты и поэкстравагантней, творимые ради нее и во имя нее.

А вот с этим как раз таки произошел первый в ее жизни обломчик — ну вот не восхищался ею Аркадий, и все тут. Как Надежда ни билась, как ни старалась, как ни объясняла ему, что, мол, должен-обязан трепетать от восхищения до потери пульса — не трепетал.

И родилась у них дочь, которую мама назвала Алисой.

Девочка была здоровенькой, очень шустрой, активной, но... не красавицей. Все черты ее внешности были правильными, каждая по отдельности кра-

сива и даже, можно сказать, изысканна, но вместе
и в совокупности они словно растворялись на ее
лице, делая его никаким, словно плоским, незапо-
минающимся и пустым.

Пока девочка была маленькой, эта особенность
внешности дочери не сильно тревожила Надежду,
но когда ребенку исполнилось три-четыре годика,
а потом и пять, мать все больше и больше раздра-
жалась и даже откровенно обижалась и негодовала
на ребенка — у ее подруг и знакомых и то дети
интересней, а у нее — у Первой Великой Красавицы города — какая-то манная каша, не пойми
что, с ней же даже на люди выходить стыдно.

И она не выходила. Дочь для нее стала вечно
раздражающим фактором в жизни, каким-то недо-
разумением, бракованной вещью, и она относилась
к ней именно так. И, как часто бывает, именно такие отвергнутые дети изо всех своих душевных сил
любят и тянутся именно к отвергающим их родным и только от них ждут любви. И Алиса старалась стать для мамы самой прекрасной и самой хорошей, и что только Аркадий не делал, как не забо-
тился о дочери, как не пытался нивелировать такое
отношение Надежды к ребенку и как не проявлял
свою любовь, той была нужна только мама и только
ее любовь и участие.

А вот с этим, с материнской любовью и участием
то бишь, стало совсем хреново, то есть вообще никак, когда Надежда закрутила головокружительный
роман с одним ну очень богатым человеком, просто
неприлично богатым. И довольно быстро развелась
с Аркадием и вышла за того замуж, оставив дочь
жить с отцом и ее мамой, тещей Аркадия.

Алиса рвалась к матери, рыдала и уговаривала ту
взять ее к себе хоть ненадолго, звонила ей и писала

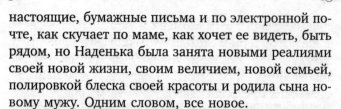

настоящие, бумажные письма и по электронной почте, как скучает по маме, как хочет ее видеть, быть рядом, но Наденька была занята новыми реалиями своей новой жизни, своим величием, новой семьей, полировкой блеска своей красоты и родила сына новому мужу. Одним словом, все новое.

И дочь в ее жизненные приоритеты не входила никоим образом.

Но! В двенадцать лет Алиса стала стремительно меняться — начала вытягиваться и расти, лицо приобрело более четкие черты. Это было похоже на то, как в ванночке с проявителем для фотографий постепенно и достаточно быстро проявляется на белой бумаге четкий и яркий снимок.

И к четырнадцати годам девочка расцвела настолько, что, казалось, это совершенно другой человек, какая-то другая девочка, а не та прежняя Алиса.

Она вытянулась под метр семьдесят ростом, пойдя статью в отца, в какой-то момент начали завиваться и кучерявиться ее обычно прямые волосюшки непонятного цвета, превратившись в роскошную гриву светло-русых, почти блондинистых волос, и засияли золотисто-зеленые глаза каким-то прямо пронзительным цветом, а кожа приобрела необычайный оттенок и была совершенно идеальной, гладкой, бархатистой.

На Алису обрушился просто шквал мужского внимания, а на Аркадия посыпались предложения разного рода: от разрешить снять дочь в кино до участия в московском конкурсе красавиц.

Алиса терялась и не знала, что делать с таким своим кардинальным превращением из гусеницы в бабочку, и, понятное дело, крышу у нее снесло от осознания собственной небывалой красоты.

И именно в этот момент и нарисовалась снова в жизни дочери Надежда — толкнула теорию, мол, всегда знала, что дочь у нее будет красавицей, забрала Алиску к себе жить, а ее муж, почти олигарх, сразу же пристроил девочку в лучшую школу моделей в Европе. И Алиска уехала во Францию, не сильно-то спрашивая отца. Проще говоря — вообще не спрашивая, а только поставив в известность. И за это спасибо.

А через несколько месяцев после ее отъезда у Аркадия диагностировали острый лимфобластный лейкоз, в народе именуемый рак крови.

— В свое время, на одном закрытом производстве, мне пришлось поработать с радиоизотопными элементами, — рассказывал отец замершей в смятении Арине, — технику безопасности соблюдали, как и положено по инструкции, но девяностые годы, производство распадается: то не работает, у того срок годности истек, это вышло из строя, а вон то так и вовсе поломано, и заменить его нечем. Вот и получил облучение чуть больше положенного безопасного уровня.

Прошел все обследования и профилактическое лечение, проверился — все в норме.

Его здоровый, мощный организм достаточно долго самостоятельно справлялся с последствиями облучения. И, кто знает, может быть, так и справлялся бы дальше. Но однажды Аркадию пришлось прыгать в ледяную воду, чтобы вытащить человека, который находился без сознания. Стечение невозможных, казалось бы, обстоятельств — мужик стукнулся головой и вывалился за борт, а Аркадий находился ближе всех, вот и кинул круг и прыгнул следом. Если бы не он, пропал бы моряк.

Мужика спасли, а Аркадий сильно переохладился и долго после этого болел. Но вроде оклемался, восстановился, и пошла жизнь-дела-работа дальше, а он при случае в мужской компании со смехом вспоминал историю купания в ледяной воде.

Да только тот его прыжок в Тихий океан и серьезное переохлаждение сработали как спусковой крючок для притаившейся болезни.

Аркадий не относился к категории людей, кто обращается к врачам за пять минут до агента из конторы ритуальных услуг. Будучи человеком образованным, много чего повидавшим и хорошо знавшим цену жизни, он старался следить за здоровьем. Ну как следить — если организм давал какой-то сбой: где-то прихватило, где-то тянет или что-то сбилось с нормальной работы или тревожит, он честно и добросовестно обращался к докторам и проходил обследования.

Но вся коварность его заболевания заключалась в том, что, во-первых, оно развивалось стремительно, а во-вторых, первичные симптомы можно было легко списать на обычную накопленную усталость.

Именно в тот момент Аркадий Викторович занялся новым проектом, запуская одно из направлений своего бизнеса, и работал сутками, стараясь сам все проконтролировать, наладить работу, везде успеть и все объять, чем тоже сильно способствовал развитию болезни.

Спал мало, нервничал и работал много, вел напряженные многочасовые переговоры, поэтому и не обратил особого внимания на то, что чувствует какую-то ненормальную потерю сил, принимая ее за естественное следствие переутомления. У него стала часто нестерпимо болеть голова, он похудел на несколько килограммов, стал плохо спать, потел во сне, чего раньше не бывало.

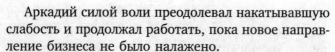
Аркадий силой воли преодолевал накатывавшую слабость и продолжал работать, пока новое направление бизнеса не было налажено.

И именно в этот момент у него начались кровотечения из носа и из зубов, которые с трудом удавалось остановить. Вот тогда и пошел к врачам.

Диагноз ему поставили сразу — лейкоз. Как обухом по голове! Какой лейкоз, откуда? Но рефлексировать Аркадию не дали, сообщив, что необходимо немедленно начать лечение, он и так запустил болезнь до критического уровня, ну и начали лечение по определенному так называемому протоколу.

Процесс лечения такого рода заболевания долгий и трудный физически и морально. Он проходит в несколько этапов и начинается с химиотерапии.

— У нас тут работают сильные и грамотные специалисты в этой области медицины, — все говорил и говорил Аркадий Викторович, — грамотные и талантливые, да и центр современный, мощный. Так что я был в хороших руках. Прошел химио- и лучевую терапию, а в Израиле мне нашли донора и сделали трансплантацию костного мозга.

И начался достаточно быстрый процесс выздоровления и восстановления.

И это было настоящим чудом, особенно если учесть, что долгие месяцы Аркадий переживал дикие мучения, когда его всего выворачивало наизнанку от химиотерапии, и боли порой бывали просто адские, до потери сознания, а тут прямо ощутимо и мощно начался процесс выздоровления.

А вторым чудом, без предупреждения и предварительного звонка, явилась вдруг Алиса, буквально с порога уведомившая отца о нескольких обстоятельствах своей жизни. Первое, она закончила учебу в школе моделей в Париже, получила диплом и сделала офигительное портфолио у лучшего фотографа и стала моделью и таки, чтобы вы знали, уровня «топ», и у нее уже есть несколько контрактов, и второе — незначительное, на фоне столь грандиозных достижений — она беременна.

Опаньки! Девочке вообще-то семнадцать лет, на минутку.

— И кто отец? — спросил первое, что в таких ситуациях положено спрашивать, Аркадий.

Отцом ребенка оказался сын маминого мужа, то есть отчима Алисы (который, кстати, и оплатил всю эту красоту: школу, портфолио, лучшего фотографа). Это был довольно талантливый музыкант, выпускник венской консерватории, скрипач, входящий в какую-то там категорию выдающихся исполнителей Европы.

Одаренный мальчик двадцати пяти лет и вроде как даже не избалованный папашей до отключения мозга в режим «все дозволено». На минутку можно себе представить, какое трудолюбие, усидчивость и сила воли требуется от человека для достижения звания одного из лучших скрипачей Европы, а потом и мира.

Скрипача спасло то, что мальчик рос с мамой и ее родней в Питере, в семье потомственных классических музыкантов, и с отцом виделся раз в год, и то не каждый, а когда выпадала свободная неделя между концертами и спектаклями.

Вот детки и встретились в эту самую редкую неделю. И разъехались после — мальчик по своим музыкантским делам, а Алиска в Париж, где у нее проходили бесконечные кастинги.

Но в эту неделю произошло и еще одно знаковое событие — отчим Алисы, присмотревшись к расцветшей необычайно падчерице, грозившей в бли-

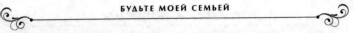

жайшем будущем стать еще и известной топ-моделью, решил, что две редкостные красавицы в его постели и жизни лучше, чем одна, тем более карьеру будущей звезды оплатил именно он. Хорошо хоть, буром не попер на девчонку и тупо не изнасиловал, а начал подъезжать всячески, подарки безумные делать, ухаживать с большим намеком.

И первой, кто просек этот момент правильно, была Надежда, еще до того, как дочь успела что-то сообразить по своей наивности. Мать и так дико ревновала дочь к ее красоте и постоянно соперничала с ней аж до исступления, а тут такое назревает на ее же территории.

И турнула дочь на хрен, запретив появляться в ее жизни и даже звонить, а мужу похотливому толканула какую-то басню про падчерицу, облив дочь такой грязью, что мужик несколько офигел и желание жены поддержал полностью.

Все это, захлебываясь слезами, рассказывала отцу всю ночь Алиска: о том, как жила после того, как ушла к матери, про учебу, про то, как учила языки и чуть с ума не сошла от этих языков и что их еще учить и учить, как живет мать, про отчима-козла, про Мишу, его сына, и про их великолепную красивую неделю вместе, про то, что они оба договорились, что никакого продолжения не будет, он ее специально предупредил, а она согласилась.

И о том, что только через несколько месяцев поняла, что беременна, и побежала к врачам делать аборт, а они сказали, что нельзя — слишком большой срок, и у нее какие-то там особенности организма, и она может стать инвалидом из-за аборта. И как она рассказала руководительнице своего модельного агентства о беременности, и та ее выгнала. Ну не совсем выгнала, а сказала — до родов никакой работы, разве что придет заявка на показ для беременных, такое тоже бывает, но лучше беременность сохранить в тайне. Родишь — посмотрим, как быстро ты в форму вернешься, и будем еще работать, если не поправишься и глупостей не наделаешь.

И теперь вот она здесь, потому как ей идти некуда и больше не к кому, потому что у нее никого нет, кроме отца.

Что оставалось Аркадию? Устраивать разборки с Надей, ее мужем и пасынком Мишей? А на кой? Это что-то изменит? Или как-то повлияет на этих людей и на Алиску? Или ради торжества справедливости?

Девчонке семнадцать лет, Миша тот ей не нужен ни за каким чертом — ну красивый, успешный парень, ну была у них шикарная неделя вдвоем, не любовь же. И замуж она категорически не собирается.

— Ты что, пап, — обалдела Алиска, когда он спросил про такую возможность, — на кой мне это надо? У меня вся жизнь впереди. Подиум, работа, контракты. Какой муж, ты что!

К тому же никто из той семейки не знал про ее беременность, а ставить их в известность Алиса не собиралась. Даже, наоборот, тщательно скрывала этот факт от всех и отца упросила сохранить ее положение в тайне, помня наставление руководительницы модельного агентства.

— Мы с ней очень хорошо жили все эти месяцы до родов, — продолжал рассказ Аркадий Викторович, — спокойно. У меня шло быстрое восстановление организма, с каждым днем я чувствовал себя все лучше и лучше, а Алиска усиленно занималась изучением английского и французского, гуляла только по участку, или Костя ее вывозил подальше от людских глаз и выгуливал за городом. Но, к сожалению, мы мало общались, каждый занятый своими делами и заботами: у меня продолжались реабилитирующие процедуры, а параллельно я возвращался к делам и работе, она училась и постоянно зависала в Сети. Так что практически не общались. Алиса родила дочку. И назвала ее Серафима. Симочка родилась полностью доношенной, здоровенькой, но очень маленькой, всего два четыреста весом. Такая конституция. Миниатюрная у нас, нежная девочка.

А через месяц Алиске пришло предложение о работе — солидный контракт ну на очень большую сумму, но работать надо в Китае. Только одним из пунктов в контракте было обязательное отсутствие мужа и детей.

И, не задумываясь ни на минуту, Алиска, подписала отказ от своих материнских прав на ребенка. Единственное, что уговорил ее сделать отец, — это оформить его официальным и единственным опекуном Симы.

Алиска уехала сначала в Париж, где ее должны были проверить на «профпригодность» после родов, а потом и в Китай.

— Симочка — особенная девочка, — говоря о внучке, Аркадий светился от счастья, — она всегда будет миниатюрной малышкой, такая вот конституция, это в родню с Надиной стороны, она сама субтильная, и мама ее была такой, и вот Симочка вырастет небольшого росточка, тоненькой в кости, при этом она на удивление здоровый ребенок. Такая нежная и очень чуткая, но людей к себе не очень подпускает. Она у нас, осторожная, особенная девочка.

И все у деда с внучкой шло замечательно, пока вдруг у него не наступило резкое обострение. Это был приговор.

— Вот мы и подошли к той самой просьбе, ради которой я попросил тебя приехать, — перевел дыхание Аркадий Викторович и посмотрел на Арину прямым, сосредоточенным и напряженным взглядом таких же, как у нее, синих глаз. — Я умираю, Ариш.

— О-ох! — Она прижала пальцы к губам, резко откинувшись на спинку кресла.

— В этом нет ничего необычного, да и страшного тоже нет, — успокаивал Аркадий Викторович Арину. — Жизнь всегда заканчивается смертью. Это естественный ход вещей, как бы нам ни хотелось чего-то иного. Я прошел все этапы принятия смерти, еще в то время, когда боролся с болезнью первый раз. Я отрицал саму ее возможность, злился ужасно, до остервенения, не принимая такой несправедливости, торговался с богом и врачами, предавался ужасной депрессии, такой, что готов был прекратить все это сам, а после пришел к принятию и пониманию неизбежности этого процесса. Я прожил насыщенную, интересную, полную и яркую жизнь, и эта болезнь — вполне достаточное наказание за то, как я жил, и за тех, кого я обидел в своей жизни. Нельзя так относиться к женщинам, как это делал я, думаю, многие из них, узнав о моей болезни, удовлетворенно покивали бы головами, считая ее справедливым наказанием. Они меня любили, а я только пользовался их любовью.

— Но большая их часть рыдала бы от горя, — всхлипнув, Арина посмотрела на отца и постаралась улыбнуться.

— Надеюсь, — улыбнулся он и положил свою ладонь ей на руку, подбадривая. — Я не буду оправдываться и пытаться как-то героизировать и приукрашивать свой образ в твоих глазах, и признаюсь

262

честно: я влюблялся, испытывал страсть, но ни одну женщину в своей жизни не любил. Ни разу.

— А меня? — тихо спросила Арина.

— Очень, — совершенно искренне ответил он. — Я очень тебя любил, я помню тебя маленькую, такую забавную егозу. Я скучал по тебе и всегда тебя помнил. И Федьку я тоже любил, и Алиску, непутевую мою дочку. Я любил своих детей, Арина. И я очень люблю Симочку. И я хотел тебя попросить позаботиться о ней. Не оставлять ее после моей смерти. Ей нельзя в детский дом, она там погибнет. Это очень нежный и чуткий ребенок, она иногда смотрит таким долгим взглядом в глаза, и мне кажется, что она слышит и понимает все, что я думаю и чувствую. Она кажется хрупкой, но она сильная личность, это даже сейчас заметно, а ведь ей всего полтора года. Вот познакомитесь, и ты сама поймешь и увидишь, что это необыкновенный ребенок. Симочка очень осторожна с людьми, не всегда идет на контакт, хотя она и веселая, живая девочка. Но даже няню, проводящую с ней все время, она ни разу не назвала мамой, как обычно бывает у детей, у которых нет мам. Такой особенный ребенок. — Он помолчал и попросил: — Дай мне попить, вон там на тумбочке.

Арина поспешно поднялась, взяла с тумбочки у кровати чашку-поильник с носиком, поднесла отцу, придержала, пока он пил, и отнесла обратно, когда, напившись, он благодарно кивнул, и вернулась в кресло.

— Я хотел попросить тебя стать ее опекуном и забрать Симочку с собой в Москву. Я понимаю, что это слишком неожиданная просьба и слишком грандиозная. Но если ты не сможешь принять девочку в свою семью, то хотя бы отдай в очень хороший детский дом, откуда ты могла бы забирать ее хоть на выходные, чтобы девочка не чувствовала себя совсем уж брошенной. И ты сможешь проследить, чтобы ей нашли достойных приемных родителей. О финансовом будущем Симочки я позаботился, но об этом мы поговорим потом. Сейчас же я хочу, чтобы ты подумала и ответила мне, можешь ли ты вообще, в принципе, рассмотреть возможность исполнения моей просьбы.

— Почему я, папа? — спросила Арина. — Почему ты выбрал меня?

— У нас с Симой никого нет. Родители мои давно умерли, старшая сестра тоже, с младшей сестрой и братом мы не поддерживаем связи долгие годы. Они всегда считали меня отрезанным ломтем и не очень привечали. Я пытался наладить контакт, чем-то помочь им в жизни: деньгами, квартирами, но вышло только хуже. Помощь они приняли, но обвинили меня в жадности и бог знает в чем еще. Так и расстались чужими людьми. Федя, сынок мой, мы с ним в хороших отношениях, он пошел в науку, очень талантливый мальчик оказался, сейчас проходит стажировку в аспирантуре, в Оксфордском университете, но жить и работать собирается в России. Он еще молодой, ему двадцать три. Я был бы очень рад, если бы вы с ним познакомились и сдружились. У меня есть женщина, с которой мы жили долгое время, она могла бы стать приемной матерью девочки, но Симочка ее не принимает. Относится к ней очень осторожно, как к чужому человеку. Да и не доверил бы я ей Симочку. Не тот характер, не поймет она, не почувствует ребенка, только жизнь ей испортит. А ты... — он улыбнулся Арине теплой отцовской улыбкой, — ты умница, ты очень мудрая девочка, сильная, и у тебя есть чуткое сердце, ты умеешь любить. Я знаю, если ты решишься помочь Симочке, то не бросишь ее, не оставишь и позаботишься о ней.

— А где девочка сейчас? — спросила Арина, слишком ошарашенная всем, что услышала от отца, чтобы как-то сразу давать ответ на столь неожиданную и, скажем прямо, непростую просьбу.

— Симочка с няней в нашей квартире, я их специально туда отправил, чтобы мы могли с тобой спокойно побеседовать. Они вернутся вечером, через пару часов. Тогда и познакомитесь.

— Папа, — решительно сказала Арина, — поехали все вместе в Москву, устроим тебя в самую лучшую клинику, будем пробовать разные современные методы, все, что только можно, хоть экстрасенсов. Давай бороться, нельзя сдаваться. Нельзя так просто сдаваться, пап. Мы с бабулей будем с тобой рядом, мы поможем и во всем поддержим.

— Спасибо, Ариша, — печально улыбнулся отец, — но во Владивостоке есть свои прекрасные специалисты, очень высокого уровня, с которыми мы уже все попробовали. Болезнь уже не остановить. Так получилось, — и попросил: — Ты не переживай за меня и не расстраивайся.

— Почему ты не вызвал меня раньше? Почему не восстановил наше близкое общение раньше, ты же мог? Вот как сейчас.

— Наверное, потому что был не очень умным и эгоистичным человеком, а может, думал, что не нужен тебе, — повинился отец, — и боялся, что ты меня отвергнешь. Жил свою жизнь, суетился, что-то делал, что-то выстраивал, так она и катилась привычно. Человек странно устроен, и самое важное, самое главное понимает и постигает, только когда теряет саму жизнь. Я думал, что ты, как всякий брошенный ребенок, обижаешься на меня и на мать за то, что мы тебя оставили, и, наверное, не хотел, чтобы ты показала мне эту обиду.

— Я обижалась, — кивнула Арина, неожиданно всхлипнув, — на тебя и на маму. На нее особенно, — и улыбнулась, сквозь накатившие слезы, — но у меня есть бабуля, великий мудрец. Мне иногда кажется, что она с какой-то другой планеты, уж слишком умная и знает такие вещи, которые обычным людям вообще не постичь. Она как-то так сумела мне все объяснить и преподнести, что выходило, будто мне прямо повезло необычайно, что вы меня оставили, а не взяли с собой. И так она все это перевернула, что я и обижаться-то на вас перестала.

— Да, Анна Григорьевна уникальная личность, — согласился с дочерью Аркадий.

И в этот момент, коротко стукнув, в комнату вошла Алла Романовна и достаточно жестко и безапелляционно прервала их беседу.

— Все, Аркадий Викторович. Вот теперь вам точно надо отдыхать.

— Да-да, — подскочила со своего места Арина. — Ты отдыхай, пап, мы еще успеем поговорить.

— Ладно, — согласился Аркадий Викторович.

И Арина поразилась, заметив, как прямо на глазах изменился отец — он сильно устал, и было совершенно очевидно, что этот разговор дался ему очень непросто — слишком много усилий, физических и душевных, было затрачено: черты его лица резко заострились, кожа побелела, и было видно, что он превозмогает что-то тяжелое и страшное в себе. Алла Романовна засуетилась возле пациента, проверяя какие-то показатели и снимая капельницу.

Арина очень тихо, чтобы не потревожить их, вышла за дверь.

Она поднялась на второй этаж, прошла в комнату, что ей отвели, и долго стояла у окна, глядя за стекло застывшим, задумчивым взглядом, прокручивая в голове все, что услышала от отца.

Нужно взять на себя заботу о незнакомом чужом ребенке.

Арине даже в самых буйных фантазиях не видела такую возможность. Нет, конечно, гипотетически, совершенно отвлеченно она, может, и думала о приемных детях и, примеряя к себе, спрашивала: смогла бы я, например, усыновить чужого ребенка. Но не более того. Не более.

Странная, поразительная штука жизнь, думала Арина. Она только сейчас со всей отчетливостью поняла, что любила отца все эти годы.

Да, ужасно обижалась на него и мысленно предъявляла огромные претензии, считая предателем.

А оказывается, не осознавая этого, не понимая, — любила.

Как не понимала и того, что всегда, где-то в глубине души, чувствовала, что он у нее есть. Ее папа, который о ней помнил и помогал всю жизнь, ненавязчиво, как бы исподволь, но всегда. Который предложил свою помощь, когда она начинала бизнес, и сделал это мягко, осторожно, боясь ее задеть. От этой помощи она тогда гордо отказалась, все еще неосознанно лелея свои обиды.

Ее папа, которого она чувствовала за своей спиной всю свою жизнь, как ту невидимую опору и стену, которая защитит и поддержит, если подступит самый край, хоть и не отдавала себе в этом отчета.

И сердце ее рвалось от ощущения надвигающегося горя. Судьба так зло посмеялась над ними обоими! Ведь она только сейчас заново обрела своего отца — обрела лишь для того, чтобы потерять окончательно и безвозвратно.

И, уткнувшись лицом в ладони, Арина, резко выдохнув, заплакала бессильными, горькими слезами.

Она совладала с собой, вдруг поймав неожиданную, острую, обжигающую мысль, что отец может расстроиться, увидев ее зареванное лицо, и попеняла себе: надо как-то держаться самой и поддерживать его, не раскисать, поддаваясь отчаянию.

И Арина сделала то единственное, что могла сделать в данной ситуации, спасаясь от накрывающего с головой ощущения горя, — позвонила бабушке.

Она не стала передавать подробности того, что поведал ей отец, лишь рассказала об основных фактах и об отцовской главной просьбе.

Арина уже все для себя решила и искала у Анны Григорьевны лишь поддержки и понимания.

— Ба, — помолчав, спросила Арина. — Мы же справимся?

Ей не надо было ничего объяснять и приводить весомые аргументы. Она точно знала, что Анна Григорьевна поняла ее еще до того, как она произнесла этот вопрос.

Поняла совершенно точно и определенно, как и должно быть у очень близких, родных людей.

— Даже не сомневайся, — твердо произнесла Анна Григорьевна.

А Арина снова заплакала, сильно зажмурив глаза и задержав дыхание.

— Не плачь, — не услышала, а скорее почувствовала бабушка. — Делай то, что должно. — Она помолчала и вдруг высказала невероятную мысль: — Знаешь, детка, мало кому дается шанс проститься с отцом, держа за руку в момент его ухода, отпустив и простив все обоюдные обиды, претензии и непонимание, накопленные за жизнь, оставив лишь чистую любовь в сердце. Тебе такой шанс дан. Это бесценно, — и повторила: — Постарайся не упустить этот шанс.

— Я постараюсь, — пообещала Арина, заливаясь слезами.

Она постарается. Обязательно.

Вспомнив про заплаканный вид, который может расстроить отца, и о том, что ей предстоит встреча и первое знакомство с девочкой Симой, которая, по словам Аркадия Викторовича, весьма избирательна в своих симпатиях к людям, Арина решила принять душ, переодеться и привести себя в нормальный вид.

Она успела сделать не только это, но даже поваляться на кровати и обсудить с Палной рабочие дела, когда в дверь ее комнаты осторожно постучали.

— Да, — пригласила войти она.

— Арина Аркадьевна, — обратилась к ней вошедшая домработница.

— Просто Арина, — поправила ее девушка.

— Арина, — доброжелательно улыбнулась та, — Аркадий Викторович приглашает вас на ужин.

— Иду.

За столом они с папой расположились тем же порядком, что и за обедом: он — во главе стола, Арина — по правую руку от него.

Она все присматривалась к отцу, стараясь делать это незаметно, но он, конечно, заметил, понял, о чем она думает, и усмехнулся:

— Я пока помирать не собираюсь.

— Днем ты выглядел очень замученным. — Арина подобрала наиболее мягкое слово из всех, крутившихся в ее голове.

— Ничего, это от волнения и переживаний по поводу твоего приезда. Но я очень рад, что мы поговорили, и уже я отдохнул. Алла Романовна засандалила мне несколько уколов, так что я вполне бодр и весел, — усмехнулся он. — Давай ужинать. У меня-то рацион скучноват, так что тебе придется стараться за двоих.

— Ладно, буду стараться, — подхватила она предложенный Аркадием Викторовичем несколько преувеличенно бодрый тон.

Они ужинали и увлеченно беседовали, по обоюдному умолчанию не касаясь за столом серьезных тем. Арина попыталась было расспросить отца про его бизнес, но он как-то так виртуозно и грамотно ушел от этой темы, что она и не заметила, как уже рассказывала про свою жизнь, прежнюю работу, про Матвея и его бесконечные проказы. И отец от души хохотал, запрокидывая голову, а Арина торопливо отводила взгляд, чтобы не видеть его болезненной бледности и вновь не погружаться в тяжелые мысли, и припоминала следующую проказу сына, стараясь передать историю как можно более красочно.

Они уже заканчивали пить чай, когда услышали короткий гудок подъехавшего автомобиля.

— Ну вот и Ольга Ивановна с Симочкой, — поднялся со своего места Аркадий Викторович. — Сейчас и познакомитесь.

А Арина отчего-то вдруг напряглась и как-то собралась вся, словно сейчас решался вопрос всей ее жизни. Хотя, в общем-то, можно сказать, и вопрос жизни, но ведь не всей, чего она так уж занервничала?

В большом холле, куда направился Аркадий Викторович, раздались голоса. Арина встала в центре гостиной, мимолетно подумав, что вроде как на середину арены вышла. Она различила голос отца, говоривший что-то тем особенным тоном, которым разговаривают с маленькими детьми, а еще женский голос и совсем не услышала детского голосочка.

И вот они вошли — Аркадий Викторович с маленькой девочкой на руках, а следом за ним приятная, стройная женщина лет за сорок, хотя бог знает, сейчас трудно давать возрастную оценку, все омолаживаются какими возможно способами, так что примем за сорок условно.

Арина удивилась своей напряженности и постаралась расслабиться.

— Вот, познакомьтесь, — произнес Аркадий Викторович и чуть развернулся корпусом назад, представляя няню, — это Ольга Ивановна, няня нашей девочки.

Женщина кивнула, Арина кивнула в ответ, а Аркадий Викторович продолжал:

— А это Симочка, наша девочка. — Он посмотрел на ребенка полным любви взглядом. — Симочка, это Арина, давай знакомиться.

И поставил малышку на ножки на пол и мягко, едва касаясь ее, направил:

— Ну иди, познакомься.

Девочка ухватилась за дедову штанину, замерла на месте и рассматривала незнакомую тетку. Арина опустилась вниз и, встав одним коленом на пол, протянула навстречу ребенку руки и спросила, улыбаясь:

— Пойдешь ко мне?

Девочка постояла в нерешительности, вдруг отпустила брюки деда и сложила ладошки к груди, продолжая во все глаза разглядывать Арину. И сделала первый робкий шажок, за ним второй, будто сомневаясь, а на третьем достаточно решительно потопала вперед.

— Ну во-о-от. — Арина подхватила ее на руки и поздоровалась, улыбаясь: — Привет.

И заглянула в глаза ребенка... и замерла, пораженная, обескураженная, чувствуя горячую волну, ударившую в голову, от которой мурашки пробежали по позвоночнику и заколотилось сердце...

Маленькая девочка смотрела на нее очень серьезным, непростым прямым долгим взглядом... янтарно-зеленых глаз Красногорского. Они были до того похожи, эти глаза, что на какой-то момент Арине подумалось, что у нее что-то неладное творится с разумом, сдвинулось что-то в голове от постоянных и бесконечных мыслей о нем...

А следом за первой оторопью, удивлением и промелькнувшим сомнением в своей разумности ее внезапно накрыло такой мощной волной нежности к этому ребенку, что она задохнулась, впуская в себя это огромное чувство.

А Симочка, все это время так и державшая ладошки сложенными и прижатыми к груди и смотревшая прямым, непонятным взглядом в глаза Арине, вдруг, коротко вздохнув, развела ручки, обняла девушку за шею и уложила головку ей на плечо.

— Ну, вот, — с явным облегчением произнес Аркадий Викторович, — ты ей понравилась, Ариш. Значит, подружитесь.

И предложил пройти в комнату Симочки, пообщаться там втроем. Таким порядком и отправились — он впереди, а Арина с Симочкой на руках за ним.

Комната была большая, светлая, прекрасно устроенная для маленького ребенка, с чудесной девчачьей кроваткой с балдахином, с удобным пеленальным столиком, шкафом для вещей и специальным шкафом для игрушек. Здесь же находилась кровать для няни — все лаконично, но продумано и явно обустроено с любовью.

Они сели на диван, Арина усадила между ними девочку, которая тут же забралась на колени к деду, продолжив рассматривать с большим интересом Арину.

— Ну что, Арина, как тебе наша Симочка? — спросил Аркадий Викторович.

Он нервничал, и при всем его умении владеть собой, при всем огромном опыте ведения непростых переговоров было заметно, что он переживает и прячет за бодростью тона свою напряженность.

— Замечательная девочка, — улыбалась Арина, поглядывая на малышку, не сводившую с нее глаз, — действительно маленькая для своего возраста. Матвей в год с небольшим был таким бутузом, весил под тринадцать килограммов, я его еле таскала на руках, а Симочка совсем малышка.

— Она у нас малоежка и весьма разборчива в еде, — не переставал улыбаться отец, непроизвольно поглаживая девочку по спинке, — но педиатр утверждает, что для ее конституции и возраста у нее нормальный вес и рост, — и, не выдержав, спросил напрямую: — Ты что-то решила?

— Да, — вздохнув, ответила Арина, — конечно, я ее заберу, пап. И, конечно, ни в какой детский дом не отдам, что за глупости. Какой детский дом, какая другая семья! Это наша девочка, и никому мы ее не отдадим.

Аркадий Викторович опустил голову, прикрыв ладонью глаза, и задержал дыхание, пытаясь справиться со слезами — не справился, резко втянул в себя воздух и снова задержал дыхание...

— Пап, ну ты что? — погладила его по руке Арина, успокаивая. — Все нормально, все в порядке.

— Спасибо, — сказал он, не поднимая головы, и повторил: — Спасибо тебе, Ариш.

— Ну что ты, ей-богу! — сама едва сдерживала слезы Арина. — Сейчас оба тут рыдать начнем, вот красота получится! Напугаем ребенка.

— Да-да, — согласился Аркадий Викторович, вытер торопливо, чуть смущаясь своей минутной слабости, слезы и посмотрел на дочь. — Ты не представляешь, какой камень сняла с моего сердца. — И, собравшись, переведя дыхание, спросил: — Я надеюсь, ты не осерчаешь, но я запустил процесс опекунства, еще до твоего согласия и решения. — И объяснил: — Мне осталось не так много времени, и я хотел бы успеть все уладить, пока еще остались силы. У меня есть хорошие знакомые и друзья, имеющие отношение к оформлению опекунства, и я попросил их ускорить формальности, а данные твоего паспорта у меня есть. И нам очень поможет, что ты не меняла фамилию. Но этот процесс можно остановить в любой момент, и если бы ты не смогла взять на себя такую ношу, не решилась, то все бы переигралось.

— Я не против, пап, что ты, даже наоборот, — уверила его Арина. — Очень хорошо, что механизм уже запущен. Ты для этого просил меня привезти целый ворох документов?

— Да, именно. Ты их собрала, успела?

— Все привезла и все успела. Справку о доходах я сама визирую, медкнижка при моей работе обязательна, а карта из поликлиники у меня дома, как и свидетельство о рождении, документы на квартиру и все остальные нужные бумаги.

— Тогда мы не будем откладывать и завтра, прямо с утра, займемся оформлением.

— Хорошо, — с готовностью согласилась она.

— Я так тебе благодарен, — снова повторил отец. — Я боялся уйти и оставить ее с чужими...

— Я понимаю, пап, понимаю, — уверила его Арина с преувеличенной бодростью и поспешила перевести этот разговор, спросив: — А молчит Симочка всегда или из-за того, что незнакомый человек рядом?

— Да нет, она у нас девочка общительная с близкими людьми, лопочет на своем языке бойко, я почти все понимаю, — благодарно подхватил тему Аркадий Викторович.

И вдруг, словно в подтверждение его слов, Симочка произнесла четко и ясно своим звонким голосочком:

— Мама, — и показала ручкой на Арину.

Арина с отцом оторопели, даже дыхание затаили, в изумлении глядя на ребенка, а Симочка поднялась на ножки с колен деда, протопала по дивану к Арине, протянула к ней ручки с явным требованием взять ее, и, когда Арина подхватила ребенка, та посмотрела на нее еще раз все тем же своим странным, поразительным для малыша такого возраста, прямым серьезным взглядом и повторила:

— Мама.

И обняла за шею, снова пристроив головку ей на плечо.

Арина осторожно прижала теплое маленькое тельце к себе, прикрыла глаза, и в этот момент неожиданно и мощно ее затопило, накрыв с головой, чувством бесконечной, огромной материнской любви к малышке, от которого перехватило дыхание и защемило сердце, и что-то изменилось навсегда в мире и пространстве, принимая, вплетая в новую реальность эту безусловную любовь матери к ребенку и ребенка к матери...

И абсолютно ясно и четко Арина вдруг поняла и осознала в полной мере, какое великое откровение и какие чувства пережил и испытал Артем Красногорский, держа на руках ее спящего сына Матвея.

Каково это — не вынашивая дитя, не рожая его, не воспитывая с грудного возраста, осознать и почувствовать истинную огромную родительскую любовь.

Это что-то определенно из области чудес — недоступное людскому пониманию Божье Провиденье. Все просто.

— А-ах. — Артем резко сел на кровати и выдохнул.

Сон был жарким и слишком уж реалистичным.

Ему снова снилась Арина, они целовались до одури, до реального, а не метафорического головокружения, до забвения, и срывали друг с друга одежду, и их несло вперед, и Артем во сне ощущал и переживал их соединение, и вот они вместе, что-то горячо шепча друг другу, целуясь, сливались в одно целое и, когда практически подошли к самому апофеозу, почти взлетели, какая-то сила отрывает его от нее, и он просыпается...

— Да чтоб тебя!.. — выругался Красногорский, постепенно приходя в себя от эмоционального потрясения, и жестко потер ладонями лицо. Этот сон снится ему все чаще и чаще, заставляя просыпаться в поту, на нерве, посреди ночи и возбужденно, судорожно думать об Арине.

Они не виделись уже больше двух месяцев. Сначала она рванула в Сочи, откровенно сбегая после их разговора, а потом неожиданно улетела во Владивосток и вот уж больше месяца сидела там.

А он все гадает — как она? Что у нее там? Почему задержалась так надолго, оставив бабушку и Матвея одних? Артем уж не один раз думал и порывался полететь в тот Владивосток и разобраться на месте, что, собственно, происходит у нее в жизни. Может, ей помощь нужна или дружеская поддержка? И каждый раз останавливал себя резонными аргументами — была бы нужна помощь, он бы уже знал. А так примчится — только хуже может сделать, что-то он не заметил с ее стороны горячего желания с ним общаться.

И «агент» его толком ничего не выяснила, только добавила лишних вопросов:

— Не знаю, Артемушка, что там у них. Аня сказала, что Ариша улетела по каким-то семейным делам, а по каким — не уточнила. Подробности я не выспрашивала, это не этично. Если бы Анечка захотела и могла, она бы мне сама рассказала.

Вот какие такие важные семейные дела? Что-то с отцом? Вроде бы он у нее во Владивостоке живет, но они, насколько известно Красногорскому, давно не общаются.

И эти сны, изводящие, яркие, реальные, черт бы их побрал!

После Арины у него не было секса ни с кем, ни разу за все эти два месяца, прямо монашествует, а не живет.

Недавно позвонила его бывшая пассия, с которой у них одно время происходил достаточно бурный роман и с которой они порой встречались для дружеского секса, когда оба были временно не в отношениях, и предложила встретиться, развеяться.

Красногорский было собрался, джентльменский набор купил: цветы, шампанское той марки, что любит дама, фрукты, элитные сыры и икру. И вдруг

277

остановился перед тем, как сесть в машину и ехать к ней — неожиданно ярко представив, как все будет происходить по отработанной и отлаженной уже схеме: он приедет, она кинется на него, изображая страсть, и после первого захода они устроятся за барной стойкой ее кухни, будут пить шампанское и буднично рассказывать друг другу про дела-работу, про общих знакомых, сделают еще парочку неспешных заходов, без особой страсти и прыти, прекрасно зная все предпочтения друг друга в постели и в жизни.

И таким это показалось ему пустым и бессмысленным, чисто физиологичным актом, слегка приукрашенным легким антуражем, что стало кисло на душе, и ехать ему напрочь расхотелось. И он отговорился простым — «не могу», ни разу не соврав.

Вот как-то не может он. После того, что испытал с Ариной...

Арина. Она как гвоздь в ботинке, как бесконечно ноющий зуб.

Он скучал по ней, порой прямо-таки непереносимо сильно скучал. И вспоминал, как все у них было, вот так: до одури, до потери разума, вместе, вдвоем в каждом вздохе, до исступления, «всей дрожью жилок», как назвал это когда-то Пастернак. И вместе туда — на вершину.

Он скучал по ее голосу и смеху, по их разговорам, по ее летучим рукам, взгляду ее невероятных глаз, по непокорной буйной шевелюре, по ее шепоту и крику, по ее иронии и острому юмору.

А еще он ужасно скучал по Матвею.

Думал несколько раз, может, заехать к ним, узнать, как там малыш, пообщаться, но удерживал себя, напоминая, что не стоит обнадеживать ребенка, ведь вполне может статься, что Арина так и не примет его предложения и не согласится с его аргументами.

Красногорский не терял надежды все же поговорить с ней, разрабатывал и обдумывал в деталях этот разговор, но жизнь катилась своим чередом, безжалостно ломая все его так замечательно выстроенные планы.

Зазвонил смартфон на тумбочке у кровати, разбивая тишину и прерывая течение его нерадостных мыслей. Артем прошел в комнату из кухни, где стоял в глубокой задумчивости у окна, поднял телефон и удивился двум обстоятельствам одновременно — оказалось, что уже начало седьмого утра — ни фига себе он задумался! И звонила Викуля, жена Ильи.

Странно, что может такого срочного понадобиться Вике в такую рань и почему не сам Илья позвонил?

Все эти мысли стремительно промчались в голове за те пару секунд, в которые он, посмотрев на экран, провел по нему пальцем, отвечая на вызов.

Аркадий Викторович Ахтырский, закончив все свои мирские дела должным образом, умирал в клинике в отдельной палате, практически до последних минут находясь в полном рассудке.

Приняв неизбежность и неотвратимость своей скорой смерти, он позаботился обо всех, о ком хотел и мог позаботиться: продал свой бизнес, все свои активы, машины и дом со всей обстановкой в нем, но с условием, что новые хозяева вступят во владение только после его смерти, похорон и отъезда Арины с Симой.

Он оставил квартиру во Владивостоке младшей дочери Алисе, положив на счет, открытый на ее имя, приличную сумму. Открыл также счет на имя своего сына Федора и его мамы, перевел значительные суммы денег нескольким женщинам из своей прошлой жизни, никому не говоря, почему он это сделал. Аркадий Викторович выплатил солидное выходное пособие всем, кто работал на него: шоферу Константину Андреевичу, Марине Максимовне и приходящей помощнице по хозяйству, няне Ольге Ивановне и своему медику Алле Романовне.

Он также открыл отдельные счета на имена Серафимы, Матвея и Арины. И написал письма — настоящие бумажные письма тем, кому хотел что-то сказать перед своей смертью, в том числе и дочери Алисе.

Он подписал все необходимые документы, оформил все бумаги, отдал все распоряжения, уладил все свои земные дела и примирился окончательно со своим уходом, даже просветлел лицом и выглядеть стал лучше настолько, что казалось, будто он пошел на поправку.

Но уходил он тяжело. С болями, с кровотечениями, с частой кратковременной потерей сознания.

Арина старалась постоянно находиться рядом, и когда Аркадий Викторович был в силах, они подолгу разговаривали, словно наверстывали потерянные годы.

Она рассказала ему все о своей жизни и о своей судьбе — о том, как ужасно обижалась на них с мамой, как считала себя виноватой и плохой, раз они ее бросили и она им не нужна оказалась. И как бабуля смогла примирить ее с родителями и с самой собой, о первой сумасшедшей школьной любви, о Викторе и их безумной страсти, о том, как вынашивала и родила Матвея и как занялась бизнесом, и об Артеме...

Она говорила и говорила, словно очищаясь душой, порой поражаясь сама возникающим откуда-то из глубины подсознания пронзительным словам и образам.

А он слушал, улыбаясь ей совсем уже потусторонней, просветленной улыбкой, принимая эту ее исповедь, словно был наделен чем-то высшим, помогавшим освобождаться от гнета пустой, житейской глупости, накапливавшейся в душе и жизни каждого человека, как шлаки в организме.

— Мы настолько озабочены и заняты своими персонами, — говорил он ей, улыбаясь, — своими переживаниями, претензиями миру и жизни, своими ожиданиями и иллюзиями, что крайне редко, почти никогда, не даем себе труда встать на место другого человека и попробовать посмотреть на жизнь и обстоятельства его глазами, через призму его правды и жизни. Попробуй понять Артема. Может, он просто не признает своих чувств или боится признаваться себе в них и принимать. Поговори с ним, но не с упреком и обидой в душе, а по-человечески. Доверительно. Всегда старайся встать на место другого человека и посмотреть на обстоятельства его взглядом. Это сильно упрощает жизнь и помогает понять мотивы другого, пусть даже совсем неприглядные.

Арина собрала волю в кулак, чтобы держаться и не рыдать. И от сознания собственного бессилия все ходила по коридору, когда отцу проводили гигиенические процедуры и делали обезболивание, мало уже чем ему помогавшее.

Часто она видела в коридоре женщину средних лет, в отличие от Арины, не вышагивавшую нервно туда-сюда, а сидевшую в одном из нескольких больничных кресел. Скорее всего, такую же, как Арина, родственницу лежавшего в этом отделении человека.

Один раз, когда Арина присела в одно из кресел, эта женщина заняла соседнее кресло и, помолчав немного, вдруг заговорила, обращаясь к девушке:

— Знаете, мы с мамой всю жизнь ругались. По всякому поводу, по какой-то ерунде, пустой бытовой шелухе: то суп я не так сварила, то убрала не так, как ей надо, то продукты не те купила, и так бесконечно. И по более важным вопросам ругались: то ухажер у меня не тот, то муж никудышный. А потом она заболела этой страшной болезнью. И в какой-то момент я вдруг осознала, что мама единственный, самый родной и самый близкий мне человек. И от этого осознания как-то все сразу перевернулось в моей жизни, и стали ясными и понятными многие вещи, которые я не замечала и не понимала раньше. И я изменилась. У одного святого старца в «Житиях» прочитала поразившую меня фразу: «Любовь — это деятельное милосердие». Тогда получается, что нелюбовь — это деятельная жестокость. Стоит только поменять знак с плюса на минус, а получается другая жизнь. Вот и поменяла. А теперь мама уходит, и я пытаюсь отдать ей любовь, которую недодавала в жизни.

— А что за песню вы поете? — спросила Арина, поразившись до глубины души словам женщины, произнесенным спокойным, умиротворенно-смиренным голосом. — Вы часто оставляете дверь в палату открытой, и я слышала несколько раз, как вы пели.

— Это древнерусский эпос, — пояснила женщина, — я историк, изучаю фольклор. Старинная древнерусская песня, что исполнялась женщинами по безвременно погибшему. Плакательная.

И она запела.

Странная это была песня, пропеваемая почти равномерным речитативом на одной ноте — «на-на-на-на-на...», словно отбивается ритм, лишь в конце строки идет небольшая голосовая модуляция вниз и меняется тональность.

При всей простоте мотива и слов песня завораживала, будучи как нельзя более актуальна именно в этих стенах.

— Научите меня, — попросила Арина, поражаясь собственному порыву.

Жизнь из Аркадия Викторовича уходила стремительно, он все реже приходил в себя, чему немало способствовали сильнодействующие обезболивающие препараты, которые вводились уже постоянно, через капельницу, а дозировка все увеличивалась.

Однажды он очнулся, посмотрел на Арину, сидевшую рядом на стуле возле его койки и смотревшую на него полными слез глазами, и улыбнулся ей очень светлой улыбкой:

— Ариша, я хочу попросить тебя...

— Что угодно, пап, — всхлипнула она и с осторожностью взяла в ладони его иссохшую, пожелтевшую, всю в синяках от уколов руку.

— Я очень прошу тебя, доченька, не плакать по мне и не горевать. Не надо сердечного горя и сожаления, от этого будет тяжело тебе, и мне там тоже будет тяжело. Живи радостно. Это важно — жить радостно, не утяжеляя свою жизнь ненужными сожалениями, непрощенными обидами, незаживающими душевными ранами. Я только недавно понял, что ничего не бывает «за что». Бывает только «для чего-то» и иногда «вопреки». Люди живут, страдают и любят не «за что-то», а «для чего-то», и бывает, что и «вопреки». «За что-то» — это всегда прошлое, которое не исправить, «для чего-то» — это всегда будущее, в котором можно что-то понять, что-то пройти и что-то еще сделать. И умирают тоже всегда «для чего-то», устремляясь в будущее, как это ни парадоксально, и «вопреки» всем нашим привязанностям и пониманию смерти. Так что ты не плачь, не надо.

Он замолчал, истратив последние силы на эти слова.

— Я люблю тебя, папа, — прошептала Арина сквозь слезы.

А он, закрыв глаза, улыбнулся. Единственное, что еще он смог сделать, — улыбнуться, светлой и уже совсем нездешней улыбкой.

Через два часа, не приходя в сознание, Аркадий Викторович Ахтырский умер, «вопреки» желанию его дочери.

Мелкий, затяжной, бесконечный в своей тоскливой безнадежности дождь моросил с самого утра. Было холодно, промозгло, неуютно, у Красногорского мерзли пальцы на руках, и он засунул кулаки в карманы куртки. На ногах, в легких туфлях, пальцы тоже мерзли, но их некуда было засунуть, чтоб хоть немного согреть. Можно было бы вернуться в тепло машины, но сейчас он бы не смог даже вспомнить, где ее оставил.

Как-то по-особенному резко и пронзительно каркали кладбищенские вороны, как могут каркать только они, или ему это только казалось от жуткой безысходной вселенской тоски, в которую был погружен весь мир вокруг.

У него не было зонта, и почему-то практически никто не подумал о дожде и необходимости запастись зонтами. Нашелся лишь один, который кто-то держал над безучастной ко всему Викой. Она стояла у могилы и смотрела на фотографию, по которой стекали, оставляя мокрые дорожки, капли бесконечного дождя. А на снимке улыбался своей прекрасной, задорной улыбкой ее муж Илья.

Пальцы рук Артема мерзли даже в карманах, а ноги словно окоченели, по успевшим промокнуть волосам скатывалась дождевая вода и капала прямо за воротник куртки, но он ничего не замечал.

Он стоял и смотрел на могилу Ильи и совершенно не понимал, что происходит. Что значит: девятый день со смерти Ильюхи? Смерти кого?

Бред. Полный ненормальный бред.

С того момента, как позвонила ему Вика, находящаяся в некой прострации и шептавшая страшным, безумным шепотом ему в трубку:

— Что-то надо делать, Артем. Он упал и не шевелится, я боюсь его трогать.

— Кто упал, Вик? — ничего не понял Красногорский.

— Ильюшка упал в ванной и так и лежит, знаешь, — все шептала она как сумасшедшая, — плохо лежит, неудобно. Я его зову, а он не отвечает.

— Пульс проверяла? — переключив на громкую связь трубку, Красногорский принялся что-то торопливо натягивать на себя.

— Нет, — шептала Вика, — я боюсь его трогать. Что делать, Артем?

— «Скорую» вызывай, я уже еду! — кричал он ей.

— Я не могу «Скорую»... — все шептала она страшным, диким каким-то шепотом.

— А-а-а... — выругался Красногорский и прокричал самым своим грозным, самым командирским голосом, на который был способен: — Так, Вика, соберись сейчас же! Иди и открой входную дверь, замок открой! Немедленно, прямо сейчас!

— Иду, — отозвалась она.

А он уже несся по лестнице вниз, перемахивая через несколько ступенек, не дожидаясь медленно ползущего лифта, и звонил на ходу в «Скорую», вызывая бригаду.

Вику увезли первой, на машине «Скорой психиатрической помощи», вколов успокоительное, потому как она была совершенно не в себе.

Ильюху же...

Он принял душ и, собираясь выйти из ванной, отдернул занавеску и успел снять полотенце с крючка, взяв в руки, каким образом там оказался кусок мыла, так и непонятно, но совершенно очевидно, что Илья случайно наступил на мыло, резко соскользнул ногой по дну и, перевалившись через борт ванной, пролетел вперед и ударился головой о стену с такой силой, что сломал шейные позвонки.

Мгновенная смерть, как объяснил Красногорскому прибывший вместе с оперативниками эксперт по криминалистике.

В тот момент и последовавшие за ним несколько дней Артему, взявшему на себя все проблемы и организационные вопросы, связанные со смертью друга, было не до отвлеченных мыслей и не до глубокого осознания трагедии.

Надо было срочно пристраивать перепуганную, растерянную Настюшку, безостановочно рыдавшую до икоты, до заикания, можно понять почему — она проснулась, с мамой происходит что-то страшное, она носится по квартире и то кричит и зовет отца, то что-то шепчет, то хватается за дочку и пытается что-то объяснить, а на полу в ванной неподвижно лежит ее папа.

Хорошо хоть Артем сразу же сообразил позвонить Лидии Архиповне, описав вкратце, что случилось, и попросил немедленно идти к Илье, который жил с семьей в соседнем с Красногорскими доме. Та прибежала минут через десять, а следом за ней и «Скорая» приехала, а там и Артем подоспел, еще до приезда полиции.

Настю забрала к себе домой Лидия Архиповна. Когда Илью увезли, Артем позвонил его матери, пытаясь сообщить новость. Как можно бережно сообщить такую новость матери, вы не знаете? Ну вот и он не знал. Сообщил, как мог.

И у Натальи Николаевны случился сердечный приступ.

Все проблемы и все организационные вопросы легли на Красногорского и подключившегося к нему сразу же Игоря. Вызвали родителей Вики, живущих в Сибири, и матери Вики тоже стало плохо, обошлось, правда, без больниц, но врачи настоятельно рекомендовали постельный режим, так что помощники из них никакие. Тем более люди из провинции, чем они в Москве-то помочь могут? Даже Настю пришлось оставлять на время с Лидией Архиповной, а не с бабушкой-дедом.

Так и получилось, что вся организация похорон, все больничные вопросы, бытовые и денежные взяли на себя Артем с Игорем.

И, наверное, слава богу, потому что за этими траурными хлопотами и заботами о живых они оба как-то не успели толком осознать смерть друга.

И вот только сегодня, на девятый день, когда и Вика более-менее пришла в себя, и Наталья Николаевна под расписку ушла из больницы на поминки сына, и теще Ильи немного полегчало, и они все собрались на кладбище, Артем со всей ясностью и четкостью вдруг осознал, что Ильи больше нет. Что его друг ушел из жизни дикой, нелепой смертью и, замерев под холодным дождем, слушая карканье кладбищенских ворон, он смотрел на могилу Ильи и не мог принять, что тот лежит там сейчас, под слоем мокрой земли, под неуместно яркими венками в траурных лентах.

Это было настолько нереально, что на какое-то мгновение Артему показалось, что все происходящее сон или какая-то безумная ошибка, и непонятно зачем они тут все собрались.

Но тут, охнув, стала оседать на землю, теряя сознание, Наталья Николаевна, стоявшая рядом с Артемом, и он, мгновенно сориентировавшись, очнулся от своих странных мыслей, успев подхватить ее под мышки и усадить на скамеечку у соседней могилы.

Жизнь взяла свое, напомнив, что внимание и забота нужны живым, а мертвые теперь уж точно подождут и вряд ли куда-то денутся, даже если ты отказываешься признавать сам факт их смерти.

И снова Красногорскому надо было решать проблемы и дела близких и родных друга, отодвинув на задний план любую рефлексию, неверие и позднее раскаяние.

И только через неделю он узнал от мамы, что Арина вернулась из Владивостока, да не одна.

— Ариша прилетела, — сообщила ему Лидия Архиповна и вздохнула скорбно. — Ее отец умер, от тяжелой болезни, она с ним была все это время. У нее на руках, как говорится, и умер.

— Значит, у нее тоже там больницы, кладбище да похороны сплошные были, — устало посочувствовал Артем

— Это конечно, — согласилась мама, но произнесла с непонятной интригой: — Да не совсем сплошные.

— В каком смысле? — не понял Артем.

— Да в том, что вернулась она не одна, а с дочкой.

— Так, — обалдел от такой чудной новости Красногорский. — Не понял, с какой дочкой? У нее что, еще и дочь имеется?

— Теперь имеется, — поясняла мама, — Аня сказала, Ариша стала опекуном девочки, но они будут подавать документы на удочерение.

— Охренеть, — коротко, но емко охарактеризовал Артем чудные новости и повторил: — Охренеть. И что это за девочка?

— Анечка не вдавалась в подробности, сказала только, что девочка совсем маленькая. — И предложила: — Позвони Арине и сам обо всем расспроси.

— Ты же знаешь, мам, — напомнил Красногорский недовольным тоном, — она со мной разговаривать не желает.

— А может, пожелает теперь, — предположила Лидия Архиповна. — Аня сказала, Ариша изменилась за это время, видимо, не просто ей дались уход за отцом, его смерть и ребенок приемный, это же неспроста. — И повторила пожелание: — Позвони.

— Я подумаю, — не обещал он.

Он и так постоянно о ней думал, а уж в свете полученных новостей — так и подавно.

Два с половиной месяца прошло с того дня, когда она ушла, обиженная его признанием в нелюбви к ней. Два с половиной!

Конец октября на дворе.

Он скучал по ней, он вспоминал о ней и о Матвее каждый день, иногда лишь мимолетно, вскользь, по ассоциации с чем-то увиденным или услышанным в течение дня, иногда вспоминая подробно, когда всплывал перед глазами ее запечатленный образ и шкодная, веснушчатая рожица Матюшки.

Ему было так тошно, так бесприютно в душе, что он не знал, куда себя деть. Состояние такое странное, когда и умирать вроде неохота, и жить не хочется.

И он позвонил... Игорю. А кому еще?

В этот день Артем с верным другом Игорехой напились.

Вдвоем, у Красногорского дома, а Женька, отпуская мужа к Артему, напутствовала их обоих:

— Вам надо, а то вы оба на нервах, как пружины сжатые, ни на поминках не отпустили себя, ни на девятый день, все контролировали, за все отвечали. Ильи уж двадцать дней как нет, а вы так и не оплакали его толком и так и не расслабились до сих пор. — Но предупредила строго: — Только никуда не намыльтесь пьяные идти, если переберете, на подвиги не нарывайтесь.

Да куда там идти!

Пусть останутся только им двоим те их поминальные посиделки.

Игореню развезло быстро, а вот Артема почти совсем не брало — так, захмелел немного, и все, хоть и выпил немало — а голова соображает, только тоска еще пуще навалилась и не отпускает никак.

И Артема вдруг неожиданно потянуло на откровения об Арине, о Матвее, о том, как он признался ей, что не любит, а она отказалась выходить за него и сбежала.

— А я вот хотел спросить, — старательно выговаривал слова совсем пьяный, но еще что-то соображавший Игореня. — Ты ваще любил хоть одну бабу, Горыч?

— Ну мне казалось, что я любил Лийку.

— Да ну, — отмахнулся, как от сущей ерунды, Брагин, показательно скривив рожу, — она ж дура была, да еще с прибабахом конкретным, что там любить было. И потом, думал или любил?

— Нет, не любил, — признался Артем.

— Во-о-о-от, — назидательно протянул друг, да еще и палец выставил для того, чтобы подчеркнуть важность момента, — про что я и говорю, — и перескочил без всякой логики: — А пацаненка ее ты, значит, любишь?

— Его люблю, — подтвердил Артем и пожаловался: — Только теперь у нее еще и девочка какая-то появилась.

— Девочка — это хорошо. — Игорешу совсем повело набок, и он пьяненько заулыбался. — Я Женьке говорю: давай девочку родим, два парня хорошо, но доченька, это ж... — изобразил он что-то непонятное руками.

— Только неясно, что там за доченька...

— А ты возьми и спроси, — Брагин решительно рубанул рукой воздух и добавил: — Выясни. Вот так прямо спроси и выясни.

Икнул, прикрыл рукой рот, прислушался к процессам, происходившим внутри него, и покаянно признался:

— Я все, Горыч, рублюсь, кажись...

И завалился на бок, мгновенно заснув.

Артем раздел и уложил друга, накрыл его пледом и принялся убирать последствия их посиделок с журнального столика. Вынес в кухню грязную посуду и задумался...

А действительно, что он сопли жует, на самом-то деле, надо взять и спросить у нее напрямую, все как есть. Пусть объяснит и скажет. У него к ней накопилось мно-о-о-го вопросов, и все очень важные.

Вот возьмет прямо сейчас и спросит.

Больше всего Арина переживала о том, как примут дети друг друга, как правильно и грамотно объяснить Матвею, откуда взялась малышка и почему она теперь будет жить с ними и кем ему приходится.

Весь перелет Симочка мирно и тихо спала, Арина специально взяла билеты на такой рейс, чтобы в это время во Владивостоке была ночь.

Они вошли в квартиру, где их встречала Анна Григорьевна и Матвей.

— Мама! — радостно прокричал сынок.

И кинулся к матери, и замер, увидев у нее на руках какого-то незнакомого ребенка.

— Ну иди сюда, — опускаясь на одно колено, позвала его Арина, призывно вытянув навстречу свободную руку. — Обнимемся и поцелуемся.

И Матюшка ринулся под эту материнскую руку, и она прижала его к себе и, прикрыв глаза от нахлынувших чувств, вдохнула его родной запах, чуть отстранилась и поцеловала в обе щечки. И он прижался к ней и посмотрел на девочку. А Симочка вдруг заулыбалась Матвею, потянулась к нему и провела ладошкой по его буйным вихрам.

— Это кто? — спросил у мамы Матвей.

— Это Симочка, — представила ему малышку мама, — Серафима. Твоя сестричка. Ты ее старший брат, а поскольку ты растешь настоящим мужчиной, то как старший брат будешь защищать и оберегать Симочку и, конечно, любить. Симочка, — обратилась Арина к девочке, — это твой брат Матвей.

— Матей, — сказала Симочка и рассмеялась.

Знакомство ребенка с Анной Григорьевной так и вовсе прошло самым поразительным образом — Серафима, завидев бабушку, потянулась к ней ручонками, словно та была ее родным человеком, которого она знала и любила с самого рождения.

Создавалось такое ощущение, что они понимают друг друга на каком-то особом уровне, недоступном остальным.

Вот таким образом Симочка легко и как-то совершенно естественно вошла в их семью и жизнь. И уже через несколько дней Арина с бабушкой обратили внимание, как трепетно Матвей относится к девочке и с каким серьезным видом опекает ее — берет за ручку, когда та куда-то направляется, помогает куда-то залезть, подстраховывает и играет с ней в какие-то игры, что-то объясняет, и все так серьезно, внимательно.

Настоящий такой старший брат. Другой вопрос, надолго ли его хватит. Но там посмотрим. Симочка же в новоявленном брате души не чаяла — ходила за ним везде хвостиком и что-то постоянно говорила, иногда так вполне четкие слова и короткие фразы, но в основном лопотала, объясняла на своем младенческом языке, укала, гукала, акала, сопровождая выступления чуть более понятными жестами и мимикой.

Труднее всего дался девочке переход на время другого часового пояса. Но и с этим за неделю справились понемногу.

На восьмой день после их приезда поздно вечером, когда все, кроме Арины, давно мирно спали, в дверь кто-то позвонил продолжительным и весьма настойчивым образом.

Ругнувшись в сердцах на того, кто тут названивает, Арина ринулась к двери, намереваясь навалять по полной тому идиоту, который...

— Привет, — произнес Красногорский, когда она распахнула дверь самым что ни на есть грозным образом.

Распахнула и застыла от неожиданности, увидев его.

— Пустишь? — спросил Артем и хмыкнул иронично.

— По-моему, ты пьян? — предположила Арина, уловив характерный запашок.

— Выпивший, — кивнул Красногорский, — но опьянеть не получается. Так пустишь?

— С какой целью? — уточнила Арина.

— Мне надо задать тебе очень важные вопросы, — пояснил тот.

— А до завтра эти вопросы могут подождать? — Она не торопилась его впускать.

— Нет, — самым убежденным тоном отрезал Красногорский. — Мне надо спросить тебя прямо сейчас.

— Ну, проходи, раз не подождет, — отступая в сторону, пригласила она его в дом.

Он вошел, а Арина, понаблюдав за его движениями, поняла, что на самом деле он не так и пьян, как можно было бы предположить по ядреному «выхлопу». Он снял куртку, повесил ее на вешалку, вопросительно посмотрел на туфли, но Арина лишь покачала головой — не надо снимать и жестом указала в сторону кухни.

— Чай будешь? — спросила она, когда Артем уселся на диван, стоявший у окна их большой уютной кухни.

— Давай чай.

Она поставила перед ним кружку, села рядом, подождала, пока он сделает несколько осторожных глотков, и только тогда спросила:

— И что за срочные вопросы ты хотел мне задать?

А у него вдруг вырвалось то, о чем он вовсе не собирался говорить:

— Я по тебе соскучился, — и уж совсем себя выдавая, добавил: — Очень сильно.

Она помолчала, глядя в его янтарно-зеленые глаза, и ответила:

— Я тоже по тебе сильно соскучилась.

— У меня друг умер, — сообщил Красногорский.

— Соболезную, мне бабушка сказала, что у вас произошла такая трагедия, — искренне посочувствовала она ему.

— Это не трагедия. Это полный бред, понимаешь?

И его прорвало. Вся его боль, все его негодование из-за нелепости смерти, все его претензии миру вылились в неосознанный крик о помощи:

— Такая дикая, чудовищная несправедливость! Это какое-то безумие. Такого просто не может быть. Молодой, здоровый мужик, живой, сильный, умный, и... — Он потряс ладонями в бессилии: — Поскользнуться на куске говенного мыла, упасть и сломать шею! Вот так! — Он щелкнул пальцами. — В один момент! И все, все! Понимаешь: все, нет человека! — Он смотрел на нее больными, злыми глазами: — Это такая дурь! Такая тупость!..

— Ну все, все! — Арина прижала его голову к груди.

Уловив своим любящим чутким сердцем, что он тонет и задыхается в душевной боли, как еще совсем недавно тонула и захлебывалась она, Арина успокаивала его, поддерживая, все прижимала и гладила по голове.

— Понимаешь, Аринка, — шептал он, — дикость несусветная какая-то. Так просто, так легко, в одну секунду, и нет человека.

Наверное, он даже плакал, но этого не понимали ни он, ни она. Он все говорил что-то больное, уткнувшись ей в грудь, и обнимал ее, неосознанно стараясь удержать. Сидеть стало совсем неудобно, и Арина принялась подвигаться спиной назад к диванному подлокотнику.

— Нет, нет, — он обнял ее еще сильней, — не уходи больше, не надо.

— Не уйду, — пообещала Арина.

И как-то все же смогла откинуться спиной на подлокотник, Артем сдвинулся-подвинулся за ней, не выпуская ее из рук, так и продолжая прижиматься головой к ее груди, а она все поглаживала его по спине и голове и шептала успокоительные слова:

— Ну что ж теперь, люди по-разному уходят. Ну что ж теперь.

— Господи, — вдруг произнес он страдальчески, — как я по тебе соскучился. И по Матвею. Просто как-то зверски соскучился. Совершенно измучился без тебя. А тут еще и Ильюха... и Вика почти с ума сошла, и Настя, ей совсем плохо, она отца видела там, на полу в ванной...

И тогда Арина запела, тихим, каким-то бесконечно проникновенным, поразительным голосом, мерно, легко похлопывая его по спине в такт песне:

— «Скатилось солнце за горушку, ты забери мое горюшко»...

Они полулежали, обнявшись, и было не очень удобно, но отчего-то они не пытались устроиться более комфортно, не двигались, молчали какое-то время после того, как Арина допела, а потом Артем попросил:

— Спой еще раз.

И она спела. А когда допела до конца, поняла, что он заснул.

Арина осторожно, медленно выбралась из-под его отяжелевшего тела, посидела, посмотрела на заснувшего Красногорского, вздохнула своим мыслям и... сняла с него туфли, подняла и уложила на диван его ноги, сходила в комнату, принесла оттуда подушку и плед, подсунула Артему под голову подушку и накрыла пледом.

Постояла над ним, спящим, задумчиво рассматривая, усмехнулась своим мыслям, наклонилась, поцеловала в лоб и погладила по волосам.

Надо бы сварить для него одно верное средство от тяжелого похмелья. Помогает исключительно, правда, только тем, кто останется «в живых» после того, как его выпьет. «Эликсир» она приготовила, будем надеяться, господин Красногорский достаточно крепкий товарищ, чтобы выдержать его целебное воздействие. Все. Спать.

Утро вечера, как известно, мудренее. Вот и посмотрим, насколько.

— Встава-а-ай... — произнес колдовской голос. Этот голос он бы никогда не спутал ни с каким другим, у него даже мурашки по спине побежали. Ему этот ее шепот снился, наверное...

— Встава-а-ай...

Точно таким же колдовским, загадочным и очень эротичным полушепотом она произнесла тогда на веранде, погладив его по волосам и спине «Приве-е-ет...»

Артем улыбнулся такому приятному, чуть эротичному и будоражащему сну, открыл глаза и увидел Арину, склонившуюся над ним.

— Привет, — сказала она самым обычным тоном, без всяких обещающих эротичных модуляций. — Рано, конечно, но надо тебе вставать. Скоро дети проснутся.

— У нас есть дети? — Красногорский пока ничего не соображал со сна.

— Дети есть у меня, у тебя, вполне возможно, тоже где-то есть, но сие мне неизвестно.

— Ты мне снишься, что ли? — недовольно спросил Артем.

— Увы, нет, — улыбнулась она и посоветовала: — Не делай резких движений, почему-то мне кажется, что результат тебе не понравится.

— А что такое? — не понял Красногорский и, вопреки дельному совету, данному хорошим человеком, резко сел.

Мать честная! Лучше бы он спал дальше! Или как минимум не двигался вовсе, даже дышал бы осторожно, желательно через раз! А еще лучше бы вообще умер! И лучше бы вчера.

Голову шибануло дикой болью, и перед глазами все поплыло, резко и сильно затошнило.

— Дыши, — посоветовала ему Арина и протянула ему глиняную кружку, доверху наполненную какой-то подозрительного вида жидкостью. — Не смотри и не нюхай, даже не думай, что там, — рекомендовала Арина и настойчиво посоветовала: — Просто быстро выпей все до дна, — и поднесла кружку к губам Артема.

Красногорский, резонно рассудив, что хуже ему уже точно не может сделаться, послушно закрыв глаза, взял кружку из ее рук, резко выдохнул и выпил залпом все это жуткое пойло.

Насчет предположения «не может» он как-то сильно погорячился, он просто не знал всего разнообразия страданий, которые можно испытать.

Его жутко, просто жутко как замутило, живот скрутило узлом, дышать стало совершенно невозможно, сначала бросило в жар и пот, а потом в холод, и захотелось немедленно облегчиться.

— Держись! — потребовала его отравительница. — Всего пять минут надо продержаться!

«Месть женщины может быть ужасной, — вяло подумал Красногорский. — И изощренной». Он боялся даже смотреть, как она удовлетворенно улыбается, глядя на его муки.

Но что такое? Что такое-то, а? Вдруг стало легче дышать... И позывы на тошноту прошли, и голова уже не раскалывалась...

— Во-о-от, — удовлетворенно протянула Арина и обнадежила: — Еще минут десять — и отпустит, пусть и не совсем, но жить уже сможешь.

— Это что было? — прохрипел Красногорский.

— Секретный отвар от тяжелого похмелья, старинный семейный рецепт, по женской линии по наследству передается. Иногда, очень редко, случалось, что дедуля перебирал на каком-нибудь празднике или мероприятии, вот бабушка его и лечила. — И проронила тоном экспериментатора, разглядывающего сомнительные результаты полученного опыта: — Давно не варили.

— Звучит очень-очень настораживающе, особенно для человека страдающего. И уж больно неоднозначно. — Артем смог легко произнести эту сложную фразу.

— М-да, — согласилась Арина, рассмеявшись, и заверила: — Нет, мы не ведьмы, если ты об этом. — И протянула интригующе: — Хотя...

— А сколько времени? — спросил Артем, поразительно быстро начав трезветь.

— Шесть утра, — уведомила его Арина, — извини, что разбудила, представляю, как тебе фигово после вчерашнего, по крайней мере, выглядишь ты далеко не свежим, но скоро проснутся дети.

— Да, я понимаю, — кивнул Артем и тут же скривился от боли.

— Отвар поможет, но все симптомы похмелья точно не снимет, — предупредила Арина, — так что ты поосторожней, — и протянула ему большое махровое полотенце, поверх которого лежала зубная щетка в упаковке и одноразовый станок. — Можешь принять душ. Говорят, тоже помогает.

— Нет, — отказался Красногорский, — душ я приму дома, а вот за щетку отдельное спасибо.

И, на сей раз не игнорируя совет Арины, соблюдая осторожность, медленно поднялся с дивана и так же медленно, внимательно прислушиваясь к своим ощущениям, отправился через туалет в ванную комнату.

Они сидели за столом, и Красногорский, постанывая от удовольствия, уплетал «похмельную» уху, чувствуя, какое благотворное воздействие она оказывает на организм. А Арина, сидя напротив него и попивая свой прекрасный кофеек, смотрела, как он ест.

Он долго умывался, все поражаясь столь мощному лечебному эффекту той бурды, которую принял, — нет, на самом деле жить после нее можно. А когда он вышел из ванной и попросил хозяйку сварить фирменный кофе, Арина заявила, что вторым лечебным средством от «утренней болезни» является «похмельная уха», а никак не кофе, и буквально усадила его за стол, поставив перед Красногорским глиняную миску с рыбным супом.

Но уха та оказалась!

— Охренительно! — поделился Артем впечатлениями. — Слушай, а когда ты все это успела? Отвар, уху? — спросил он, дохлебывая остатки юшки из тарелки.

— Ну не стоит принимать все на свой счет, — посоветовала девушка. — Уху мы сделали еще вчера, она хороша, когда настоится денек, а отвар я сварила, когда ты заснул. Достала бабушкин рецепт из заветной шкатулки и сварила. — И спросила провокационно: — Могу поделиться секретом. Хочешь, расскажу, из чего он готовится.

Артем вспомнил цвет, запах и вкус того убойного пойла и первую реакцию организма на него и, справившись с приступом тошноты, отказался:

— Нет, спасибо. Разреши мне этого не знать. — И отодвинул от себя подальше пустую тарелку, чтобы не пахла и не провоцировала, мало ли что, и так только отдышался.

— Как хочешь, — пожала Арина плечами.

Отнесла тарелку в мойку, вернулась, села за стол и, посмотрев на него долгим задумчивым взглядом, спросила:

— Так какие не терпящие промедления и отлагательств вопросы ты хотел мне вчера задать?

— Да, хотел, — признался Красногорский и спросил: — Ты не беременна?

Она помолчала немного, внимательно его рассматривая, и ответила односложно:

— Нет.

— Досадно, — заметно расстроился Красногорский. — Нас с тобой так сносило, что мы ни разу не вспомнили о предохранении, вот я и...

— Да, — согласилась Арина, — не вспомнили.

— Жаль. Может, тогда бы ты согласилась выйти за меня.

— У меня теперь есть дочь, — сообщила Арина.

— Да, мама говорила, — кивнул Артем, — про то, что ты удочерила девочку, и про то, что твой отец умер от какой-то болезни. Соболезную.

— Я тебе тоже соболезную по поводу смерти Ильи.

— Благодарю, — кивнул он, сразу же теряя всю легкость разговора и радость общения с ней. — Только он не от болезни, он от такой тупой случайности, что и представить невозможно.

— Да, — искренне посочувствовала ему Арина. — Ты вчера пытался объяснить, как он погиб.

— Я не могу это обсуждать, я даже думать об этом еще не могу, меня сразу сносит, — признался Артем.

А она посмотрела на него долгим задумчивым взглядом и сказала тихим, проникновенным, доверительным тоном:

— Перед смертью отец мне сказал, что понял: не бывает «за что-то», все делается и происходит в мире «для чего-то» и еще «вопреки». Люди живут и страдают для чего-то, с какой-то, как правило, непонятной большинству из нас целью, но она точно есть, и, бывает, живут вопреки обстоятельствам и всем бедам. И любят не «за что-то», а для чего-то, для того, чтобы по-настоящему познать любовь, соединиться с любимым человеком или просто открыть в себе умение любить, и довольно часто любят вопреки разуму и логике. И умирают «для чего-то», для того чтобы завершить свою жизнь именно так и в таком возрасте, исполнив что-то важное в ней, а может, для того, чтобы научить нас смиренно принимать смерть, как часть жизни, как волю божью. И всегда умирают «вопреки». Вопреки нашему несогласию с их уходом, вопреки нашим попыткам удержать их и нашему негодованию. Даже те совершеннейшие гады, кому мы желаем смерти, живут долго и часто счастливо, вопреки всем нашим пожеланиям. Одна женщина в клинике сказала мне, что мы должны научиться принимать право человека на его жизнь и на его смерть, потому что случайных смертей не бывает. Не знаю, права ли она, смерти бывают разные, порой такие, что все лучшее в нас не приемлет таких трагедий. Когда мы теряем близких людей, мы меняемся, и надо учиться жить с памятью о них, но без них, жить изменившимися и что-то понявшими.

Она замолчала, и они сидели и смотрели друг другу в глаза долгим, затяжным взглядом, что-то говоря без слов... И вдруг раздался какой-то странный, непонятный звук, как хныканье и сопение ребенка, прозвучавший так четко, так ясно.

— Симочка проснулась, — поднялась с места Арина и, заметив недоумение, отразившееся на лице Красногорского, показала ему что-то похожее на маленькую радиостанцию типа уоки-токи: — Радионяня, чтобы слышать, как там ребенок в кроватке.

— Мне, наверное, пора, — поднялся с места Артем. — Я бы очень хотел познакомиться с твоей девочкой и с Матюшкой встретиться, пообщаться, но сейчас это как-то... — замолчал он, не договорив.

— М-да, — усмехнулась Арина, — сейчас, пожалуй, не надо. Сейчас я ее подниму, отдам бабуле и приду тебя проводить, — пообещала она.

Он вызвал такси, надел куртку и топтался в коридоре, раздираемый двумя противоречивыми желаниями — остаться, договорить и прояснить наконец уже окончательно все непонятные моменты, или уйти, не попрощавшись, маясь от своего похмельного состояния и ощущения несвежести.

— Ну что, — спросила Арина, выходя в прихожую проводить его, как и обещала, тем самым лишая его возможности уйти по-английски, — такси вызвал?

— Уже подъехало, — кивнул Артем.

— Тогда до свидания, — нейтрально-приветливым тоном попрощалась она.

— Да, — кивнул Красногорский и не сдвинулся с места.

— Давай я дверь открою.

— Да, — повторил он.

Так и не тронувшись с места, он глядел на нее. И не выдержал — выплеснул все, что держал в себе, то, что намеревался сказать в другой обстановке и уж точно не таким образом — топчась в прихожей, да еще после перепоя:

— Я больше так не могу. Я истосковался по тебе ужасно. Выяснилось, что я не могу без тебя жить. Даже дышать не могу нормально без тебя. Какая-то совсем ерунда получается. Если это любовь, значит, я тебя люблю. И больше не изводи ты меня, пожалуйста, этими любовями-нелюбовями.

— Не буду, — совершенно серьезно ответила Арина.

Красногорский уже не мог видеть — вот так просто стоять и видеть это ее серьезное лицо и вообще уже туго соображал, он шагнул вперед, обхватил ее, прижал к себе и закрыл глаза от заполнявшего все его существо чувства умиротворения.

А когда открыл глаза, увидел маленькую девочку, совсем крошку, которая стояла в паре метров от них и смотрела прямо на Красногорского очень странным, серьезным, изучающим взглядом... точно таких же, как у него, янтарно-зеленых глаз.

Он замер, даже дышать перестал. Арина, почувствовавшая его неожиданную закаменелость, отстранилась, посмотрела в лицо Артема, развернулась и увидела малышку.

— Симочка, — присаживаясь, позвала она.

— Мама, — заулыбалась девочка и побежала-потопала к ней.

Арина подхватила ребенка на руки и поднялась.

— Вот, Артем, это наша замечательная Симочка, — представила она девочку.

— Дядя Артем! — послышался радостный вопль ворвавшегося в прихожую Матвея. — Ты приехал! Ура!

И стремительный, как болид, сгусток бушующей энергии, упакованный в пижамку, с веселыми вихрами на голове, с радостными веснушками и оттопыренными ушами, метнулся к любимому дяде Артему, которому пришлось подхватить пацана на руки, при этом усиленно стараясь поворачивать голову так, чтобы не дышать на него.

— Я говорил маме, чтобы ты приехал! — тараторил восторженно мальчонка. — А она говорит, ты занят и ты не наш! Какой же ты не наш, когда ты наш! Ведь правда?

— Здравствуйте, Артем, — поздоровалась Анна Григорьевна, прибежавшая следом за внуками.

— Здравствуйте, Анна Григорьевна, — улыбнулся ей Красногорский.

— А у нас, вот видите... — что-то начала говорить она.

Но ее перебил звонкий голосок Симочки, которая спросила, ткнув пальчиком в сторону Артема:

— Папа?

И все как-то дружно в один момент замолчали и почему-то посмотрели на Арину, ожидая разъяснений.

— Что вы на меня смотрите? — возмутилась та. — Понятия не имею, откуда она это взяла. Она даже слова такого никогда не слышала и не знает.

— Папа? — спросил теперь ребенок у Арины.

Тишина становилась все напряженней. Красногорский, Матвей у него на руках, и Анна Григорьевна, и даже Симочка у Арины на руках продолжали смотреть на Арину вопросительно-ожидающими взглядами.

— Да, — кивнула она, решившись, словно с горы сиганула, — это папа, Симочка.

— Если дядя Артем папа Симочки, то как же тогда он не мой папа? — в полной тишине раздался звонкий голос Матвея.

— Почему же не твой? — удивился Артем. — Ты же старше, поэтому я сначала твой папа, а когда появилась Симочка, я стал и ее папой. Такой ход событий.

Он объяснял, а у него все дрожало внутри мелкой дрожью от неверия, что наконец все устроилось правильным порядком. И он смотрел во все глаза на Арину, пытаясь передать ей все, что испытывает, все, что хочет сказать...

Но именно на такие случаи имелся Матвей:

— А почему тогда ты так долго был дядей Артемом, а не признавался, что ты мой папа? — задал справедливый и несколько неловкий в данный момент вопрос пацан.

— Потому что мы скрывали от тебя этот факт, — объяснила Арина и посмотрела в поисках поддержки на Артема.

Тот лишь пожал плечами...

Арина повернула голову и посмотрела на бабушку, но Анна Григорьевна с ироничной улыбкой на устах красноречиво развела руки в стороны — мол, понятия не имею.

— ...скрывали, — продолжила Арина, — потому что не знали, будем ли мы жить вместе, и не хотели расстраивать тебя понапрасну, если у нас ничего не получится.

Фу! Кажется, выпуталась.

— А чего это вы не знали, что будете жить вместе? — удивился Матвей и аж руками от удивления развел. — А как же еще вам жить-то? — И звонко рассмеялся.

— Матей! — следом за ним рассмеялась Симочка и потянулась к брату.

Пришлось Арине с Артемом придвинуться друг к другу совсем близко, чтобы дети смогли обняться.

— Мне надо сейчас уйти, — оповестил Красногорский и посмотрел через голову Матвея на Арину, — но часа через три...

— Четыре, — уточнила Арина.

— Четыре, — кивнул Красноярский, — я вернусь.

И все засуетились, заспешили, детей спустили на пол, скомканно-торопливо попрощались, как-то без поцелуев и даже без объятий, все еще до конца не осознавая случившейся перемены, и Артем побежал вниз к заждавшемуся такси.

Матвей, взяв Симочку за ручку, увел ее в кухню, а Арина, проводив детей взглядом, поинтересовалась у бабушки:

— Ну и зачем надо было сюда детей запускать?

— Потому что давно пора и уже просто требовалось все ускорить. А то бы вы так до морковкиного заговения друг с другом не разобрались бы. — И, обняв внучку рукой за плечи, усмехнулась: — Ну что, утряслись твои страсти-то, внученька, все ладом устраивается, как тебе и мечталось.

— Ох, лучше я промолчу на всякий случай.

— Вот и молодец, мудреешь. И то верно: нечего попусту о своем хорошем трезвонить, оно любит тихонечко жить, при тебе и близких, — похвалила бабушка. — Ну что, пошли деток кормить.

За двадцать минут, вместе с такими же несчастными «попаданцами», как он, Артем проехал не больше двухсот метров в этой затянувшейся, безнадежной пробке. Что в общем-то неудивительно — до Нового года осталась последняя неделя, как раз все ленивые, все пофигисты и не в меру занятые ломанулись покупать подарки и всякую попутную ерундистику в последний момент.

Весь Центр стоит наглухо, Третье кольцо еще как-то худо-бедно двигается, Красногорский по навигатору удачно сворачивал несколько раз, объезжая пробки закоулками, и все ж таки попал, не добравшись до дому каких-то пару километров.

Дома семья ждет, а он тут...

От одного этого слова «семья» в груди растекалось тепло. У других обретение семьи дело постепенное — влюбился, женился, выносили ребеночка, родили — все по порядку и с длительным процессом привыкания, а у него — ать! — и сразу на тебе: жена и двое детей готовеньких. Игореня особенно над этим фактом угорает:

— Вот всегда ты, Горыч, умудряешься меня обскакать, на любых поворотах. Я, значит, пыхтел десять лет, женился, пацанов делал, а потом растил, а ты гулял себе по бабам тем временем, и раз — муж и отец двоих детей. Вот как ты так умудряешься-то, а? — и хохотал, довольный.

Да, в лучшем виде, это точно. В этом Брагин определенно прав.

У Красногорского сердце замирало, а потом начинало так быстро-быстро стучать, и что-то перехватывало в горле от нежности, когда он заходил в детскую и смотрел на спящих детей.

Он любил их так, что, наверное, не мог бы передать никакими словами, это и пережить-то было трудно, не то что давать какие-то определения, он даже побаивался немного силы этого своего чувства и все старался его сдержать, сильно не показывать.

Он бесконечно любил Матюшку, всем сердцем чувствуя его своим родным сыночком, но Симочка...

С Симочкой у Красногорского с первой же их встречи сложились какие-то особенные отношения — она была его ребенком, совершенно и абсолютно, без каких-либо поправок и уточнений — его нежным цветочком, папиной дочуркой, его малышкой. Он постоянно за нее боялся, пугался ужасно, если вдруг ему казалось, что она себя плохо чувствует, а если, не приведи господь, дите чихнет, он тут же впадал в панику и начинал донимать Арину страхами один пуще другого.

И Аринка должна была срочно его успокаивать и убеждать четким уверенным голосом, именно таким и никаким другим, что все с малышкой в порядке, что она чихнула от резкого запаха, от фигни какой-нибудь и вообще она у них здоровый ребенок. Однажды чтобы ободрить перепуганного Красногорского, вдруг привела пример:

— Артем, а что бы ты делал, если бы она все еще была грудничком, когда они плачут по нескольку раз в день, а ты не знаешь отчего. Сейчас она хоть показать может, где болит.

— Да упаси господь! — взревел от ужаса Красногорский, только представив себе, что такое возможно. — Даже не говори мне! Это же можно с ума сойти от такого!

И хватал дочурку на руки, и начинал ей что-то рассказывать, зацеловывать ее и сюсюкать, а Аринка хохотала до слез, наблюдая эту картину.

Да, дочурка. Теперь уже официально. На прошлой неделе они завершили все процедуры усыновления и удочерения.

И Арина.

Нет, про нее он не будет думать, а то хрен еще знает, сколько в этой пробке торчать, и он заведется, а уединиться до ночи они не смогут — дети, знаете ли. А может, и не только они.

Анна Григорьевна и Лидия Архиповна большую часть времени проводили у них дома, занимаясь с детками, что, кстати, давало возможность Арине пару-тройку часов поработать в своем шоколадном производстве. И Артем с Ариной обсуждали уже не раз идею о том, что хорошо бы съехаться всем вместе, Арина без бабушки так и вовсе ни дня не хочет прожить. Да и зачем ей без нее проводить эти самые дни, когда им так хорошо вместе.

А Красногорский уже кое-что надумал на эту тему — жить всем вместе.

Ну, слава богу, вроде бы двинулись потихоньку, а то ни два, ни полтора — сплошное тык-мык, а дома дети папку ждут.

— Почему отца не встречаете? — крикнул в глубь квартиры Красногорский, не дождавшись детей, которые всегда к нему выбегали.

— Мы здесь, у нас разбор происшествия! — веселым голосом отозвалась из гостиной Аринка.

— Происшествие какого рода?

— Ничего катастрофического, — поспешила успокоить его жена.

Да, вот так вот — жена!

Улыбнувшись своим веселым мыслям, он прошел в комнату.

Арина сидела на диване, а перед ней стоял Матвей, всем своим видом выражавший полное не-

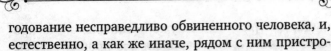

годование несправедливо обвиненного человека, и, естественно, а как же иначе, рядом с ним пристроилась Симочка и гладила брата по руке, тревожно заглядывая тому в лицо.

— Папа! — отвлеклась Симочка, побежав-потопав навстречу Артему.

«Суд» и «подсудимый» молча переждали ритуал встречи отца с дочкой — взаимное целование и Симочкин эмоциональный рассказ папе о происшествии.

— Матей, — далее следовала непереводимая младенческая лексика.

— Ну давай послушаем, что Матвей скажет, — предложил Красногорский дочери.

— Значит, история у нас такая, — старательно сдерживая смех, принялась рассказывать Арина, когда Артем сел рядом на диван. — Сегодня дети в саду делали разные новогодние украшения и поделки под руководством воспитательницы для елки на Новый год. И тут воспитательница неосмотрительно призналась, что у нее завтра день рождения. Матвей, услышав такую новость, подговорил своего лепшего кореша Григория сделать какой-нибудь подарок любимой воспитательнице.

— Ничего я его не подговаривал, мамочка, — внес уточнения надутый Матвей, — мы вместе уговорились.

— Матей, — погладила брата Симочка.

Матвей посмотрел на сестру и улыбнулся столь серьезной поддержке.

— Итак, — продолжила Арина, — они «уговорились» сделать нечто грандиозное, а поскольку на столе имелось все для воплощения художественной фантазии авторов, парни решили создать для Ирины Валентиновны красивую аппликацию. И где эта аппликация будет, спросите вы? А там, где Ирина Валентиновна гарантированно ее увидит. — Арина взяла театральную паузу и продолжила: — Все дело в том, что у мальчика Гриши мама — большая модница, разбирающаяся во всех тонкостях фэшн-индустрии, и точно знает, что в нынешнем сезоне очень популярны сумочки с рисунками и аппликациями, что неоднократно обсуждала с подругами в присутствии сыночка. По всей видимости, ставшего тоже экспертом в этом вопросе.

— Я правильно понял — они украсили сумочку воспитательницы? — уточнил Артем, зная, что впереди ждет все самое интересное.

— Совершенно верно, — подтвердила Арина, — но не только. Подумаешь, сумочка, это как-то маловато для масштабов творческих натур двух дизайнеров. И они, подговорив одногруппников, обклеили звездочками, снежинками и цветочками и сумочку, и сапожки, и пуховик, и даже шапочку нашей воспитательницы. Красота вышла страшная!

— Вот видишь, — попенял матери Матвей, — тебе тоже понравилось!

— Конечно, понравилось, сынок, — подтвердила Арина. — Идея хороша, и исполнение тоже неплохо, мне вообще очень нравится твое творчество.

— Тогда чего не так? — резонно спросил сынок.

— А не так у нас то, что вы стырили из хозяйской подсобки клей «Момент», — разъясняла ему мама. — Потому что один очень мудрый папа рассказал сынку о его особенностях, о том, что он клеит почти все и, главное, на века.

— Та-а-ак, — покивал ей упомянутый папа, уже представив себе дальнейшее развитие событий.

— Ирина Валентиновна, конечно, сильно удивилась такому подарку и даже, может, и обрадовалась, но сумочка у нее была от Baldinini, подаренная женихом, и сапожки тоже не за три тысячи.

— Но мы же хотели сапоги исправить, — защищался «подсудимый».

— Да кто бы спорил! — весело согласилась Арина. — Только способ вы избрали для этого несколько непродуманный, — и, повернувшись к Артему, пояснила: — Они принялись в туалетном умывальнике отмывать аппликацию с сапог горячей водой. Сапоги окончательно были испорчены, а вот аппликация кое-где и осталась.

— Да, этот клей такой здоровский! — порадовался Матвей проведенному между делом эксперименту.

— И что в итоге? — поинтересовался Артем, привычно сдерживая рвущийся смех.

— В итоге, — повторила за ним Арина, — мы договорились с мамой Гриши скинуться и купить Ирине Валентиновне новую сумочку, сапоги, а также пуховик и шапку.

— И что? — возмутился Матвей. — Все же хорошо. Ирине Валентиновне понравилось, как мы все разукрасили, надо же было ее поздравить.

— Ну желание-то достойное и посыл благородный, — взялся разрешить конфликт Красногорский, — поздравить и порадовать любимую воспитательницу.

— Конечно, — подхватила мысль мужа Арина, — теперь у Ирины Валентиновны к Новому году будут и новая сумочка взамен старой, и новые сапожки, и новый пуховичок с шапочкой.

— И варежки! — дополнил список довольный Матвей.

Арина махнула рукой, еле сдерживая смех:

— ...и варежки. После сумочки уже по фигу что — хоть варежки, хоть...

— ...Шарфик, — закончил за нее фразу Артем.

— Ну и тогда что я должен осознать? — спросил пацан.

— Да... — затрясся от смеха Красноярский, — а, собственно, что он должен осознать?

— Да ничего уже... — захохотала Арина, не в силах больше сдерживаться, прикрыв глаза рукой.

— Матей, — заговорила молчавшая все это время Симочка. — Не тя-тя, не тя-тя! Лялясо, лясиво! Матей ляля, Матей ляля у-ух неть.

— «Неть» — эт точно, — заметил Артем.

— Так я могу идти? — спросил Матвей. — И осознавать не надо? И мультики можно?

— Мутики! — порадовалась Симочка. — Тятеть, тятеть!

— Я тебе потом объясню, что нужно осознавать, а мультики можно, — махнул рукой Красногорский.

— Ну что, — отсмеявшись, спросил он у Арины, — какие-то еще новости есть?

— Есть, как же не быть, у нас вся жизнь сплошные новости, — и доложила: — Елку не покупаем, бережем природу. Отмечать Новый год решили на даче, поэтому завтра начинаем перевозить туда все необходимое, и Матвею поменяли роль на елочном спектакле: теперь он у нас не снеговик какой-то там без текста, а целый Бармалей.

— Не иначе... — зашелся новым приступом смеха Артем, — без протекции Ирины Валентиновны, которой пообещали новую фирменную сумочку, не обошлось.

— Думаю, не без этого, — поддержала его Арина, смеясь.

— На сегодня все происшествия и новости?

— Да, — кивнула Арина, — в целом все, кроме одной: я беременна.

— Как это? — перестал смеяться Красногорский.

— Традиционным способом, — уверила его жена. — Кстати, если я не ошибаюсь, тебе очень нравится его осуществлять.

— Подожди, мы что — родим ребенка?

— Да куда ж мы денемся, — погладила она его по голове с большим сочувствием, — родим, конечно.

— Я тут с вами с ума сойду, — сказал счастливый Красногорский.

— Татай, татай, — Симочка прибежала к Артему, ухватила его за руку и позвала за собой: — Дем! Тятеть, — и вздохнула: — Папа да, неть.

— Ой, доченька, как ты права, — весело вздохнул Красногорский, поднимаясь с дивана и подхватывая дочь на руки: — Папа и да, и неть, и все на свете. Идем уже тятеть, что там у тебя приключилось.

— Только не обалдей от культурного потрясения, — посоветовала Арина.

— В каком смысле? — настороженно уточнил Артем.

— Увидишь, — напустила туману жена.

— Ну идем, посмотрим, — обратился Артем к дочке.

— Дем, — решительно кивнула та.

Артем направился в кухню, а Арина начала мысленно про себя считать. Все дело в том, что вдохновение настолько сильно увлекло сынка Матвея, что дома он продолжил выражать себя, украсив аппликацией с помощью клея «момент» всю кухню, пока Арина занималась Симочкой.

— Матвей! — прогремел голос, видимо, сильно «впечатлившегося» артобъектом Красногорского. — Иди сюда, сынок, я объясню тебе, в чем ты был не прав и что именно можно уже начинать осознавать.

А Арина, откинувшись на спинку дивана, принялась хохотать.

Литературно-художественное издание

Алюшина Татьяна Александровна

БУДЬТЕ МОЕЙ СЕМЬЕЙ

Ответственный редактор *В. Смирнова*
Редактор *Е. Шукшина*
Художественный редактор *С. Власов*
Технический редактор *И. Гришина*
Компьютерная верстка *Н. Билюкина*
Корректор *И. Гончарова*

В коллаже на обложке использованы фотографии:
© Vastram, Africa Studio, jazz3311, Antonina Vlasova,
Witthaya Sumdaengphai / Shutterstock.com
Используется по лицензии от Shutterstock.com

ООО «Издательство «Эксмо»
123308, Москва, ул. Зорге, д. 1. Тел.: 8 (495) 411-68-86.
Home page: www.eksmo.ru   E-mail: info@eksmo.ru
Өндіруші: «ЭКСМО» АҚБ Баспасы, 123308, Мәскеу, Ресей, Зорге көшесі, 1 үй.
Тел.: 8 (495) 411-68-86.
Home page: www.eksmo.ru   E-mail: info@eksmo.ru.
Тауар белгісі: «Эксмо»
Интернет-магазин : www.book24.ru

Интернет-магазин : www.book24.kz
Интернет-дукен : www.book24.kz
Импортёр в Республику Казахстан ТОО «РДЦ-Алматы».
Қазақстан Республикасындағы импорттаушы «РДЦ-Алматы» ЖШС.
Дистрибьютор и представитель по приему претензий на продукцию,
в Республике Казахстан: ТОО «РДЦ-Алматы»
Қазақстан Республикасында дистрибьютор және өнім бойынша арыз-талаптарды
қабылдаушының өкілі «РДЦ-Алматы» ЖШС,
Алматы қ., Домбровский көш., 3«а», литер Б, офис 1.
Тел.: 8 (727) 251-59-90/91/92; E-mail: RDC-Almaty@eksmo.kz
Өнімнің жарамдылық мерзімі шектелмеген.
Сертификация туралы ақпарат сайтта: www.eksmo.ru/certification
Сведения о подтверждении соответствия издания согласно законодательству РФ
о техническом регулировании можно получить на сайте Издательства «Эксмо»
www.eksmo.ru/certification
Өндірген мемлекет: Ресей. Сертификация қарастырылмаған

Подписано в печать 14.10.2019. Формат 84x108¹/₃₂.
Гарнитура «Charter». Печать офсетная. Усл. печ. л. 16,8.
Тираж 15000 экз. Заказ 10460.

Отпечатано с готовых файлов заказчика
в АО «Первая Образцовая типография»,
филиал «УЛЬЯНОВСКИЙ ДОМ ПЕЧАТИ»
432980, Россия, г. Ульяновск, ул. Гончарова, 14

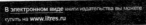

Москва. ООО «Торговый Дом «Эксмо»
Адрес: 123308, г. Москва, ул. Зорге, д. 1.
Телефон: +7 (495) 411-50-74. **E-mail:** reception@eksmo-sale.ru

По вопросам приобретения книг «Эксмо» зарубежными оптовыми
покупателями обращаться в отдел зарубежных продаж ТД «Эксмо»
E-mail: **international@eksmo-sale.ru**

*International Sales: International wholesale customers should contact
Foreign Sales Department of Trading House «Eksmo» for their orders.*
international@eksmo-sale.ru

По вопросам заказа книг корпоративным клиентам, в том числе в специальном
оформлении, обращаться по тел.: +7 (495) 411-68-59, доб. 2261.
E-mail: **ivanova.ey@eksmo.ru**

Оптовая торговля бумажно-беловыми
и канцелярскими товарами для школы и офиса «Канц-Эксмо»:
Компания «Канц-Эксмо»: 142702, Московская обл., Ленинский р-н, г. Видное-2,
Белокаменное ш., д. 1, а/я 5. Тел./факс: +7 (495) 745-28-87 (многоканальный).
e-mail: **kanc@eksmo-sale.ru**, сайт: www.**kanc-eksmo.ru**

Филиал «Торгового Дома «Эксмо» в Нижнем Новгороде
Адрес: 603094, г. Нижний Новгород, улица Карпинского, д. 29, бизнес-парк «Грин Плаза»
Телефон: +7 (831) 216-15-91 (92, 93, 94). **E-mail:** reception@eksmonn.ru

Филиал ООО «Издательство «Эксмо» в г. Санкт-Петербурге
Адрес: 192029, г. Санкт-Петербург, пр. Обуховской обороны, д. 84, лит. «Е»
Телефон: +7 (812) 365-46-03 / 04. **E-mail:** server@szko.ru

Филиал ООО «Издательство «Эксмо» в г. Екатеринбурге
Адрес: 620024, г. Екатеринбург, ул. Новинская, д. 2щ
Телефон: +7 (343) 272-72-01 (02/03/04/05/06/08)

Филиал ООО «Издательство «Эксмо» в г. Самаре
Адрес: 443052, г. Самара, пр-т Кирова, д. 75/1, лит. «Е»
Телефон: +7 (846) 207-55-50. **E-mail:** RDC-samara@mail.ru

Филиал ООО «Издательство «Эксмо» в г. Ростове-на-Дону
Адрес: 344023, г. Ростов-на-Дону, ул. Страны Советов, 44А
Телефон: +7(863) 303-62-10. **E-mail:** info@rnd.eksmo.ru

Филиал ООО «Издательство «Эксмо» в г. Новосибирске
Адрес: 630015, г. Новосибирск, Комбинатский пер., д. 3
Телефон: +7(383) 289-91-42. **E-mail:** eksmo-nsk@yandex.ru

Обособленное подразделение в г. Хабаровске
Фактический адрес: 680000, г. Хабаровск, ул. Фрунзе, 22, оф. 703
Почтовый адрес: 680020, г. Хабаровск, А/Я 1006
Телефон: (4212) 910-120, 910-211. **E-mail:** eksmo-khv@mail.ru

Филиал ООО «Издательство «Эксмо» в г. Тюмени
Центр оптово-розничных продаж Cash&Carry в г. Тюмени
Адрес: 625022, г. Тюмень, ул. Пермякова, 1а, 2 этаж. ТЦ «Перестрой-ка»
Ежедневно с 9.00 до 20.00. Телефон: 8 (3452) 21-53-96

Республика Беларусь: ООО «ЭКСМО АСТ Си энд Си»
Центр оптово-розничных продаж Cash&Carry в г. Минске
Адрес: 220014, Республика Беларусь, г. Минск, проспект Жукова, 44, пом. 1-17, ТЦ «Outleto»
Телефон: +375 17 251-40-23; +375 44 581-81-92
Режим работы: с 10.00 до 22.00. **E-mail:** exmoast@yandex.by

Казахстан: «РДЦ Алматы»
Адрес: 050039, г. Алматы, ул. Домбровского, 3А
Телефон: +7 (727) 251-58-12, 251-59-90 (91,92,99). E-mail: RDC-Almaty@eksmo.kz

Украина: ООО «Форс Украина»
Адрес: 04073, г. Киев, ул. Вербовая, 17а
Телефон: +38 (044) 290-99-44, (067) 536-33-22. **E-mail:** sales@forsukraine.com

Полный ассортимент продукции ООО «Издательство «Эксмо» можно приобрести в книжных
магазинах «Читай-город» и заказать в интернет-магазине: www.chitai-gorod.ru.
Телефон единой справочной службы: 8 (800) 444-8-444. Звонок по России бесплатный.

Интернет-магазин ООО «Издательство «Эксмо»
www.book24.ru
Розничная продажа книг с доставкой по всему миру.
Тел.: +7 (495) 745-89-14. E-mail: imarket@eksmo-sale.ru

ISBN 978-5-04-106788-5

16+

ТАТЬЯНА ТРОНИНА

Дочери Евы

В этих книгах – загадки настоящего и тайны прошлого, столкновение характеров, иногда перерастающее в противоборство, и, конечно, истории невероятной любви.

В НИХ ВСЁ О ДОЧЕРЯХ ЕВЫ…

Авернское *озеро*

Наваждение *Пьеро*

Интересные характеры, сложные отношения героев и, конечно же, традиционные семейные ценности — это черты фирменного стиля

Юлии Лавряшиной

Читатели любят ее романы за напряженный сюжет и психологическую глубину.

Навеки *твой*

Просто вспомни *обо мне...*

Ольга Покровская

Герои этих произведений не идеальны,
они мечутся и совершают множество ошибок,
однако есть то, что спасает и оправдывает их
в любой ситуации. Это любовь — настоящая,
яркая, всепобеждающая.

Читая книги Ольги Покровской, вы будете
смеяться и плакать, восхищаться
и негодовать, но никогда не останетесь
равнодушными.